JEAN
DE LA FONTAINE

Contes

TOME PREMIER
Illustrations de Fragonard

TOME DEUXIÈME
Illustrations d'Eisen

bibliothèque Lattès

AVERTISSEMENT DE L'AUTEUR

Les Nouvelles en vers dont ce livre fait part au public, et dont l'une est tirée de l'Arioste et l'autre de Boccace, quoique d'un style différent, sont toutefois d'une même main. L'auteur a voulu éprouver lequel caractère est le plus propre pour rimer des Contes : il a cru que les vers irréguliers ayant un air qui tient beaucoup de la prose, cette manière pourrait sembler la plus naturelle, et par conséquent la meilleure. D'autre part aussi, le vieux langage, pour les choses de cette nature, a des grâces que celui de notre siècle n'a pas. Les *Cent Nouvelles*, les vieilles traductions de Boccace et des Amadis, Rabelais, nos anciens Poètes, nous en fournissent des preuves infaillibles. L'auteur a donc tenté ces deux voies sans être certain laquelle est la bonne. C'est au Lecteur à se déterminer là-dessus ; car il ne prétend pas en demeurer là, et il a déjà jeté les yeux sur d'autres Nouvelles pour les rimer. Mais, auparavant, il faut qu'il soit

assuré de celles-ci et du goût de la plupart des
personnes qui les liront. En cela, comme en
d'autres choses, Térence lui doit servir de modèle.
Ce poète n'écrivait pas pour se satisfaire seulement
ou pour satisfaire un petit nombre de gens choisis ;
il avait pour but :

Populo ut placerent quas fecisset Fabulas

TOME I

PRÉFACE DE L'AUTEUR

(1665)

J'avais résolu de ne consentir à l'impression de ces Contes qu'après que j'y pourrais joindre ceux de Boccace ? qui sont le plus à mon goût ; mais quelques personnes m'ont conseillé de donner dès à présent ce qui me reste de ces bagatelles, afin de ne pas laisser refroidir la curiosité de les voir, qui est encore en son premier feu. Je me suis rendu à cet avis sans beaucoup de peine, et j'ai cru pouvoir profiter de l'occasion. Non seulement cela m'est permis, mais ce serait vanité à moi de mépriser un tel avantage. Il me suffit de ne pas vouloir qu'on impose en ma faveur à qui que ce soit, et de suivre un chemin contraire à celui de certaines gens ? qui ne s'acquièrent des amis que pour s'acquérir des suffrages par leur moyen ; créatures de la cabale, bien différents de cet Espagnol qui se piquait d'être le fils de ses propres œuvres. Quoique j'aie autant besoin de ces artifices que pas un autre, je ne saurais me résoudre à les employer : seulement je m'accommoderai, s'il m'est possible, au goût de mon siècle, instruit que je suis par ma propre expérience qu'il n'y a rien de plus nécessaire. En effet, on ne peut pas dire que toutes saisons soient favorables pour toutes sortes de livres. Nous avons vu les Rondeaux, les Métaphores, les Bouts-rimés régner tour à tour ; maintenant ces galanteries sont hors de mode, et personne ne s'en soucie, tant il est certain que ce qui plaît en un temps peut ne pas plaire en un autre. Il n'appartient qu'aux ouvrages vraiment solides et d'une souveraine beauté d'être bien reçus de tous les esprits et dans tous les siècles, sans avoir d'autre passeport que le seul mérite dont il sont pleins. Comme les miens sont forts éloignés d'un si haut degré de perfection, la prudence veut que je les garde en mon cabinet, à moins que de bien prendre mon temps pour les en tirer. C'est ce que j'ai fait ou que j'ai cru faire dans cette seconde édition, où je n'ai ajouté de nouveaux Contes que parce qu'il m'a semblé qu'on était en train d'y prendre plaisir. Il y en a que j'ai étendus et d'autres que j'ai accourcis, seulement pour diversifier et me rendre moins ennuyeux. On en trouvera même quelques-uns que j'ai prétendu mettre en épigrammes. Tout cela n'a fait qu'un petit Recueil aussi peu considérable par sa grosseur que par la qualité des ouvrages qui le composent. Pour les grossir, j'ai tiré de mes papiers je ne sais quelle *Imitation des Arrêts d'Amour,* avec un Fragment où l'on raconte le tour que Vulcain fit à Mars et à Vénus, et celui que Mars et Vénus lui avaient fait. Il est vrai que ces deux pièces n'ont ni le sujet ni le caractère du tout semblables au reste du livre ; mais, à mon sens, elles n'en sont pas entièrement éloignées. Quoi que c'en soit, elles passeront : je ne sais même si la vérité n'était point plus à rechercher en cette rencontre qu'un assortiment si exact.

Mais je m'amuse à des choses auxquelles on ne prendra peut-être pas garde, tandis que j'ai lieu d'appréhender des objections bien plus importantes. On m'en peut faire deux principales : l'une, que ce livre est licencieux ; l'autre, qu'il n'épargne pas assez le beau sexe. Quant à la première, je dis hardiment que la nature du Conte le voulait ainsi ; étant une loi indispensable, selon Horace, ou plutôt selon la raison et le sens commun, de se conformer aux choses dont on écrit. Or, qu'il ne m'ait été permis d'écrire de celles-ci, comme tant d'autres l'on fait et avec succès, je ne crois pas qu'on le mette en doute ; et l'on ne saurait me condamner que l'on ne condamne aussi l'Arioste devant moi, et les Anciens devant l'Arioste. On me dira que j'eusse mieux fait de les déguiser. Il n'y avait rien de plus facile, mais cela aurait affaibli le Conte et lui aurait ôté de sa grâce. Tant de circonspection n'est nécessaire que dans les ouvrages qui promettent beaucoup de retenue dès l'abord, ou par leur sujet, ou par la manière dont on les traite. Je confesse qu'il faut garder en cela des bornes, et que les plus étroites sont les meilleures : aussi faut-il m'avouer que trop de scrupule gâterait tout. Qui voudrait réduire Boccace à la même pudeur que Virgile ne ferait assurément rien qui vaille et pécherait contre les lois de la bienséance en prenant à tâche de les observer ; car, afin que l'on ne s'y trompe pas, en matière de vers et de prose, l'extrême pudeur et la bienséance sont deux choses bien différentes. Cicéron fait consister la dernière à dire ce qu'il est à propos qu'on dise eu égard au lieu, au temps et aux personnes qu'on entretient. Ce principe une fois posé, ce n'est pas une faute de jugement que d'entretenir les gens d'aujourd'hui de Contes un peu libres. Je ne pèche pas non plus en cela contre la morale. S'il y a quelque chose dans nos écrits qui puisse faire impression sur les âmes, ce n'est nullement la gaieté de ces Contes ; elle passe légèrement : je craindrais plutôt une douce mélancolie, où le romans les plus chastes et les plus modestes sont très capables de nous plonger, et qui est une grande préparation pour l'amour. Quant à la seconde objection par laquelle on me reproche que ce livre fait tord aux femmes, on aurait raison si je parlais sérieusement ; mais qui ne voit que ceci est jeu, et par conséquent ne peut porter coup ? Il ne faut pas avoir peur que les mariages en soient à l'avenir moins fréquents, et les maris plus fort sur leur garde. On me peut encore objecter que ces Contes ne sont pas fondés, ou qu'ils ont partout un fondement aisé à détruire ; enfin, qu'il y a des absurdités et pas la moindre teinture de vraisemblance. Je réponds en peu de mots que j'ai mes garants ; et puis ce n'est ni le vrai ni le vraisemblable qui font la beauté et la grâce de ces choses-ci, c'est seulement la manière de les conter.

Voici les principaux points sur quoi j'ai cru être obligé de me défendre. J'abandonne le reste aux censeurs : aussi bien serait-ce une entreprise infinie que de prétendre répondre à tout. Jamais la critique ne demeure court, ni ne manque de sujets de s'exercer : quand ceux que je puis prévoir lui seraient ôtés, elle en aurait bientôt trouvé d'autres.

JOCONDE

Nouvelle tirée de l'Arioste.

Jadis régnait en Lombardie
Un prince aussi beau que le jour,
Et tel que des beautés qui régnaient à sa cour
La moitié lui portait envie,
L'autre moitié brûlait pour lui d'amour
Un jour, en se mirant : « Je fais, dit-il, gageure
Qu'il n'est mortel dans la nature
Qui me soit égal en appas,
Et gage, si l'on veut, la meilleure province
De mes États ;
Et, s'il s'en rencontre un, je promets, foi de
[Prince,
De le traiter si bien qu'il ne s'en plaindra pas. »

A ce propos s'avance un certain Gentilhomme
D'auprès de Rome.
« Sire, dit-il, si Votre Majesté
Est curieuse de beauté,
Qu'elle fasse venir mon frère :
Aux plus charmants il n'en doit guère ;

Je m'y connais un peu, soit dit sans vanité.
Toutefois, en cela pouvant m'être flatté,
Que je n'en sois pas cru, mais les cœur de vos
                                            [Dames
        Du soin de guérir leurs flammes
Il vous soulagera, si vous le trouvez bon :
Car de pourvoir vous seul au tourment de chacune,
Outre que tant d'amour vous serait importune,
Vous n'auriez jamais fait ; il vous faut un second. »
        Là-dessus Astolphe répond
(C'est ainsi qu'on nommait ce Roi de Lombardie) :
« Votre discours me donne une terrible envie
De connaître ce frère : amenez-le-nous donc.
Voyons si nos beautés en seront amoureuses,
    Si ses appas le mettront en crédit ;
        Nous en croirons les connaisseuses,
        Comme très bien vous avez dit. »

Le Gentilhomme part, et va quérir Joconde
        (C'est le nom que ce frère avait).
            A la campagne il vivait,
        Loin du commerce du monde :
Marié depuis peu ; content, je n'en sais rien.
        Sa femme avait de la jeunesse,
    De la beauté, de la délicatesse ;
Il ne tenait qu'à lui qu'il ne s'en trouvât bien.
        Son frère arrive, et lui fait l'ambassade ;
            Enfin il le persuade.

Joconde d'une part regardait l'amitié
   D'un Roi puissant, et d'ailleurs fort aimable ;
Et d'autre part aussi sa charmante moitié
      Triomphait d'être inconsolable
      Et de lui faire des adieux
      A tirer les larmes des yeux
      « Quoi ! tu me quittes ! disait-elle.
      As-tu bien l'âme assez cruelle
Pour préférer à ma constante amour
     Les faveurs de la Cour ?
Tu sais qu'à peine elles durent un jour ;
Qu'on les conserve avec inquiétude,
     Pour les perdre avec désespoir.
     Si tu te lasses de me voir,
     Songe au moins qu'en ta solitude
     Le repos règne jour et nuit ;
     Que les ruisseaux n'y font du bruit
Qu'afin de t'inviter à fermer la paupière.
Crois-moi ? ne quitte point les hôtes de tes bois,
Ces fertiles vallons ? ces ombrages si cois,
Enfin moi, qui devrais me nommer la première :
Mais ce n'est plus le temps ; tu ris de mon amour
Va, cruel, va montrer ta beauté singulière ;
Je mourrai, je l'espère, avant la fin du jour. »
L'histoire ne dit point ni de quelle manière
Joconde put partir, ni ce qu'il répondit,
     Ni ce qu'il fit, ni ce qu'il dit ;
Je m'en tais donc aussi, de crainte de pis faire.

Disons que la douleur l'empêcha de parler ;
C'est un fort bon moyen de se tirer d'affaire.
Sa femme, en le voyant tout près de s'en aller,
L'accable de baisers, et pour comble, lui donne
    Un bracelet de façon fort mignonne,
       En lui disant : « Ne le perds pas,
       Et qu'il soit toujours à ton bras,
       Pour te ressouvenir de mon amour extrême ;
Il est de mes cheveux, je l'ai tissé moi-même :
       Et voilà de plus mon portrait
       Que j'attache à ce bracelet. »
Vous autres, bonnes gens, eussiez cru que la dame
       Une heure après eût rendu l'âme ;
Moi, qui sais ce que c'est que l'esprit d'une
                   [femme,
    Je m'en serais à bon droit défié.
Joconde partit donc ; mais ayant oublié
       Le bracelet et la peinture,
       Par je ne sais quelle aventure,
       Le matin même il s'en souvient :
    Au grand galop sur ses pas il revient,
Ne sachant quelle excuse il ferait à sa femme.
Sans rencontrer personne ? et sans être entendu,
Il monte dans sa chambre ? et voit près de la
                   [dame
Un lourdeau de Valet sur son sein étendu.
    Tous deux dormaient. Dans cet abord, Joconde
Voulut les envoyer dormir en l'autre monde :

Mais cependant il n'en fit rien ;
Et mon avis est qu'il fit bien.
Le moins de bruit que l'on peut faire
 En telle affaire
Est le plus sûr de la moitié.
Soit par prudence, ou par pitié,
Le Romain ne tua personne.
D'éveiller ces amants ? il ne le fallait pas ;
 Car son honneur l'obligeait en ce cas
  De leur donner le trépas.
  « Vis, méchante, dit-il tout bas ;
  A ton remords, je t'abandonne. »

Joconde là-dessus se remet en chemin,
Rêvant à son malheur tout le long du voyage.
Bien souvent il s'écrie, au fort de son chagrin :
  « Encor si c'était un blondin,
Je me consolerais d'un si sensible outrage ;
  Mais un gros lourdaud de valet !
  C'est à quoi j'ai plus de regret :
  Plus j'y pense, et plus j'en enrage.
Ou l'amour est aveugle, ou bien il n'est pas sage
  D'avoir assemblé ces amants.
 Ce sont, hélas ! ses divertissements ;
  Et possible est-ce par gageure
  Qu'il a causé cette aventure. »

Le souvenir fâcheux d'un si perfide tour

Altérait fort la beauté de Joconde ;
Ce n'était plus ce miracle d'amour
Qui devait charmer tout le monde.
Les Dames, le voyant arriver à la Cour,
Dirent d'abord : « Est-ce là ce Narcisse
Qui prétendait tous nos cœurs enchaîner ?
Quoi ! le pauvre homme a la jaunisse !
Ce n'est pas pour nous la donner.
A quel propos nous amener
Un galant qui vient de jeûner
La quarantaine ?
On se fût bien passé de prendre tant de peine. »

Astolphe était ravi ; le frère étais confus,
Et ne savait que penser là-dessus ;
Car Joconde cachait avec un soin extrême
La cause de son ennui.
On remarquait pourtant en lui,
Malgré ses yeux cavés et son visage blême,
De fort beaux traits, mais qui ne plaisaient point,
Faute d'éclat et d'embonpoint

Amour en eut pitié : d'ailleurs cette tristesse
Faisait perdre à ce dieu trop d'encens et de vœux ;
L'un des plus grands suppôts de l'empire
[amoureux
Consumait en regrets la fleur de sa jeunesse.
Le Romain se vit donc à la fin soulagé

Par le même pouvoir qui l'avait affligé.
Car un jour, étant seul en une galerie,
    Lieu solitaire et tenu fort secret,
    Il entendit en certain cabinet,
Dont la cloison n'était que de menuiserie,
        Le propre discours que voici :
        « Mon cher Curtade, mon souci,
    J'ai beau t'aimer, tu n'es pour moi que glace :
        Je ne vois pourtant, Dieu merci,
        Pas une beauté qui m'efface :
    Cent conquérants voudraient avoir ta place ;
        Et tu sembles la mépriser,
        Aimant beaucoup mieux t'amuser
    A jouer avec quelque page
            Au lansquenet,
Que me venir trouver seule en ce cabinet.
Dorimène tantôt t'en a fait le message ;
        Tu t'es mis contre elle à jurer,
        A la maudire, à murmurer,
Et n'as quitté le jeu que ta main étant faite,
Sans te mettre en souci de ce que je souhaite ! »
Qui fut bien étonné ? ce fut notre Romain.
        Je donnerais jusqu'à demain
    Pour deviner qui tenait ce langage,
        Et quel était le personnage
        Qui gardait tant son quant à moi.
    Ce bel Adon était le Nain du Roi,
        Et son amante était la reine.

Le Romain, sans beaucoup de peine
  Les vit, en approchant les yeux
Des fentes que le bois laissait en divers lieux.
Ces amants se fiaient au soin de Dorimène ;
Seule elle avait toujours la clef de ce lieu-là.
Mais la laissant tomber, Joconde la trouva,
  Puis s'en servit, puis en tira
  Consolation non petite ;
  Car voici comme il raisonna
« Je ne suis pas le seul ; et puisque même on
                                    [quitte
Un prince si charmant pour un Nain contrefait,
  Il ne faut pas que je m'irrite
  D'être quitté pour un valet. »
Ce penser le console ; il reprend tous ses charmes ;
  Il devient plus beau que jamais :
  Telle pour lui verse des larmes
  Qui se moquait de ses attraits.
C'est à qui l'aimera ; la plus prude s'en pique.
  Astolphe y perd mainte pratique :
Cela n'en fut que mieux ; il en avait assez.
Retournons aux amants que nous avons laissés.

Après avoir tout vu, le Romain se retire,
  Bien empêché de ce secret.
Il ne faut à la Cour ni trop voir, ni trop dire ;
Et peu se sont vantés du don qu'on leur a fait
  Pour une semblable nouvelle.

Mais quoi ! Joconde aimait avecque trop de zèle
Un prince libéral qui le favorisait,
Pour ne pas l'avertir du tort qu'on lui faisait.
Or, comme avec les rois il faut plus de mystère
Qu'avecque d'autres gens sans doute il n'en
                                          [faudrait,
Et que de but en blanc leur parler d'une affaire
          Dont le discours leur doit déplaire,
          Ce serait être mal-adroit ;
Pour adoucir la chose, il fallut que Joconde
          Depuis l'origine du monde
Fît un dénombrement des rois et des Césars
Qui, sujets comme nous à des communs hasards,
     Malgré les soins dont leur grandeur se pique,
          Avaient vu leurs femmes tomber
          En telle ou semblable pratique,
          Et l'avaient vu sans succomber
     A la douleur, sans se mettre en colère,
          Et sans en faire pire chère.
« Moi qui vous parle, sire, ajouta le Romain,
Le jour que pour vous voir je me mis en chemin,
          Je fus forcé par mon destin
          De reconnaître Cocuage
          Pour un des Dieux du mariage,
     Et comme tel, de lui sacrifier. »
Là-dessus, il conta, sans en rien oublier,
          Toute sa déconvenue ;
          Puis vint à celle du roi.

« Je vous tiens, dit Astolphe, homme digne de
[foi ;
  Mais la chose, pour être crue,
  Mérite bien d'être vue :
  Menez-moi donc sur les lieux. »
 Cela fut fait ; et de ses propres yeux
  Astolphe vit des merveilles,
Comme il en entendit de ses propres oreilles
L'énormité du fait le rendit si confus,
Que d'abord tous ses sens demeurèrent perclus ;
Il tut comme accablé de ce cruel outrage :
Mais bientôt il le prit en homme de courage,
  En galant homme, et, pour faire court,
  En véritable homme de Cour.

« Nos femmes, se dit-il, nous en ont donné d'une ;
  Nous voici lâchement trahis :
 Vengeons-nous-en, et courons le pays ;
  Cherchons partout notre fortune.
  Pour réussir dans ce dessein,
Nous changerons nos noms ; je laisserai mon train,
  Je me dirai votre cousin,
Et vous ne me rendrez aucune déférence :
Nous en ferons l'amour avec plus d'assurance,
 Plus de plaisir, plus de commodité,
Que si j'étais suivi selon ma qualité. »
Joconde approuva fort le dessein du voyage.
 « Il nous faut dans notre équipage,

Continua le prince, avoir un livre blanc,
  Pour mettre les noms de celles
   Qui ne seront pas rebelles,
   Chacune selon son rang.
 Je consens de perdre la vie
Si, devant que sortir des confins d'Italie,
 Tout notre livre ne s'emplit,
Et si la plus sévère à nos vœux ne se range
 Nous sommes beaux ; nous avons de l'esprit ;
  Avec cela, bonnes lettres de change :
   Il faudrait être bien étrange
   Pour résister à tant d'appas,
   Et ne pas tomber dans les lacs
Des gens qui sèmeront l'argent et la fleurette,
  Et dont la personne est bien faite. »
Leur bagage étant prêt, et le livre surtout,
  Nos galants se mettent en voie.
  Je ne viendrais jamais à bout
De nombrer les faveurs que l'amour leur envoie :
  Nouveaux objets, nouvelle proie :
Heureuses les beautés qui s'offrent à leurs yeux !
Et plus heureuses encor celle qui peut leur plaire !
  Il n'est en la plupart des lieux
  Femme d'échevin, ni de maire,
  De podestat, de gouverneur,
  Qui ne tienne à fort grand honneur
  D'avoir en leur registre place.
  Les cœurs que l'on croyait de glace

Se fondent tous à leur abord
J'entends déjà maint esprit fort
M'objecter que la vraisemblance
N'est pas en ceci tout à fait.
Car, dira-t-on, quelque parfait
Que puisse être un galant dedans cette science,
Encore faut-il du temps pour mettre un cœur à
[bien.
S'il en faut, je n'en sais rien ;
Ce n'est pas mon métier de cajoler personne ;
Je le rends comme on me le donne ;
Et l'Arioste ne ment pas.
Si l'on voulait à chaque pas
Arrêter un conteur d'Histoire,
Il n'aurait jamais fait : suffit qu'en pareil cas
Je promets à ces gens quelque jour de les croire.
Quand nos aventuriers eurent goûté de tout
(De tout un peu, c'est comme il faut l'entendre) :
« Nous mettrons, dit Astolphe, autant de cœurs à
[bout
Que nous voudrons en entreprendre ;
Mais je tiens qu'il vaut mieux attendre.
Arrêtons-nous pour un temps quelque part,
Et cela plus tôt que plus tard ;
Car en amour, comme à la table,
Si l'on en croit la Faculté,
Diversité de mets peut nuire à la santé :
Le trop d'affaires nous accable.

Ayons quelque objet en commun ;
Pour tous les deux c'est est assez d'un.
— J'y consens, dit Joconde ; et je sais une Dame
Près de qui nous aurons toute commodité.
Elle a beaucoup d'esprit, elle est belle, elle est
[femme
D'un des premiers de la cité
— Rien moins, reprit le Roi ; laissons la qualité :
Sous les cotillons des grisettes
Peut loger autant de beauté
Que sous les jupes des coquettes.
D'ailleurs il n'y faut point faire tant de façon.
Être en continuel soupçon,
Dépendre d'une humeur fière, brusque, ou volage.
Chez les Dames de haut parage
Ces choses sont à craindre, et bien d'autres encor :
Une grisette est un trésor ;
Car, sans se donner de la peine,
Et sans qu'aux bals on la promène,
On en vient aisément à bout ;
On lui dit ce qu'on veut, bien souvent rien du
[tout.
Le point est d'en trouver une qui soit fidèle :
Choisissons-la toute nouvelle,
Qui ne connaisse encor ni le mal ni le bien.
Prenons, dit le Romain, la fille de notre hôte ;
Je la tiens pucelle sans faute,
Et si pucelle, qu'il n'est rien

De plus puceau que cette belle :
Sa poupée en sait autant qu'elle.

— J'y songeais, dit le Roi ; parlons-lui dès ce
                                            [soir,
     Il ne s'agit que de savoir
Qui de nous doit donner à cette jouvencelle,
     Si son cœur se rend à nos vœux,
La première leçon du plaisir amoureux.
Je sais que cet honneur est pure fantaisie ;
Toutefois, étant Roi, l'on me le doit céder :
Du reste, il est aisé de s'en accommoder.
— Si c'était, dit Joconde, une Cérémonie,
     Vous auriez droit de prétendre le pas ;
          Mais il d'agit d'un autre cas :
          Tirons au sort ; c'est la justice ;
          Deux pailles en feront l'office. »
De la chape à l'Évêque, hélas ! ils se battaient,
          Les bonnes gens qu'ils étaient.
     Quoi qu'il en soit, Joconde eut l'avantage
          Du prétendu pucelage.
La belle étant venue en leur chambre le soir
          Pour quelque petite affaire,
Nos deux aventuriers près d'eux la firent seoir,
Louèrent sa beauté, tâchèrent de lui plaire,
     Firent briller une bague à ses yeux.
          A cet objet si précieux
          Son cœur fit peu de résistance :

Le marché se conclut ; et dès la même nuit,
Tout l'hôtellerie étant dans le silence,
    Elle les vient trouver sans bruit.
  Au milieu d'eux ils lui font prendre place,
    Tant qu'enfin la chose se passe
Au grand plaisir des trois, et surtout du Romain,
    Qui crut avoir rompu la glace.
    Je lui pardonne ? et c'est en vain
    Que de ce point on s'embarrasse.
    Car il n'est si sotte, après tout,
    Qui ne puise venir à bout
De tromper à ce jeu le plus sage du monde :
    Salomon, qui grnd clerc étoit,
    Le reconnaît en quelque endroit,
Dont il ne souvint pas au bonhomme Joconde.
    Il se tint content pour le coup,
    Crut qu'Astolphe y perdait beaucoup.
   Tout alla bien, et Maître Pucelage
    Joua des mieux son personnage.
Un jeune gars pourtant en avait essayé.
Le temps, à cela près, fut fort bien employé.
Et si bien que la fille en demeura contente ;
   Le lendemain elle le fut encor,
    Et même encor la nuit suivante.
    Le jeune gars s'étonna fort
Du refroidissement qu'il remarquait en elle :
Il se douta du fait, la guetta, la surprit,
    Et lui fit grosse querelle

Afin de l'apaiser, la belle lui promit,
Foi de fille de bien, que, sans aucune faute,
Leurs hôtes délogés, elle lui donnerait
Autant de rendez-vous qu'il en demanderait.
« Je n'ai souci, dit-il, ni d'hôtesse ni d'hôte ;
Je veux cette nuit même, ou bien je dirai tout.
— Comment en viendrons-nous à bout ?
    Dit la fille fort affligée :
De les aller trouver je me suis engagée ;
    Si j'y manque, adieu l'anneau
    Que j'ai gagné bien et beau.
    — Faisons que l'anneau vous demeure,
    Reprit le garçon tout à l'heure.
Dites-moi seulement, dorment-ils fort tous les
                       [deux ?
    — Oui, reprit-elle, mais entre eux
Il faut que toute nuit je demeure couchée ;
Et tandis que je suis avec l'un empêchée,
L'autre attend sans mot dire, et s'endort bien
                       [souvent,
    Tant que le siège soit vacant ;
  C'est là leur mot. » Le gars dit à l'instant :
« Je vous irai trouver pendant le premier somme. »
    Elle reprit : « Ah ! gardez-vous-en bien ;
    Vous seriez un mauvais homme.
    — Non, non, dit-il, ne craignez rien.
    Et laissez ouverte la porte. »

La porte ouverte elle laissa :
Le galant vint, et s'approcha
Des pieds du lit, puis fit en sorte
Qu'entre les draps il se glissa ;
Et Dieu sait comme il se plaça,
Et comme enfin tout se passa.
Et de ceci ni de cela
Ne se douta le moins du monde
Ni le Roi Lombard, ni Joconde.
Chacun d'eux pourtant s'éveilla,
Bien étonné de telle aubade.
Le Roi Lombard dit à part soi :
« Qu'a donc mangé mon camarade ?
Il en prend trop ; et sur ma foi
C'est bien fait s'il devient malade. »
Autant en dit de sa part le Romain ;
Et le garçon, ayant repris haleine,
S'en donna pour le jour et pour le lendemain,
Enfin pour toute la semaine ;
Puis, les voyant tous deux rendormis à la fin,
Il s'en alla de grand matin,
Toujours par le même chemin,
Et fut suivi de la donzelle,
Qui craignait fatigue nouvelle.

Eux éveillés, le Roi dit au Romain :
« Frère, dormez jusqu'à demain ;
Vous en devez avoir envie,

Et n'avez à présent besoin que de repos.
— Comment ! dit le Romain : mais vous-même,
                                              [à propos,
Vous avez fait tantôt une terrible vie.
    — Moi ! dit le Roi, j'ai toujours attendu ;
    Et puis, voyant que c'était temps perdu,
        Que sans pitié ni conscience
Vous vouliez jusqu'au bout tourmenter ce tendron,
        Sans en avoir d'autre raison
        Que d'éprouver ma patience,
Je me suis, malgré moi, jusqu'au jour endormi.
        Que s'il vous eût plu, notre ami,
    J'aurais couru volontiers quelque poste ;
    C'eût été tout, n'ayant pas la riposte
        Ainsi que vous : qu'y ferait-on ?
        — Pour Dieu ? reprit son compagnon,
Cessez de vous railler, et changeons de matière ;
Je suis votre vassal ; vous l'avez bien fait voir.
C'est assez que tantôt il vous ait plu d'avoir
        La fillette tout entière :
    Disposez-en ainsi qu'il vous plaira ;
Nous verrons si ce feu toujours durera.
— Il pourra, dit le Roi, durer toute ma vie,
Si j'ai beaucoup de nuits telles que celle-ci.
— Sire, dit le Romain, trêve de raillerie ;
Donnez-moi mon congé, puisqu'il vous plaît
                                              [ainsi. »
Astolphe se piqua de cette répartie ;

Et leurs propos s'allaient de plus en plus aigrir,
  Si le Roi n'eût fait venir
  Tout incontinent la belle.
  Ils lui dirent : « Jugez-nous ! »
  En lui contant leur querelle.
 Elle rougit, et se mit à genoux,
  Leur confessa tout le mystère.
  Loin de lui faire pire chère,
Ils en rirent tous deux : l'anneau lui fut donné,
  Et maint bel écu couronné,
Dont peu de temps après on la vit mariée ;
  Et pour pucelle employée.

  Ce fut par là que nos aventuriers
   Mirent fin à leur aventures,
   Se voyant chargés de lauriers
Qui les rendront fameux chez les races futures :
Lauriers d'autant plus beaux qu'il ne leur en
          [coûta
 Qu'un peu d'adresse et quelques feintes larmes,
Et que, loin des dangers et du bruit des alarmes,
  L'un et l'autre les remporta.
Tout fiers d'avoir conquis les cœurs de tant de
         [belles
  Et leur livre étant plus que plein,
  Le Roi Lombard dit au Romain :
« Retournons au logis par le plus court chemin.
  Si nos femmes sont infidèles,

Consolons-nous ; bien d'autres le sont qu'elles.
La constellation changera quelque jour ;
Un temps viendra que le flambeau d'amour
Ne brûlera les cœurs que de pudiques flammes :
A présent on dirait que quelque astre malin
Prend plaisir aux bons touts des maris et des
[femmes.
D'ailleurs tout l'univers est plein
De maudits enchanteurs, qui des corps et des âmes
Font tout ce qu'il leur plaît : savons-nous si ces
[gens,
Comme ils sont traîtres et méchants,
Et toujours ennemis, soit de l'un soit de l'autre,
N'ont point ensorcelé mon épouse et la vôtre ;
Et si par quelque étrange cas
Nous n'avons point cru voir chose qui n'était
[pas ?
Ainsi que bons bourgeois achevons notre vie,
Chacun près de sa femme, et demeurons en là.
Peut-être que l'absence, ou bien la jalousie,
Nous ont rendu leurs cœurs que l'hymen nous
[ôta. »
Astolphe rencontra dans cette prophétie.
Nos deux aventuriers, au logis retournés,
Furent très bien reçus, pourtant un peu grondés,
Mais seulement par bienséance.
L'un et l'autre se vit de baisers régalé ;
On se récompensa des pertes de l'absence.

Il fut dansé, sauté, ballé,
Et du Nain nullement parlé,
Ni du valet, comme je pense.
Chaque époux, s'attachant auprès de sa moitié,
Vécut en grand soulas, en paix, en amitié,
Le plus heureux, le plus content du monde.
La Reine à son devoir ne manqua d'un seul point.
Autant en fit la femme de Joconde ;
Autant en font d'autres qu'on ne sait point.

LE COCU BATTU ET CONTENT

Nouvelle tirée de Boccace

N'a pas longtemps de Rome revenait
Certain cadet, qui n'y protita guère
Et volontiers en chemin séjournait,
Quand par hasard le galant rencontrait
Bon vin, bon gîte et belle Chambrière.
Avint qu'un jour, en un bourg arrêté,
Il vit passer une Dame jolie,

Leste, pimpante, et d'un Page suivie ;
Et la voyant il en fut enchanté,
La convoita, comme bien savait faire.
Prou de pardons il avait rapporté
De vertu peu : chose assez ordinaire.
La Dame était de gracieux maintien,
De doux regard jeune, fringuante et belle,
Somme qu'enfin il ne lui manquait rien,
Fors que d'avoir un ami digne d'elle,
Tant se la mit le drôle en la cervelle,
Que dans sa peau peu ni point ne durait :
Et s'informant comment on l'appelait ;
« C'est, lui dit-on, la Dame du village ;
Messire Bon l'a prise en mariage,
Quoiqu'il n'ait plus que quatre cheveux gris ;
Mais, comme il est des premiers du pays,
Son bien supplée au défaut de son âge. »
Notre Cadet tout ce détail apprit,
Dont il conçut espérance certaine.
Voici comment le pèlerin s'y prit.
Il renvoya dans la ville prochaine
Tous ses valets, puis s'en fut au château ;
Dit qu'il était un jeune jouvenceau
Qui cherchait maître, et qui savait tout faire
Messire Bon, fort content de l'affaire,
Pour Fauconnier le loua bien et beau,
Non toutefois sans l'avis de sa femme :
Le Fauconnier plut très fort à la Dame ;

Et n'étant homme en tel pourchas nouveau
Guère ne mit à déclarer sa flamme.
Ce fut beaucoup ; car le vieillard était
Fou de sa femme et fort peu la quittait,
Sinon les jours qu'il allait à la chasse.
Son Fauconnier, qui pour lors le suivait,
Eût demeuré volontiers en sa place ;
La jeune Dame en était bien d'accord ;
Ils n'attendaient que le temps de mieux faire.
Quand je dirai qu'il leur en tardait fort,
Nul n'osera soutenir le contraire.
Amour enfin ? qui prit à cœur l'affaire,
Leur inspira la ruse que voici.
La Dame dit un soir à son mari :
« Qui croyez-vous le plus rempli de zèle
De tous vos gens ? » Ce propos entendu,
Messire Bon lui dit : « J'ai toujours cru
Le Fauconnier garçon sage et fidèle ;
Et c'est à lui que plus je me fierois.
— Vous auriez tort, repartit cette belle ;
C'est un méchant : il me tint l'autre fois
Propos d'amour, dont je fus si surprise,
Que je pensai tomber tout de mon haut ;
Car qui croirait une telle entreprise ?
Dedans l'esprit il me vint aussitôt
De l'étrangler, de lui manger la vue :
Il tint à peu ; je n'en fus retenue
Que pour n'oser un tel cas publier ;

Même, à dessein qu'il ne le pût nier,
Je fis semblant d'y vouloir condescendre ;
Et cette nuit, sous un certain poirier,
Dans le jardin je lui dis de m'attendre.
Mon mari, dis-je, est toujours avec moi,
Plus par amour que doutant de ma foi ;
Je ne me puis dépêtrer de cet homme,
Sinon la nuit, pendant son premier somme :
D'auprès de lui tâchant de me lever,
Dans le jardin je vous irai trouver.
Voilà l'état où j'ai laissé l'affaire, »

Messire Bon se mit fort en colère.
Sa femme dit : « Mon ami, mon époux,
Jusqu'à tantôt cachez votre courroux ;
Dans le jardin attrapez-le vous-même :
Vous le pourrez trouver fort aisément ;
Le poirier est à main gauche en entrant.
Mais il vous faut user de stratagème :
Prenez ma jupe, et contrefaites-vous ;
Vous entendrez son insolence extrême :
Lors d'un bâton donnez-lui tant de coups,
Que le galant demeure sur la place.
Je suis d'avis que le friponneau fasse
Tel compliment à des femmes d'honneur !
L'époux retint cette leçon par cœur.
Onc il ne fut une plus forte dupe
Que ce vieillard, bon homme au demeurant.

Le temps venu d'attraper le galant ?
Messire Bon se couvrit d'une jupe
S'encornetta, courut incontinent
Dans le jardin, où ne trouva personne :
Garde n'avait ; car, tandis qu'il frissonne,
Claque des dents, et meurt quasi de froid,
Le pèlerin, qui le tout observoit,
Va voir la dame, avec elle se donne
Tout le bon temps qu'on a, comme je croi,
Lorsqu'amour seul étant de la partie,
Entre deux draps on tient une femme jolie,
Femme jolie, et qui n'est point à soi.
Quand le galant, un assez bon espace
Avec la dame eut été dans ce lieu,
Force lui fut d'abandonner la place ;
Ce ne fut pas sans le vin de l'adieu,
Dans le jardin il court en diligence.

Messire Bon, rempli d'impatience,
A tous moments sa paresse maudit.
Le pèlerin, d'aussi loin qu'il le vit,
Feignit de croire apercevoir la Dame,
Et lui cria : « Quoi donc ! méchante femme,
A ton mari tu brassais un tel tour !
Est-ce le fruit de son parfait amour ?
Dieu soit témoin que pour toi j'en ai honte,
Et de venir ne tenais quasi compte,
Ne te croyant le cœur si perverti

Que de vouloir tromper un tel mari.
Or, bien je vois qu'il te faut un ami ;
Trouvé ne l'as en moi, je t'en assure.
Si j'ai tiré ce rendez-vous de toi,
C'est seulement pour éprouver ta foi.
Et ne t'attends de m'induire à luxure.
Grand pécheur suis ; mais j'ai là, Dieu merci,
De ton honneur encor quelque souci.
A mon seigneur ferais-je un tel outrage ?
Pour toi, tu viens avec un front de Page !
Mais, foi de Dieu ! ce bras te châtiera ;
Et mon Seigneur puis après le saura. »
Pendant ces mots l'époux pleurait de joie,
Et, tout ravi, disait entre ses dents :
« Loué soit Dieu, dont la bonté m'envoie
Femme et valet si chastes, si prudents. »
Ce ne fut tout, car à grands coups de gaule
Le pèlerin vous lui frasse une épaule ;
De horions laidement l'accoutra ;
Jusqu'au logis ainsi le convoya.

Messire Bon eût voulu que le zèle
De son valet n'eût été jusque-là ;
Mais, le voyant si sage et si fidèle,
Le bon-hommeau des coups se consola,
Dedans le lit sa femme il retrouva ;
Lui conta tout, en lui disant : « M'amie
Quand nous pourrions vivre cent ans encor,

Ni vous ni moi n'aurions de notre vie
Un tel Valet ; c'est sans doute un trésor.
Dans notre Bourg je veux qu'il prenne femme.
A l'avenir traitez-le ainsi que moi.
— Pas n'y faudrai, lui repartit la Dame ;
Et de ceci je vous donne ma foi.

LE MARI CONFESSEUR

Conte tiré des Cent Nouvelles Nouvelles

Messire Artus, sous le grand Roi François,
Alla servir aux guerres d'Italie ;
Tant qu'il sa vit, après maints beaux exploits,
Fait Chevalier en grand'cérémonie.
Son Général lui chaussa l'éperon,
Dont il croyait que le plus haut Baron
Ne lui dût plus contester le passage.
Si s'en revint tout fier en son village,
Où ne surprit sa femme en oraison.
Seule il l'avait laissée à la maison :

Il la retrouve en bonne compagnie,
Dansant, sautant, menant joyeuse vie,
Et des muguets avec elle à foison.
Messire Artus ne prit goût à l'affaire ;
Et ruminant sur ce qu'il devait faire :
« Depuis que j'ai mon village quitté,
Si j'étais crû, dit-il en dignité
De cocuage et de chevalerie ?
C'est moitié trop : sachons la vérité. »
Pour ce s'avise, un jour de confrérie,
De se vêtir en prêtre, et confesser.
Sa femme vient à ses pieds se placer.
De prime abord sont par la bonne Dame
Expédiés tous les péchés menus ;
Puis, à leur tour, les gros étant venus,
Force lui fut qu'elle changeât de gamme
« Père, dit-elle, en mon lit sont reçus
Un Gentilhomme, un Chevalier, un Prêtre. »
Si le mari ne se fût fait connaître,
Elle en allait enfiler beaucoup plus ;
Courte n'était, pour sûr, la kyrielle.

Son mari dont l'interrompt là-dessus,
Dont bien lui prit : « Ah ! dit-il, infidèle !
Un Prêtre même ! A qui crois-tu parler ?
— A mon mari, dit la fausse femelle,
Qui d'un tel pas se sut bien démêler.
Je vous ai vu dans ce lieu vous couler,

Ce qui m'a fait douter du badinage.
C'est un grand cas qu'étant homme si sage,
Vous n'ayez su l'énigme débrouiller !
On vous a fait, dites-vous, Chevalier ;
Auparavant vous étiez Gentilhomme ;
Vous êtes Prêtre avecque ces habits.
— Béni soit Dieu ! dit alors le bon homme ;
Je suis un sot de l'avoir si mal pris.

LE SAVETIER

Un savetier que nous nommerons Blaise,
Prit belle femme, et fut très avisé.
Les bonnes gens, qui n'étaient à leur aise,
S'en vont prier un Marchand peu rusé
Qu'il leur prêtât, dessous bonne promesse,
Mi-muid de grain ; ce que le Marchand fait.
Le terme échu, ce créancier les presse,
Dieu sait pourquoi : le galant, en effet,
Crut que par là baiserait la commère.
« Vous avez trop de quoi me satisfaire,

Ce lui dit-il, et sans débourser rien :
Accordez-moi ce que vous savez bien.
— Je songerai, répond-elle à la chose. »
Puis vient trouver Blaise tout aussitôt,
L'avertissant de ce qu'on lui propose.
Blaise lui dit : « Parbieu ! femme, il nous faut,
Sans coup férir, rattraper notre somme.
Tout de ce pas allez dire à cet homme
Qu'il peut venir, et que je n'y suis point.
Je veux ici me cacher tout à point.
Avant le coup demandez la cédule,
De la donner je ne crois qu'il recule ;
Puis tousserez, afin de m'avertir,
Mais haut et clair, et plutôt deux fois qu'une.
Lors de mon coin vous me verrez sortir
Incontinent, de crainte de fortune. »

Ainsi fut dit, ainsi s'exécuta ;
Dont le mari puis après se vanta ;
Si que chacun losait sur ce mystère.
« Mieux eût valu tousser après l'affaire,
Dit à la belle un des plus gros Bourgeois ;
Vous eussiez eu votre compte tous trois.
N'y manquez plus, sauf après de se taire.
Mais qu'en est-il, or çà, belle, entre nous ? »
Elle répond : « Ah ! Monsieur, croyez-vous
Que nous ayons tant d'esprit que vos Dames ? »
Notez qu'illec, avec deux autre femmes,

Inv. et Pinx par H. Fragonard.

Du gros Bourgeois l'épouse était aussi.
« Je pense bien, continua la belle,
Qu'en pareil cas Madame en use ainsi :
Mais quoi ! chacun n'est pas si sage qu'elle. »

LE PAYSAN

Qui avait offensé son Seigneur.

Un Paysan son Seigneur offensa :
L'histoire dit que c'était bagatelle ;
Et toutefois ce Seigneur le tança
Fort rudement. Ce n'est chose nouvelle.
« Coquin, dit-il, tu mérites la hart :
Le tiers est rude ; il en grince les dents,
Se courbe tout, et saute de sa place.
Au quart, il fait une horrible grimace,
A cinq, un cri. Mais il n'est pas au bout ;
Et c'est grand cas s'il peut digérer tout.
On ne vit onc si cruelle aventure,
Deux forts paillards ont chacun un bâton,

Qu'ils font tomber par poids et par mesure,
En observant la cadence et le ton.
Le malheureux n'a rien qu'une chanson :
« Grâce ! » dit-il. Mais, las ! point de nouvelle ;
Car le Seigneur fait frapper de plus belle,
Juge des coups, et tient sa gravité,
Disant toujours qu'il a trop de bonté.
Le pauvre diable enfin craint pour sa vie.
Après vingt coups, d'un ton piteux il crie :
« Pour Dieu, cessez : hélas ! je n'en puis plus. »
Son Seigneur dit : « Payez donc cent écus,
Net et comptant : je sais qu'à la desserre
Vous êtes dur : j'en suis fâché pour vous.
Si tout n'est prêt, votre compère Pierre
Vous en peut bien assister entre nous.
Mais pour si peu vous ne vous feriez tondre »
Le malheureux, n'osant presque répondre,
Court au magot, et dit : « C'est tout mon fait. »
On examine ; on prend un trébuchet.
L'eau cependant lui coule de la face :
Il n'a point fait encor telle grimace.
Mais que lui sert ? Il convient de tout payer.
C'est grand'pitié quand on fâche son maître.
Ce paysan eut beau s'humilier ;
Et, pour un fait assez léger peut-être,
Il se sentit enflammer le gosier,
Vider la bourse, émoucher les épaules ;
Sans qu'il lui fût, dessus les cent écus,

Ni pour les aulx, ni pour les coups de gaules,
Fait seulement grâce d'un Carolus.

LE MULETIER

Nouvelle tirée de Boccace.

Un Roi Lombard (les Rois de ce pays
Viennent souvent s'offrir à ma mémoire :)
Ce dernier-ci, dont parle en ses écrits
Maître Boccace, auteur de cette histoire,
Portait le nom d'Agiluf en son temps.
Il épousa Teudelingue la belle,
Veuve du Roi dernier mort sans enfants,
Lequel laissa l'État sous la tutelle
De celui-ci, prince sage et prudent.
Nulle beauté n'était alors égale
A Teudelingue ; et la couche royale
De part et d'autre était assurément
Aussi coplète, autant bien assortie
Qu'elle fut onc quand Messer Cupidon

En badinant fit choir de son brandon
Chez Agiluf, droit dessus l'Écurie,
Sans prendre garde, et sans se soucier
En quel endroit ; dont avecque furie
Le feu se prit au coeur d'un Muletier.
Ce Muletier était homme de mine,
Et démentait en tout son origine,
Bien fait et beau, même ayant du bon sens.
Bien le montra ; car, s'étant de la Reine
Amouraché, quand il eut quelque temps
Fait ses efforts et mis toute sa peine
Pour se guérir sans pouvoir rien gagner,
Le compagnon fit un tour d'homme habile.
Maître ne sais meileur pour enseigner
Que Cupidon ; l'âme la moins subtile
Sous sa férule apprend plus en un jour,
Qu'un maître ès arts en dix ans aux écoles.
Aux plus grossiers, par un chemin bien court,
Il sait montrer les tours et les paroles.
Le présent Conte en est un bon témoin.
Notre amoureux ne songeait, près ni loin,
Dedans l'abord à jouir de sa mie.
Se déclarer de bouche ou par écrit
N'était pas sûr. Si se mit dans l'esprit,
Mourût ou non? d'en passer son envie,
Puisqu'aussi bien plus vivre ne pouvait ;
Et, mort pour mort, toujours mieux lui valait,
Auparavant que sortir de la vie,

Éprouver tout, et tenter le hasard.
L'usage était, chez le peuple Lombard,
Que quand le Roi, qui faisait lit à part,
Comme tous font, voulait avec sa femme
Allez coucher, seul il se présentait
Presqe en chemise, et sur son dos n'avait
Qu'une simarre : à la porte il frappait
Tout doucement ; aussitôt une Dame
Ouvrait sans bruit, et le Roi lui mettait
Entre les mains la clarté qu'il portait,
Clarté n'ayant grand'lueur ni grand'flamme.
D'abord la Dame éteignait en sortant
Cette clarté : c'était le plus souvent
Une lanterne, ou de simples bougies.
Chaque royaume a ses céréromies.
Le Muletier remarqua celle-ci,
Ne manqua pas de s'ajuster ainsi,
Se présenta comme c'était l'usage,
S'étant caché quelque peu le visage.
La Dame ouvrit dormant plus qu'à demi.
Nul cas n'était à craindre en l'aventure,
Fors que le Roi ne vînt pareillement.
Mais ce jour-là s'étant heureusement
Mis à chasser, force était que nature
Pendant la nuit cherchât quelque repos.
Le Muletier, frais, gaillard et dispos,
Et parfumé, se coucha sans rien dire.
Un autre point, outre ce qu'avons dit,

C'est qu'Agiluf, s'il avait en l'esprit
Quelque chagrin, soit touchant son Empire,
Ou sa famille, ou pour quelque autre cas,
Ne sonnait mot en prenant ses ébats.
A tout cela Teudelingue était faite.
Notre amoureux fournit plus d'une traite,
(Un muletier à ce jeu vaut trois Rois)
Dont Teudelingue entra pour plusieurs fois
En pensement et crut que la colère
Rendait le Prince, outre son ordinaire,
Plein de transport, et qu'il n'y songeait pas.
En ses présents le Ciel est toujours juste ;
Il ne départ à gens de tous états
Mêmes talents. Un Empereur auguste
A les vertus propres pour commander ;
Un Magistrat sait les points décider :
Au jeu d'amour le Muletier fait rage,
Chacun son fait ! nul n'a tout en partage.

Notre galant, s'étant diligenté,
Se retira sans bruit et sans clarté,
Devant l'aurore. Il en sortait à peine,
Lorsqu'Agiluf alla trouver la Reine,
Voulut s'ébattre, et l'étonna bien fort.
« Certes, Monsieur, je sais bien, lui dit-elle,
Que vous avez pour moi beaucoup de zèle ;
Mais de ce lieu vous ne faites encor
Que de sortir : même, outre l'ordinaire

En avez pris, et beaucoup plus qu'assez.
Pour Dieu, Monsieur, je vous prie, avisez
Que ne soit trop ; votre santé m'est chère. »
Le Roi fut sage, et se douta du tour,
Ne sonna mot, descendit dans la cour,
Pui de la cour entra dans l'écurie,
Jugeant en lui que le cas provenait
D'un Muletier, comme l'on lui parlait.
Toute la troupe était lors endormie,
Fors le galant, qui tremblait pour sa vie.
Le Roi n'avait ni lanterne ni bougie :
En tâtonnant, il s'approcha de tous ;
Crut que l'auteur de cette tromperie
Se connaîtrait au battement du pouls.
Point ne faillit dedans sa conjecture.
Et le second qu'il tâta d'aventure
Était son homme, a qui d'émotion,
Soit pour la peur, ou soit par l'action?
Le cœur battait, et le pouls tout ensemble.
Ne sachant par où devait aboutir
Tout ce mystère, il feignit de dormir,
Mais quel sommeil ! le Roi, pendant qu'il tremble,
En certain coin va prendre des ciseaux
Dont on coupait le crin à ses chevaux.
« Faisons, dit-il, au galant une marque,
Pour le pouvoir demain connaître mieux. »
Incontinent de la main du Monarque
Il se sent tondre. Un toupet de cheveux

Lui fut coupé, droit vers le front du sire ;
Et cela fait, le prince se retire.
Il oublia de serrer le toupet,
Dont le galant s'avisa d'un secret
Qui d'Agiluf gâta le statagème.
Le Muletier alla, sur l'heure même,
En pareil lieu tondre ses compagnons.
Le jour venu, le Roi vit ces garçons
Sans poil au front. Lors le Prince en son âme :
« Qu'est ceci donc ! qui croirait que ma femme
Aurait été si vaillante au déduit ?
Quoi ! Teudelingue a-t-elle cette nuit
Fourni d'ébats à plus de quinze ou seize ? »
Autant en vit vers le front de tondus.
« Or bien? dit-il, qui l'a fait si se taise :
Au demeurant, qu'il n'y retourne plus.»

LA SERVANTE JUSTIFIÉE

Nouvelle tirée des Contes de la Reine de Navarre.

Boccace n'est le seul qui me fournit :

Je vas parfois en une autre boutique.
Il est bien vrai que ce devin esprit
Plus que pas un me donne de pratique :
Mais, comme il faut manger de plus d'un pain,
Je puise encore en un vieux magasin ;
Vieux, des plus vieux, où Nouvelles Nouvelles
Sont jusqu'à cent, bien déduites et belles
Pour la plupart, et de très bonne main.
Pour cette fois la Reine de Navarre,
D'un : *c'était moi*, naïf autant que rare,
Entretiendra dans ces vers le lecteur
Voici le fait, quiconque en soit l'auteur :
J'y mets du mien selon les occurrences ;
C'est ma coutume ; et, sans telles licences,
Je quitterais la charge de Conteur.
Un homme donc avait belle Servante :
Il la rendit au ieu d'amour savante.
Elle était fille à bien armer un lit,
Pleine de suc et donnant appétit ;
Ce qu'on appelle en français bonne robe
Par un beau jour, cet homme se dérobe
D'avec sa femme, et, d'un très grand matin
S'en va trouver sa Servante au jardin.
Elle faisait un bouquet pour Madame :
C'était sa fête. Or voyant de la femme
Le bouquet fait, il commence à louer
L'assortiment, tâche à s'insinuer.
S'insinuer en fait de Chambrière,

C'est proprement couler sa main au sein :
Ce qui fut fait. La Servante soudain
Se défendit ; mais de quelle manière ?
Sans rien gâter : c'était une façon
Sur le marché, bien savait sa leçon.
La belle prend les fleurs qu'elle avait mises
En un monceau, les jette au compagnon.
Il la baisa pour en avoir raison.
Tant et si bien qu'ils en vinrent aux prises.
En cet étrif, la Servante tomba :
Lui d'en tirer aussitôt avantage.
Le malheur fut que tout ce beau ménage
Fut découvert d'un logis près de là.
Nos gens n'avaient pris garde à cette affaire.
Une voisine aperçut le mystère.
L'époux la vit, je ne sais pas comment.
« Nous voilà pris, dit-il à sa Servante :
Notre voisine est languarde et méchante ;
Mais ne soyez en crainte aucunement. »
Il va trouver sa femme en ce moment ;
Puis fait si bien que, s'étant éveillé,
Elle se lève ; et sur l'heure habillée,
Il continue à jouer son rôlet ;
Tant qu'à dessein d'aller faire un bouquet
La pauvre épouse au jardin est menée.
Là fut par lui procédé de nouveau
Même débat, même jeu se commence
Fleurs de voler, tetons d'entrer en danse.

Elle y prit goût ; le jeu lui sembla beau.
Somme que l'herbe en fut encor froissée.
La pauvre Dame alla l'après-dînée
Voir sa voisine, à qui ce secret-là
Chargeait le cœur : elle se soulagea
Tout dès l'abord. « Je ne puis, ma commère,
Dis cette femme avec un front sévère,
Laisser passer sans vous en avertir
Ce que j'ai vu. Voulez-vous vous servir
Encor longtemps d'une fille perdue ?
A coups de pied, si j'étais que de vous,
Je l'enverrais ainsi qu'elle est venue.
Comment ! elle est aussi brave que nous !
Or bien? je sais celui de qui procède
Cette piaffe : apportez-y remède
Tout au plus tôt ; car je vous avertis
Que ce matin, étant à la fenêtre,
Ne sais pourquoi, j'ai vu, de mon logis
Dans son jardin votre mari paraître,
Puis la galante ; et tous deux se sont mis
A se jeter quelques fleurs à la tête. »
Sur ce propos, l'autre l'arrêta coi.
« Je vous entends, dit-elle ; c'était moi.

LA VOISINE

Voire ! écoutez le reste de la fête :
Vous ne savez où je veux en venir.
Les bonnes gens se sont pris à cueillir

Certaines fleurs que baisers on appelle.

LA FEMME

C'est encore moi que vous preniez pour elle.

LA VOISINE

Du jeu des fleurs à celui des tetons
Ils sont passés : après quelques façons,
A pleines mains l'on les a laissé prendre.

LA FEMME

Et pourquoi non ? c'était moi. Votre époux
N'a-t-il donc pas les mêmes droits sur vous ?

LA VOISINE

Cette personne enfin sur l'herbe tendre
Est trébuchée ; et, comme je le croi,
Sans se blesser. Vous riez ?

LA FEMME

C'était moi

LA VOISINE

Un cotillon a paré la verdure.

LA FEMME

C'était le mien.

LA VOISINE

Sans vous mettre en courroux
Qui le portait de la fille ou de vous ?
C'est là le point ; car Monsieur votre époux
Jusques au bout a poussé l'aventure.

LA FEMME

Qui ? c'était moi. Votre tête est bien dure.

LA VOISINE

Ah ! c'est assez. Je ne m'informe plus :
J'ai pourtant l'oeil assez bon, ce me semble :
J'aurais juré que je les avais vus
En ce lieu-là se divertir ensemble.
Mais excusez ; et ne la chassez pas.

LA FEMME

Pourquoi chasser ? j'en suis très bien servie

LA VOISINE

Tant pis pour vous ! c'est justement le cas.
Vous en tenez, ma commère m'amie ! »

LA GAGEURE DES TROIS COMMÈRES

ou
sont deux nouvelles tirées de Boccace

Après bon vin ? trois commères un jour
S'entretenaient de leurs tours et prouesses.
Toutes avaient un ami par amour,
Et deux étaient au logis les maîtresses
L'une disait : « J'ai le roi des maris ;
Il n'en est point de meilleur dans Paris.
Sans son congé je vas partout m'ébattre :
Avec ce tronc j'en ferais un plus fin.
Il ne faut pas se lever trop matin
Pour lui prouver que trois et deux font quatre.
— Par mon serment ! dit une autre aussitôt,
Si je l'avais, d'en ferais une étrenne ;
Car, quant à moi, du plaisir ne me chaut,
A moins qu'il soit mêlé d'une peu de peine.
Votre époux va tout ainsi qu'on le mène ;
Le mien n'est tel, j'en rends grâces à Dieu.
Bien saurait prendre et le temps et le lieu,
Qui tromperait à son aise un tel homme.

Pour tout cela ne croyez que je chôme :
Le passe-temps en est d'autant plus doux ;
Plus grand en est l'amour des deux parties.
Je ne voudrais contre aucune de vous,
Qui vous vantez d'être si bien loties,
Avoir troqué de galant ni d'époux. »
Sur ce débat, la troisième commère
Les mit d'accord ; car elle fut d'avis
Qu'amour se plaît avec les bons maris,
Et veut aussi quelque peine légère.

Ce point vidé, le propos s'échauffant,
Et d'en conter toutes trois triomphant,
Celle-ci dit : « Pourquoi tant de paroles ?
Voulez-vous voir qui l'emporte de nous ?
Laissons à part les disputes frivoles :
Sur nouveaux frais attrapons nos époux.
Le moins bon tour payera quelque amende.
— Nous le voulons, c'est ce que l'on demande,
Dirent les deux. Il faut faire serment
Que toutes trois, sans nul déguisement,
Rapporterons, l'affaire étant passée,
Le cas au vrai ; puis pour le jugement
On en croira la commère Macée. »
Ainsi fut dir, ainsi l'on accorda.
Voici comment chacune y procéda.

Celle des trois qui plus était contrainte

Aimait alors un beau jeune garçon,
Frais, délicat, et sans poil au menton,
Ce qui leur fit mettre en jeu cette feinte.
Les pauvres gens n'avaient de leurs amours
Encor joui, sinon par échappées ;
Toujours fallait forger de nouveaux tours,
Toujours chercher des maisons empruntées.
Pour plus à l'aise ensemble se jouer,
La bonne Dame habille en Chambrière
Le jouvenceau, qui vient pour se louer,
D'un air modeste, et baissant la paupière.
Du coin de l'œil l'époux le regardait,
Et dans son cœur déjà se proposait
De rehausser le linge de la fille.
Bien lui semblait, en la considérant,
N'en avoir vu jamais de si gentille.
On la retient, avec peine pourtant.
Belle Servante, et mari vert-galant,
C'était matière à feindre le scrupule.
Les premiers jours, le mari dissimule,
Détourne l'œil et ne fait pas semblant
De regarder sa Servante nouvelle ;
Mais tôt après il tourna tant la belle,
Tant lui donna, tant encor lui promit,
Qu'elle feignit à la fin de se rendre ;
Et de jeu fait, à dessein de le prendre,
Un certain soir la galante lui dit :
« Madame est mal, et seule elle veut être

Pour cette nuit. » Incontinent le Maître
Et la Servante, ayant fait leur marché,
S'en vont au lit ; et le drôle couché,
Elle en cornette et dégraffant sa jupe,
Madame vient. Qui fut bien empêchée ?
Ce fut l'époux cette fois pris pour dupe.
« Oh ! oh ! lui dit la commère en riant,
Votre ordinaire est donc trop peu friand
A votre goût ? eh ! par saint Jean ! beau sire,
Un peu plus tôt vous me le deviez dire ;
J'aurais chez moi toujours eu des tendrons.
De celui-ci, pour certaines raisons,
Vous faut passer ; cherchez autre aventure.
Et vous, la belle au dessein si gaillard,
Marci de moi, Chambrière d'un liard,
Je vous rendrai plus noire qu'une mûre.
Il vous faut donc du même pain qu'à moi !
J'en suis d'avis ! non pourtant qu'il m'en chaille,
Ni qu'on ne puisse en trouver qui le vaille :
Grâces à Dieu, je crois avoir de quoi
Donner encore à quelqu'un dans la vue ;
Je ne suis pas à jeter dans la rue.
Laissons ce point ; je sais un bon moyen :
Vous n'aurez plus d'autre lit que le mien.
Voyez un peu ! dirait-on qu'elle touche ?
Vite, marchons ; que du lit où je couche
Sans marchander on prenne le chemin :
Vous chercherez vos besognes demain.

Si ce n'était le scandale et la honte,
Je vous mettrais dehors en cet état.
Mais je suis bonne, et ne veux point d'éclat :
Puis je rendrai de vous un très bon compte
A l'avenir ; et vous jure ma foi
Que nuit et jour vous serez près de moi.
Qu'ai-je besoin de me mettre en alarmes,
Puisque je puis empêcher tous vos tours ? »
La Chambrière, écoutant ce discours,
Fait la honteuse, et jette une ou deux larmes ;
Prend son paquet, et sort sans consulter ;
Ne se le fait pas deux fois répéter ;
S'en va jouer un autre personnage ;
Fait au logis deux métiers tour à tour :
Galant de nuit, Chambrière de jour,
En deux façons elle a soin du ménage.
La pauvre époux se trouve tout heureux
Qu'à si bon compte il en ait été quitte.
Lui couché seul, notre couple amoureux
D'un temps si doux à son aise profite :
Rien ne se perd ; et des moindres moments
Bons ménagers furent nos deux amants,
Sachant très bien que l'on n'y revient guères,
Voilà le tour de l'une des commères.

L'autre, de qui le mari croyait tout,
Avecque lui sous un poirier assise,
De son dessein vint aisément à bout.

En peu de mots j'en vas conter la guise.
Leur grand Valet près d'eux était debout,
Garçon bien fait, beau parleur, et de mise,
Et qui faisait les Servantes trotter.
La Dame dit : « Je voudrais bien goûter
De ce fruit-là : Guillot, monte et secoue
Notre poirier. » Guillot monte à l'instant.
Grimpé qu'il est, le drôle fait semblant
Qu'il lui paraît que le mari se joue
Avec la femme : aussitôt le Valet
Frottant ses yeux comme étonné du fait :
« Vraiment, Monsieur, commence-t-il à dire,
Si vous vouliez Madame caresser,
Un peu plus ploin vous pouviez aller rire,
Et, moi présent, du moins vous en passer.
Ceci me cause une surprise extrême.
Devant les gens prendre ainsi vos ébats ?
Si d'un Valet vous ne faites nul cas,
Vous vous devez du respect à vous-même.
Quel taon vous point ? attendez à tantôt ;
Ces privautés en seront plus friandes :
Tout aussi bien, pour le temps qu'il vous faut,
Les nuits d'été sont encore assez grandes.
Pourquoi ce lieu ? Vous avez pour cela
Tant de bons lits, tant de chambres si belles ! »
La Dame dit : « Que conte celui-là ?
Je crois qu'il rêve : où prend-il ces nouvelles ?
Qu'entend ce fol avecque ces ébats ?

Descends, descends, mon ami, tu verras. »
Guillot descend. « Hé bien ? lui dit son Maître,
Nous jouons-nous ?

GUILLOT

Non, pas pour le présent.

LE MARI

Pour le présent ?

GUILLOT

Oui, Monsieur ; je veux être
Écorché vif, si tout incontinent
Vous ne baisiez pas Madame sur l'herbette.

LA FEMME

Mieux te vaudrait laisser cette sornette,
Je te le dis ; car elle sent les coups.

LE MARI

Non? non m'amie ; il faut qu'avec les fous
Tout de ce pas, par mon ordre, on le mette.

GUILLOT

Est-ce être fou que de voir ce qu'on voit ?

LA FEMME

Et qu'as-tu vu ?

GUILLOT

J'ai vu, je le répète,
Vous et Monsieur qui, dans ce même endroit,
Jouiez tous deux au doux jeu d'amourette :
Si ce poirier n'est peut-être charmé.

LA FEMME

Voire, charmé ! tu nous fais un beau conte !

LE MARI

Je le veux voir, vraiment faut que j'y monte :
Vous en saurez bientôt la vérité. »

Le Maître à peine est sur l'arbre monté,
Que le Valet embrasse la Maîtresse
L'époux, qui voit comme l'on se caresse,
Crie, et descend en grand'hâte aussitôt.
Il se rompit le col, ou pu s'en faut,
Pour empêcher la suite de l'affaire,
Et toutefois il ne put si bien faire
Que son honneur ne reçut quelque échec.
« Comment ! dit-il, quoi ! même à mon aspect !
Devant mon nez ! à mes yeux ! Sainte Dame !...
— Que vous faut-il, qu'avez-vous ? dit la femme.

LE MARI

Oses-tu bien le demander encor ?

LA FEMME

Et pourquoi non ?

LE MARI

      Pourquoi ? N'ai-je pas tort
De t'accuser de cette effronterie ?

LA FEMME

Ah ! c'en est trop ; parlez mieux, je vous prie.

LE MARI

Quoi ! ce coquin ne te caressait pas ?

LA FEMME

Moi ? vous rêvez

LE MARI

      D'où viendrait donc ce cas ?
Ai-je perdu la raison ou la vue ?

LA FEMME

Me croyez-vous de sens si dépourvue,
Que devant vous je commisse un tel tour ?

Ne trouverais-je assez d'heures au jour
Pour m'égayer, si j'en avais envie ?

LE MARI

Je ne sais plus ce qu'il faut que j'y die.
Notre poirier m'abuse assurément.
Voyons encor. » Dans le même moment
L'époux remonte, et Guillot recommence.
Pour cette fois le mari voit la danse
Sans se fâcher, et descend doucement.
« Ne cherchez plus, leur dit-il, d'autres causes :
C'est ce poirier ; il est ensorcelé.
— Puisqu'il fait voir de si vilaines choses,
Reprit la femme, il faut qu'il soit brûlé :
Cours au logis ; dis qu'on le vienne abattre.
Je ne veux plus que cet arbre maudit
Trompe les gens. » Le Valet obéit.
Sur le pauvre arbre ils se mettent à quatre,
Se demandant l'un l'autre sourdement
Quel si grand crime a ce poirier pu faire.
La Dame dit : « Abattez seulement ;
Quant au surplus, ce n'est pas votre affaire. »
Par ce moyen la seconde commère
Vint au-dessus de ce qu'elle entreprit.
Passons au tour que la troisième fit.

Les rendez-vous chez quelque bonne amie
Ne lui manquaient non plus que l'eau du puits.

Là, tous les jours, étaient nouveaux déduits :
Notre donzelle y tenait sa partie.
Un sien amant étant lors de quartier,
Ne croyant pas qu'un plaisir fût entier
S'il n'était libre, à la Dame propose
De se trouver seuls ensemble une nuit.
« Deux, lui dit-elle ; et pour si peu de chose
Vous ne serez nullement éconduit.
Jà de par moi ne manquera l'affaire.
De mon mari je saurai me défaire
Pendant ce temps. » Aussitôt fait que dit.
Bon besoin eut d'être femme d'esprit,
Car pour époux elle avait pris un homme
Qui ne faisait en voyage grands frais ;
Il n'allait pas querir pardons à Rome,
Quand il pouvait en rencontrer plus près,
Tout au rebours de la bonne donzelle,
Qui, pour montrer sa ferveur et son zèle,
Toujours allait au plus loin s'en pourvoir.
Pélerinage avait fait son devoir
Plus d'une fois ; mais c'était le vieux style
Il lui fallait, pour se faire valoir,
Chose qui fût plus rare et moins facile
Elle s'attache à l'orteil, dès ce soir,
Un brin de fil qui rendait à la porte
De la maison ; et puis se va coucher
Droit au côté d'Henriet Berlinguier ;
On appelait son mari de la sorte.

Elle fit tant qu'Henriet se tournant
Sentit le fil. Aussitôt il soupçonne
Quelques dessein, et, sans faire semblant
D'être éveillé, sur ce fait il raisonne ;
Se lève enfin, et sort tout doucement,
De bonne foi son épouse dormant,
Ce lui semblait ; suit le fil dans la rue ;
Conclut de là que l'on le trahissait ;
Que quelque amant que la donzelle avait
Avec ce fil par le pied la tirait,
L'avertissant ainsi de sa venue ;
Que la galante aussitôt descendait,
Tandis que lui pauvre mari dormait :
Car autrement, pourquoi ce badinage ?
Il fallait bien que Messer Cocuage
Le visitât ; honneur dont, à son sens,
Il se serait passé le mieux du monde.
Dans ce penser, il s'arme jusqu'aux dents ;
Hors la maison fait le guet et la ronde,
Pour attraper quiconque tirera
Le brin de fil. Or, le lecteur saura
Que ce logis avait sur le derrière
De quoi pouvoir introduire l'ami :
Il le fut donc par une Chambrière.
Tout domestique, en trompant un mari.
Pense gagner indulgence plénière.
Tandis qu'ainsi Berlinguier fait le guet,
La bonne dame et le jeune muguet

En sont aux mains, et Dieu sait la manière
En grand soulas cette nuit se passa ;
Dans leurs plaisirs rien ne les traversa :
Tout fut des mieux, grâces à la Servante,
Qui fit si bien devoir de surveillante,
Que le galant tout à temps délogea.
L'époux revint quand le jour approcha,
Reprit sa place et dit que la migraine
L'avait contraint d'aller coucher en haut.
Deux jours après la commère ne faut
De mettre un fil ; Berlinguier aussitôt
L'ayant senti, rentre à la même peine,
Court à son poste, et notre amant au sien.
Renfort de joie ; on s'en trouva si bien
Qu'encor un coup on pratiqua la ruse ;
Et Berlinguier, prenant la même excuse,
Sortit encor, et fit place à l'amant.
Autre renfort de tout contentement.
On s'en tint là. Leur ardeur refroidie,
Il en fallut venir au dénouement ;
Trois actes eut sans plus la comédie.
Sur le minuit l'amant s'étant sauvé,
Le brin de fil aussitôt fut tiré
Par un des siens, sur qui l'époux se rue,
Et le contraint, en occupant la rue,
D'entrer chez lui, le tenant au collet,
Et ne sachant que ce fût un Valet
Bien à propos lui fut donné le change.

Dans le logis est un vacarme étrange ;
La femme accourt au bruit que fait l'époux.
Le compagnon se jette à leurs genoux ;
Dit qu'il venait trouver la Chambrière ;
Qu'avec ce fil il la tirait à soi
Pour faire ouvrir et que depuis naguère
Tous deux s'étaient entre-donné la foi.
« C'est donc cela, poursuivit la commère,
En s'adressant à la fille, en colère,
Que l'autre jour je vous vis à l'orteil
Un brin de fil : je m'en mis un pareil,
Pour attraper avec ce stratagème
Votre galant. Or bien, c'est votre époux !
A la bonne heure ! il faut cette nuit même
Sortir d'ici. » Berlinguier fut plus doux,
Dit qu'il fallait au lendemain attendre.
On les dota l'un et l'autre amplement ;
L'époux, la fille et le valet,... l'amant :
Puis au moutier le couple s'en alla rendre,
Se connaissant tous deux de plus d'un jour.
Ce fut la fin qu'eut le troisième tour.

Lequel vaut mieux ? Pour moi, je m'en rapporte.
Macée, ayant pouvoir de décider,
Ne sut à qui la victoire accorder,
Tant cette affaire à résoudre était forte.
Toutes avaient eu raison de gager.

Le procès pend, et pendra de la sorte
Encor longtemps, comme l'on peut juger.

LE CALENDRIER DES VIEILLARDS

Nouvelle tirée de Boccace.

Plus d'une fois je me suis étonné
Que ce qui fait la paix du mariage
En est le point le moins considéré,
Lorsque l'on met une fille en ménage.
Les père et mère on pour objet le bien ;
Tout le surplus, ils ne comptent pour rien ;
Jeunes tendrons à vieillards apparient ;
Et cependant je vois qu'ils se soucient
D'avoir chevaux à leur char attelés
De même taille, et mêmes chiens couplés ;
Ainsi des bœufs, qui de force pareille
Sont toujours pris ; car ce serait merveille
Si sans cela la charrue allait bien.

Comment pourrait celle du mariage
Ne mal aller, étant un attelage
Qui bien souvent ne se rapporte en rien ?
Je vas conter un exemple notable.

On sait qui fut Richard de Quinzica,
Qui mainte fête à sa femme allégua,
Mainte Vigile, et maint jour fériable,
Et du devoir crut s'échapper par là.
Très lourdement il errait en cela.
Cestui Richard était Juge dans Pise,
Homme savant en l'étude des lois,
Riche d'ailleurs, mais dont la barbe grise
Montrait assez qu'il devait faire choix
De quelque femme à peu près de même âge ;
Ce qu'il ne fit, prenant en mariage
La mieux séante et la plus jeune d'ans
De la cité ; fille bien alliée,
Belle surtout : c'était Bartholomée
De Galandi, qui, parmi ses parents
Pouvait compter les plus gros de la Ville.
En ce ne fit Richard tour d'hoome habile ;
Et l'on disait communément de lui
Que ses enfants ne manqueraient de pères.
Tel fait métier de conseiller autrui,
Qui ne voit goutte en ses propres affaires.
Quinzica donc n'ayant de quoi servir
Un tel oiseau qu'était Bartholomée,

Pour s'excuser et pour la contenir,
Ne rencontrait point de jour en l'année,
Selon son compte et son Calendrier,
Où l'on se pût sans scrupule appliquer
Au fait d'hymen ; chose aux vieillards commode,
Mais dont le sexe abhorre la méthode.
Quand je dis point, je veux dire très peu :
Encor ce peu lui donnait de la peine.
Toute en Férie il mettait la semaine,
Et bien souvent faisait venir en jeu
Saint qui ne fut jamais dans la Légende.
« Le vendredi, disait-il, nous demande
D'autres pensers, ainsi que chacun sait :
Pareillement il faut que l'on retranche
Le samedi, non sans juste sujet,
D'autant que c'est la veille du dimanche
Pour ce dernier, c'est un jour de repos.
Quant au lundi, je ne trouve à propos
De commencer par ce point la semaine ;
Ce n'est le fait d'une âme bien chrétienne. »
Les autres jours autrement s'excusait ;
Et quand venaient aux Fêtes solennelles,
C'était alors que Richard triomphait,
Et qu'il donnait les leçons les plus belles.
Longtemps devant toujours il s'abstenait ;
Longtemps après, il en usait de même ;
Aux Quatre-Temps autant il en faisait,
Sans oublier l'Avent ni le Carême.

Cette saison pour le vieillard était
Un temps de Dieu ; jamais ne s'en lassait.
De Patrons même il avait une liste ;
Point de quartier pour un Evangéliste,
Pour un Apôtre, ou bien pour un Docteur.
Vierge n'était, Martyr et Confesseur
Qu'il ne chômât ; tous les savait par cœur.
Que s'il était au bout de son scrupule,
Il alléguait les jours malencontreux,
Pour les brouillards, et puis la canicule,
De s'excuser n'étant jamais honteux.
La chose ainsi presque toujours égale,
Quatre fois l'an, de grâce spéciale,
Notre Docteur régalait sa moitié,
Petitement ; enfin c'était pitié.
A cela près, il traitait bien sa femme :
Les affiquets, les habits à changer,
Joyaux, bijoux, ne manquaient à la Dame.
Mais tout cela n'est que pour amuser
Un peu de temps des esprits de poupée :
Droit au solide allait Bartholémée.

Son seul plaisir dans la belle saison,
C'était d'aller à certaine maison
Que son mari possédait sur la côte :
Ils y couchaient tous les huits jours sans faute.
Là, quelquefois sur la mer ils montaient,
Et le plaisir de la pêche goûtaient,

Sans s'éloigner que bien peu de la rade.
Arrive donc un jour de promenade
Bartholomée et Messer le Docteur
Prennent chacun une barque à Pêcheur,
Sortent sur mer : ils avaient fait gageure
A qui des deux aurait plus de bonheur,
Et trouverait la meilleure aventure
Dedans sa pêche, et n'avaient avec eux,
Dans chaque barque, en tout, qu'un homme ou
                                        [deux.
Certain Corsaire aperçut la chaloupe
De notre épouse, et vint avec sa troupe
Fondre dessus, l'emmena bien et beau ;
Laissa Richard : soit que près du rivage
Il n'osât pas hasarder davantage ;
Soit qu'il craignaît qu'ayant dans son vaisseau
Notre vieillard, il ne pût de sa proie
Si bien jouir ; car il aimait la joie
Plus que l'argent, et toujours avait fait
Avec honneur son métier de Corsaire ;
Au jeu d'amour était homme d'effet,
Ainsi que sont gens de pareille affaire.
Gens de mer sont toujours prêts à bien faire,
Ce qu'on appelle autrement bons garçons :
On n'en voit point qui les fêtes allègue.
Or, tel était celui dont nous parlons,
Ayant pour nom Pagamin de Monègue.
La belle fit son devoir de pleurer

Un demi-jour, tant qu'il se put étendre ;
Et Pagamin, de la réconforter ;
Et notre épouse, à la fin, de se rendre.
Il la gagna : bien savait son métier.
Amour s'en mit, Amour, ce bon Apôtre,
Dix mille fois plus Corsaire que l'autre,
Vivant de rapt, faisant peu de quartier.
La belle avait sa rançon toute prête :
Très bien lui prit d'avoir de quoi payer ;
Car là n'était ni Vigile ni Fête.
Elle oublia ce beau Calendrier
Rouge partout, et sans nul jour ouvrable ;
De la ceinture on le lui fit tomber ;
Plus n'en fut fait mention qu'à la table.

Notre Légiste eût mis son doigt au feu
Que son épouse était toujours fidèle,
Entière et chaste ; et que, moyennant Dieu,
Pour de l'argent on lui rendrait la belle.
De Pagamin il prit un sauf-conduit,
L'alla trouver, lui mit la carte blanche.
Pagamin dit : « Si je n'ai pas bon bruit,
C'est à grand tort ; je veux vous rendre franche
Et sans rançon votre chère moitié
Ne plaise à Dieu que si belle amitié
Soit par mon fait de désastre ainsi pleine.
Celle pour qui vous prenez tant de peine
Vous reviendra selon son désir.

Je ne veux point vous vendre ce plaisir ;
Faites-moi voir seulement qu'elle est vôtre :
Car si j'allais vous en rendre quelque autre,
Comme il m'en tombe assez entre les mains,
Ce me serait une espèce de blâme.
Ces jours passés, je pris certaine Dame
Dont les cheveux sont quelque peu châtains,
Grande de taille, en bon point, jeune et fraîche.
Si cette belle, après vous avoir vu,
Dit être à vous, c'est autant de conclu :
Reprenez-la, rien ne vous en empêche. »
Richard reprit : « Vous parlez sagement,
Et me traitez trop généreusement.
De son métier il faut que chacun vive :
Mettez un prix à la pauvre captive,
Je la paiera comptant, sans hésiter.
Le compliment n'est ici nécessaire :
Voilà ma bourse, il ne faut que compter.
Ne me traitez que comme on pourrait faite
En pareil cas l'homme le moins connu ;
Serait-il dit que vous m'eussiez vaincu
D'honnêteté ? non sera, sur mon âme :
Vous le verrez. Car, quant à cette Dame,
Ne doutez point qu'elle ne soit à moi.
Je ne veux pas que vous m'ajoutiez foi,
Mais aux baisers que de la pauvre femme
Je recevrai ; ne craignant qu'un seul point,
C'est qu'à me voir de joie elle ne meure. »

On fait venir l'épouse tout à l'heure,
Qui, froidement et ne s'émouvant point,
Devant ses yeux voit son mari paraître
Sans témoigner seulement le connaître,
Non plus qu'un homme arrivé du Pérou.
« Voyez, dit-il la pauvrette est honteuse
Devant les gens ; et sa joie amoureuse
N'ose éclater : soyez sûr qu'à mon cou,
Si j'étais seul, elle serait sautée. »

Pagamin dit : « Qu'il ne tienne à cela ;
Dedans sa chambre allez, conduisez-la. »
Ce qui fut fait ; et, la chambre fermée,
Richard commence. « Eh ! là, Bartholémée,
Comme tu fais ! je suis ton Quinzica,
Toujours le même à l'endroit de sa femme.
Regarde-moi. Trouves-tu, ma chère âme,
En mon visage un si grand changement ?
C'est la douleur de ton enlèvement
Qui me rend tel ; et toi seule en es cause.
T'ai-je jamais refusé nulle chose,
Soit pour ton jeu, soit pour tes vêtements ?
En était-il quelqu'une de plus brave ?
De ton vouloir ne me rendais-je esclave ?
Tu me seras, étant avec ces gens.
Et ton honneur, que crois-tu qu'il devienne ?
— Ce qu'il pourra, répondit brusquement
Bartholomée. Est-il temps maintenant

D'en avoir soin ? si n'est on mis en peine
Quand, malgré moi, l'on m'a jointe avec vous :
Vous, vieux penard ; moi, fille jeune et drue,
Qui méritais d'être un peu mieux pourvue
Et de goûter ce qu'hymen a de doux ?
Pour cet effet, j'étais assez aimable,
Et me trouvais aussi digne, entre nous,
De ces plaisirs, que j'en étais capable.
Or est le cas allé d'autre façon.
J'ai pris mari qui pour toute chanson
N'a jamais eu que ses jours de Férie ;
Mais Pagamin, sitôt qu'il m'eut ravie,
Me sut donner bien une autre leçon.
J'ai plus appris des choses de la vie
Depuis deux jours qu'en quatre ans avec vous.
Laissez-moi donc, Monsieur mon cher époux ;
Sur mon retour n'insistez davantage.
Calendriers ne sont points en usage
Chez Pagamin, je vous en avertis.
Vous et les miens avez mérité pis ;
Vous, pour avoir mal mesuré vos forces
En m'épousant ; eux, pour s'être mépris,
En préférant les légères amorces
De quelque bien à cet autre point-là.
Mais Pagamin pour tous y pourvoira.
Il ne sait loi, ni digeste, ni code ;
Et cependant très bonne est sa méthode.
De ce matin lui-même il vous dira

Du quart en sus comme la chose en va.
Un tel aveu vous surprend et vous touche :
Mais faire ici de la petite bouche
Ne sert de rien : l'on n'en croira pas moins.
Et, puisqu'enfin nous voici sans témoins,
Adieu vous dis, vous et vos jours de Fête.
Je suis de chair ; les habits rien n'y font :
Vous savez bien, Monsieur, qu'entre la tête
Et le talon d'autres affaires sont. »
A tant se tut. Richard, tombé des nues,
Fut tout heureux de pouvoir s'en aller.
Bartholomée, ayant ses hontes bues,
Ne se fit pas tenir pour demeurer.
Le pauvre époux en eut tant de tristesse,
Outre les maux qui suivent la vieillesse,
Qu'il mourut à quelques jours de là ;
Et Pagamin prit à femme sa veuve.
Ce fut bien fait : nul des deux ne tomba
Dans l'accident du pauvre Quinzica,
S'étant choisis l'un et l'autre à l'épreuve.
Belle leçon pour gens à cheveux gris !
Sinon qu'ils soient d'humeur accommodante :
Car, en ce cas, Messieurs les favoris
Font leur ouvrage, et la Dame est contente

A FEMME AVARE GALANT ESCROC

Nouvelle tirée de Boccace

Qu'un homme soit plumé par des coquettes,
Ce n'est pour faire au miracle crier.
Gratis est mort ; plus d'amour sans payer :
En beaux louis se content des fleurettes.
Ce que je dis des coquettes s'entend.
Pour notre honneur, si me faut-il pourtant
Montrer qu'on peut, nonobstant leur adresse,
En attraper au moins une entre cent,
Et lui jouer quelque tour de souplesse.

Je choisirai pour exemple Gulphar.
Le drôle fit un trait de franc soudard ;
Car aux faveurs d'une belle il eut part
Sans débourser, escroquant la Chrétienne.
Notez ceci, et qu'il vous en souvienne,
Galants d'épée ; encor bien que ce tour
Pour vous styler soit fort peu nécessaire ;
Je trouverais maintenant à la Cour
Plus d'un Gulphar, si j'en avais affaire.
Celui-ci donc chez Sire Gasparin
Tant fréquenta, qu'il devint à la fin
De son épouse amoureux sans mesure.

Elle était jeune, et belle créature,
Plaisait beaucoup, fors un point qui gâtait
Toute l'affaire, et qui seul rebutait
Les plus ardents : c'est qu'elle était avare ;
Ce n'est pas chose en ce siècle fort rare.
Je l'ai jà dit, rien n'y font les soupirs :
Celui-là parle une langue barbare,
Qui l'or en main n'explique ses désirs.
Le jeu, la jupe, et l'amour des plaisirs,
Sont les ressorts que Cupidon emploie :
De leur boutique il sort chez les François
Plus de cocus que du cheval de Troie
Il ne sortit de héros autrefois.
Pour revenir à l'humeur de la belle,
Le compagnon ne put rien tirer d'elle,
Qu'il ne parlât. Chacun sait ce que c'est
Que de parler ; le lecteur s'il lui plaît,
Me permettra de dire ainsi la chose.
Gulphar donc parle, et si bien qu'il propose
Deux cent écus. La belle l'écouta ;
Et Gasparin à Gulphar les prêta,
(Ce fut le bon,) puis aux champs s'en alla,
Ne soupçonnant aucunement sa femme.
Gulphar les donne en présence des gens.
« Voilà, dit-il, deux cents écus comptants
Qu'à votre époux vous donnerez, Madame. »
La belle crut qu'il avait dit cela
Par politique, et pour jouer son rôle.

Le lendemain elle le régala
Tout de son mieux, en femme de parole.
Le drôle en prit, ce jours et les suivants,
Pour son argent, et même avec usure.
A bon payeur on fait bonne mesure.

Quand Gasparin fut de retour des champs,
Gulphar lui dit, son épouse présente :
« J'ai votre argent à Madame rendu,
N'en ayant eu pour une affaire urgente
Aucun besoin, comme je l'avais cru :
Déchargez-en votre livre, de grâce.»
A ce propos, aussi froide que glace,
Notre galante avoua le reçu.
Qu'eût-elle fait ? on eût prouvé la chose.
Son regret fut d'avoir enflé la dose
De ses faveurs : c'est ce qui la fâchait.
Voyez un peu la perte que c'était !
En la quittant, Gulphar alla tout droit
Conter ce cas, le corner par la ville,
Le publier, le prêcher sur les toits.
De l'en blâmer il serait inutile :
Ainsi vit-on chez nous autres François.

ON NE S'AVISE JAMAIS DE TOUT

Conte tiré des Cent Nouvelles nouvelles

Certain jaloux ne dormant que d'un œil,
Interdisait tout commerce à sa femme.
Dans le dessein de prévenir la Rame,
Il avait fait un fort ample Recueil
De tous les tours que le sexe sait faire.
Pauvre ignorant ! comme si cette affaire
N'était une Hydre, à parler franchement.
Il captivait sa femme cependant,
De ses cheveux voulait savoir le nombre,
La faisait suivre, à toute heure, en tous lieux,
Par une vieille au corps tout rempli d'yeux,
Qui la quittait aussi peu que son ombre.
Ce fou tenait son Recueil fort entier :
Il le portait en guise de Psautier,
Croyant par là Cocuage hors de gamme.

Un jour de Fête, arrive que la Dame,
En revenant de l'église passa
Près d'un logis d'où quelqu'un lui jeta
Fort à propos plein un panier d'ordure.
On s'excusa. La pauvre créature,
Toute vilaine, entra dans le logis.

Il lui fallut dépouiller ses habits.
Elle envoya quérir une autre jupe,
Dès en entrant, par cette douagna
Qui hors d'haleine à Monsieur raconta
Tout l'accident. « Foin ! dit-il, celui-là
N'est dans mon livre, et je suis pris pour dupe :
Que le recueil au Diable soit donné ! »
Il disait bien ; car on n'avait jeté
Cette immondice, et la dame gâté,
Qu'afin qu'elle eût quelque valable excuse
Pour éloigner son dragon quelque temps.
Un sien galant, ami de là-dedans,
Tout aussitôt profita de la ruse.

Nous avons beau sur ce sexe avoir l'œil :
Ce n'est coup sûr encontre tous esclandre.
Maris jaloux, brûlez votre Recueil,
Sur ma parole, et faites-en des cendres.

LE GASCON PUNI

Nouvelle

Un Gascon pour s'être vanté
De posséder certaine belle,
Fut puni de sa vanité
D'une façon assez nouvelle
Il se vantait à faux, et ne possédait rien.
Mais quoi ! tout médisant est Prophète en ce
[monde :
On croit le mal d'abord ; mais à l'égard du bien
Il faut que la vue en réponde.
La dame cependant du Gascon se moquait ;
Même au logis pour lui rarement elle était ;
Et bien souvent qu'il la traitait
D'incomparable et de divine,
La belle aussitôt s'enfuyait,
S'allait sauver chez sa voisine.
Elle avait nom Philis ; son voisin, Eurilas ;
La voisine, Chloris ; le Gascon, Dorilas ;
Un sien ami, Damon : c'est tout, si j'ai mémoire.
Ce Damon, de Chloris, à ce que dit l'Histoire,
Était amant aimé, galant, comme on voudra,
Quelque chose de plus encor que tout cela.
Pour Philis, son humeur libre, gaie, et sincère,

Montrait qu'elle était sans affaire,
Sans secret, et sans passion.
On ignorait le prix de sa possession :
Seulement à l'user chacun la croyait bonne.
Elle approchait vingt ans, et venait d'enterrer
Un mari, de ceux-là que l'on perd sans pleurer,
Vieux barbon qui laissait d'écus plein une tonne.
En mille endroits de sa personne
La belle avait de quoi mettre un Gascon aux
[Cieux,
Des attraits par-dessus les yeux,
Je ne sais quel air de pucelle,
Mais le cœur tant soit peu rebelle,
Rebelle toutefois de la bonne façon :
Voilà Philis. Quant au Gascon,
Il était Gascon, c'est tout dire.

Je laisse à penser si le Sire
Importuna la veuve, et s'il fit des serments ;
Ceux des Gascons et des Normands
Passent peu pour mots d'Évangile.
C'était pourtant chose facile
De croire Dorilas de Philis amoureux ;
Mais il voulait aussi que l'on le crût heureux.
Philis, dissimulant, dit un jour à cet homme :
« Je veux un service de vous :
Ce n'est pas d'aller jusqu'à Rome ;
C'est que vous nous aidiez à tromper un jaloux.

La chose est sans péril, et même fort aisée.
    Nous voulons que cette nuit-ci
    Vous couchiez avec le mari
    De Chloris qui m'en a priée.
    Avec Damon s'étant brouillée,
Il leur faut une nuit entière et par-delà,
Pour démêler entre eux tout ce différend-là
    Notre but est qu'Eurilas pense,
Vous sentant près de lui, que ce soit sa moitié.
Il ne lui touche point, vit dedans l'abstinence,
Et, soit par jalousie ou bien par impuissance,
A retranché d'hymen certains droits d'amitié ;
    Ronfle toujours, fait la nuit d'une traite :
C'est assez qu'en son lit il trouve une cornette.
Nous vous ajusterons : enfin, ne craignez rien ;
    Je vous récompenserai bien. »
Pour se rendre Philis un peu plus favorable,
Le Gascon eût couché, dit-il, avec le Diable.
La nuit vient : on le coiffe ; on le met au grand
                    [lit ;
On éteint les flambeaux ; Eurilas prend sa place.
    Du Gascon la peur le saisit ;
    Il devient aussi froid que glace ;
    N'oserait tousser ni cracher,
    Beaucoup moins encor s'approcher ;
Se fait petit, se serre, au bord se va nicher,
Et ne tient que moitié de la rive occupée ;

Je crois qu'on l'aurais mis dans un fourreau
                              [d'épée.
Son coucheur cette nuit se retourna cent fois,
Et jusque sur le nez lui porta certains doigts
          Que la peur lui fit trouver rudes.
          Le pis de ses inquiétudes,
C'est qu'il craignait qu'enfin un caprice amoureux
Ne prît à ce mari : tels cas sont dangereux,
Lorsque l'un des conjoints se sent privé du somme.
Toujours nouveaux sujets alarmaient le pauvre
                              [homme :
          Il crut même sentir la barbe d'Eurilas.
Mais voici quelque chose à mon sens de terrible :
Une sonnette était près du chevet du lit :
Eurilas de sonner, et faire un bruit horrible.
          Le Gascon se pâme à ce bruit,
          Cette fois-là se croit détruit.
          Fait un vœu, renonce à sa Dame,
          Et songe au salut de son âme.
Personne ne venant, Eurilas s'endormit.
          Avant qu'il fut jour on ouvrit ;
Philis l'avait promis : quand voici de plus belle
          Un flambeau, comble de tous maux.
          Le Gascon, après ces travaux,
          Se fût bien levé sans chandelle.
Sa perte était alors un point tout assuré.
On approche du lit. La pauvre homme éclairé
          Prie Eurilas qu'il lui pardonne

« Je le veux, » dit une personne
D'un ton de voix rempli d'appas.
   C'était Philis, qui d'Eurilas
Avait tenu la place, et qui, sans trop attendre,
   Tout en chemise s'alla rendre
Dans les bras de Chloris qu'accompagnait Damon :
C'était, dis-je, Philis, qui conta du Gascon
   La peine et la frayeur extrême ?
Et qui, pour l'obliger à se tuer soi-même.
   En lui montrant ce qu'il avait perdu,
   Laissait son sein à demi nu.

LA FIANCÉE DU ROI DE GARBE

Nouvelle

Il n'est rien qu'on ne conte en diverses façons ;
On abuse du vrai comme on fait de la feinte :
Je le souffre aux récits qui passent pour chansons ;
Chacun y met du sien sans scrupule et sans
                    [crainte ;
Mais aux événements de qui la vérité

   Importe à la postérité,
   Tels abus méritent censure.
Le fait d'Alaciel est d'une autre nature.
Je me suis écarté de mon original :
On ne pourra gloser ; on pourra me mécroire :
   Tout cela n'est pas un grand mal ;
   Alaciel et sa mémoire
Ne sauraient guère perdre à tout ce changement.
J'ai suivi mon Auteur en deux points seulement?
   Points qui font véritablement
   Le plus important de l'histoire :
L'un est que par huit mains Alaciel passa
   Avant que d'entrer dans la bonne ;
L'autre que son Fiancé ne s'en embarrassa
   Ayant peut-être en sa personne
   De quoi négliger ce point-là
  Quoi qu'il en soit, la belle en ses traverses,
   Accidents, fortunes diverses,
Eut beaucoup à souffrir, beaucoup à travailler,
   Changea huit fois de Chevalier.
  Il ne faut pas pour cela qu'on l'accuse :
Ce n'était après tout que bonne intention,
   Gratitude ou compassion,
   Crainte de pis, honnête excuse.
Elle n'en plut pas moins aux yeux de son Fiancé.
Veuve de huit galants, il la prit pour pucelle ;
   Et, dans son erreur, par la belle
   Apparemment il fut laissé.

Qu'on y puisse être pris, la chose est toute claire ;
    Mais après huit, c'est une étrange affaire :
        Je me rapporte de cela
        A quiconque a passé par-là

        Zaïr, Soudan d'Alexandrie,
        Aima sa fille Alaciel
        Un peu plus que sa propre vie.
Aussi ce qu'on se peut figurer sous le Ciel
    De bon, de beau, de charmant et d'aimable,
    D'accommodant, j'y mets encor ce point,
        La rendait d'autant estimable :
        En cela je n'augmente point.
Au bruit qui courait d'elle en toutes ses provinces,
Mamolin, Roi de Garbe, en devint amoureux.
Il la fit demander, et fut assez heureux
        Pour l'emporter sur d'autres Princes.
La belle aimait déjà ; mais on n'en savait rien :
Filles de sang royal ne se déclarent guère ;
Tout se passe en leur cœur : cela les fâche bien,
Car elles sont de chair ainsi que les bergères.
Hispal, jeune Seigneur de la Cour du Soudan,
Bien fait, plein de mérite, honneur de l'Alcoran,
Plaisait fort à la Dame ; et d'un commun martyre
        Tous deux brûlaient sans oser se le dire ;
Ou, s'ils se le disaient, ce n'était que des yeux
Comme ils en étaient là, l'on accorda la belle.
Il fallut se résoudre à partir de ces lieux.

Zaïr fit embarquer son amant avec elle.
S'en fier à quelque autre eût peut-être été mieux.

Après huit jours de traite, un vaisseau de
                                  [Corsaires,
        Ayant pris le dessus du vent,
    Les attaqua : le combat fut sanglant ;
Chacun des deux partis y fit mal ses affaires.
    Les assaillants, faits aux combats de mer,
Etaient les plus experts en l'art de massacrer ;
Joignaient l'adresse au nombre : Hispal par sa
                                  [vaillance
        Tenait les choses en balance.
Vingt Corsaires pourtant montèrent sur son bord.
        Grifonio le gigantesque
        Conduisait l'horreur et la mort
        Avecque cette soldatesque.
Hispal en un moment se vit environné ;
Maint Corsaire sentit son bras déterminé ;
De ses yeux il sortait des éclairs et des flammes.
Cependant qu'il était au combat acharné,
Grifonio courut à la chambre des femmes.
Il savait que l'Infante était dans ce vaisseau ;
Et, l'ayant destinée à ses plaisirs infâmes,
        Il l'emportait comme un moineau ;
Mais la charge pour lui n'étant pas suffisante,
    Il prit aussi la cassette aux bijoux,
    Aux diamants, aux témoignages doux,

Que reçoit et garde une amante :
Car quelqu'un m'a dit, entre nous,
Qu'Hispal en ce voyage avait fait à l'Infante
Un aveu dont d'abord elle parut contente,
Faute d'avoir le temps de se mettre en courroux.

Le malheureux Corsaire, emportant cette proie,
    N'en eut pas longtemps la joie.
  Un des vaisseaux, quoiqu'il fût accroché,
    S'étant quelque peu détaché,
Comme Grifonio passait d'un bord à l'autre,
Un pied sur son navire, un sur celui d'Hispal,
Le héros d'un revers coupe en deux l'animal :
Part du tronc tombe en l'eau, disant sa patenôtre,
Et reniant Mahom, Jupin et Tarvagant,
Avec maint autre Dieu non moins extravagant ;
Part demeure sur pied en la même posture.
        On aurait ri de l'aventure
Si la belle avec lui n'eût tombé dedans l'eau.
Hispal se jette après : l'un et l'autre vaisseau,
Malmené du combat et privé de pilote,
    Au gré d'Eole et de Neptune flotte.

La mort fit lâcher prise au Géant pourfendu.
L'Infante, par sa robe en tombant soutenue,
    Fut bientôt d'Hispal secourue.
Nager vers les vaisseaux eût été temps perdu ;
    Ils étaient presque à demi-mille.

Ce qu'il jugea de plus facile,
Fut de gagner certains rochers
Qui d'ordinaire étaient la perte des nochers,
Et furent le salut d'Hispal et de l'Infante.
Aucuns ont assuré, comme choe constante,
Que même du péril la cassette échappa ;
Qu'à des cordons étant pendue,
La belle après soi la tira :
Autrement elle était perdue.

Notre nageur avait l'Infante sur son dos.
Le premier roc gagné, non pas sans quelque peine,
La crainte de la faim suivit celle des flots ;
Nul vaisseau ne parut sur la liquide plaine.
Le jour s'achève ; il se passe une nuit :
Point de vaisseau près d'eux par le hasard conduit ;
Point de quoi manger sur ces roches.
Voilà notre couple réduit
A sentir de la faim les premières approches ;
Tous deux privés d'espoir, d'autant plus
[malheureux
Qu'aimés aussi bien qu'amoureux,
Ils perdaient doublement en leur mésaventure.
Après s'être longtemps regardés sans parler :
« Hispal, dit la Princesse, il se faut consoler ;
Les pleurs ne peuvent rien près de la Parque
[dure ;

Nous n'en mourrons pas moins : mais il dépend
                                [de nous
    D'adoucir l'aigreur de ses coups ;
C'est tout ce qui nous reste en ce malheur extrême.
— Se consoler ! dit-il ; le peut-on, quand on
                                 [aime ?
Ah ! si... Mais non, Madame, il n'est pas à propos
    Que vous aimiez ; vous seriez trop à plaindre.
Je brave, à mon égard, et la faim et les flots :
Mais, jetant l'œil sur vous, je trouve tout à
                                 [craindre. »
La Princesse, à ces mots, ne se sut plus
                                 [contraindre :
    Pleurs de couler, soupirs d'être poussés,
        Regards d'être au ciel adressés ;
    Et puis sanglots, et puis soupirs encore.
En ce même langage Hispal lui repartit,
    Tant qu'enfin un baiser suivit ;
S'il fut pris ou donné, c'est ce que l'on ignore.

      Après force vœux impuissants,
    Le héros dit : « Puisqu'en cette aventure
      Mourir nous est chose si sûre,
Qu'importe que nos corps des oiseaux ravissants
Ou des monstres marins deviennent la pâture ?
      Sépulture pour sépulture,
      La mer est égale, à mon sens.
Qu'attendons-nous ici qu'une fin languissante ?

Serait-il point plus à propos
De nous abandonner aux flots ?
J'ai de la force encor ; la côte est peu distante ;
Le vent y pousse ; essayons d'approcher ;
Passons de rocher en rocher :
J'en vois beaucoup où je puis prendre haleine. »
Alaciel s'y résolut sans peine.
Les revoilà sur l'onde ainsi qu'auparavant,
La cassette en laisse suivant,
Et le nageur, poussé du vent,
De roc en roc portant la belle :
Façon de naviguer nouvelle.
Avec l'aide du Ciel et de ses reposoirs,
Et du Dieu qui préside aux liquides manoirs,
Hispal n'en pouvant plus de faim, de lassitude,
De travail et d'inquiétude,
(Non pour lui, mais pour ses amours),
Après avoir jeûné deux jours,
Prit terre à la dixième traite,
Lui, la Princesse et la cassette.

« Pourquoi, me dira-t-on, nous ramener
                                                    [toujours
Cette cassette ? Est-ce une circonstance
Qui soit de si grande importance ? »
Oui, selon mon avis ; on va voir si j'ai tort.
Je ne prends point ici l'essor,
Ni n'affecte de railleries.

Si j'avais mis nos gens à bord
Sans argent et sans pierreries,
Seraient-ils pas demeurés court ?
On ne vit ni d'air ni d'amour.
Les amants ont beau dire et faire,
Il en faut revenir toujours au nécessaire
La cassette y pourvut avec maint diamant.
Hispal vendit les uns, mit les autres en gages ;
Fit achat d'un château le long de ces rivages :
Ce château, dit l'Histoire, avit un parc fort grand ;
    Ce parc, un bois ; ce bois, de beaux ombrages ;
        Sous ces ombrages nos amants
        Passaient d'agréables moments.
Voyez combien voilà de choses enchaînées,
        Et par la cassette amenées.
Or, au fond de ce bois, un certain antre était,
    Sourd et muet, et d'amoureuse affaire ;
    Sombre surtout : la Nature semblait
    L'avoir mis là non pour autre mystère.
    Nos deux amants se promenant un jour,
    Il arriva que ce fripon d'Amour
    Guida leurs pas vers ce lieu solitaire.
Chemin faisant, Hispal expliquait ses désirs,
Moitié par ses discours, moitié par ses soupirs,
        Plein d'une ardeur impatiente :
La Princesse écoutait, incertaine et tremblante.
« Nous voici, disait-il, en bord étranger,
        Ignorés du reste des hommes ;

Profitons-en ; nous n'avons à songer
Qu'aux douceurs de l'amour, en l'état où nous
                              [sommes.
   Qui vous retient ? on ne sait seulement
   Si nous vivons ; peut-être en ce moment
Tout le monde nous croit au corps d'une baleine.
      Ou favorisez votre amant
      Ou qu'à votre époux il vous mène.
Mais pourquoi vous mener ? vous pouvez rendre
                              [heureux
Celui dont vous avez éprouvé la constance.
   Qu'attendez-vous pour soulager ses feux ?
      N'est-il point assez amoureux ?
Et n'avez-vous point fait assez de résistance ? »

      Hispal haranguait de façon
      Qu'il aurait échauffé des marbres,
Tandis qu'Alaciel, à l'aide d'un poinçon,
   Faisait semblant d'écrire sur les arbres.
      Mais l'amour la faisait rêver
      A d'autres choses qu'à graver
      Des caractères sur l'écorce.
Son amant et le lieu l'assuraient du secret :
      C'était une puissante amorce ;
      Elle résistait à regret.
Le printemps par malheur était lors dans sa force :
      Jeunes cœurs sont bien empêchés
      A tenir leurs désirs cachés,

Étant pris par tant de manières.
Combien en voyons-nous se laisser pas à pas
    Ravir jusqu'aux faveurs dernières,
    Qui dans l'abord ne croyaient pas
    Pouvoir accorder les premières !
Amour, sans qu'on y pense, amène ces instants :
    Mainte fille a perdu ses gants,
    Et femme au partir s'est trouvée,
    Qui ne sait la plupart du temps
    Comme la chose est arrivée.

Près de l'antre venus, notre amant proposa
    D'entrer dedans. La belle s'excusa,
    Mais malgré soi déjà presque vaincue.
Les services d'Hispal en ce même moment
    Lui reviennent devant la vue :
Ses jours sauvés des flots, son honneur d'un
                                    [Géant.
    Que lui demandait son amant ?
Un bien dont elle était à sa valeur tenue :
« Il vaut mieux, disait-il, vous en faire un ami,
Que d'attendre qu'un homme à la mine hagarde
Vous le vienne enlever : Madame, songez-y ;
    L'on ne sait pour qui l'on le garde. »
L'Infante à ces raisons se rendant à demi,
    Une pluie acheva l'affaire.
    Il fallut se mettre à l'abri :
Je laisse à penser où. Le reste du mystère

Au fond de l'antre est demeuré.
Que l'on la blâme ou non, je sais plus d'une belle
    A qui ce fait est arrivé,
Sans en avoir moitié d'autant d'excuses qu'elle.

L'antre ne les vit seul de ces douceurs jouir :
Rien ne coûte en amour que la première peine.
Si les arbres parlaient, il ferait bel ouïr
    Ceux de ce bois ; car la forêt n'est pleine
        Que des monument amoureux
Qu'Hispal nous a laissés, glorieux de sa proie
On y verrait écrit : « Ici, pâma de joie
        Des mortels le plus heureux ;
Là, mourut un amant sur le sein de sa Dame ;
    En cet endroit, mille baisers de flamme
    Furent donnés, et mille autres rendus. »
Le parc dirait beaucoup, le château beaucoup
                                    [plus,
        Si châteaux avaient une langue.

La chose en vint au point que, las de tant d'amour,
Nos amants à la fin regrettèrent la Cour.
La belle s'en ouvrit, et voici sa harangue :
« Vous m'êtes cher, Hispal ; j'aurais du déplaisir
Si vous ne pensiez pas que toujours je vous aime.
Mais qu'est-ce qu'un amour sans crainte et sans
                                    [désir ?
        Je vous le demande à vous-même

Ce sont des feux bientôt passés
Que ceux qui ne sont point dans leurs cours
                          [traversés :
    Il y faut un peu de contrainte.
Je crains fort qu'à la fin ce séjour si charmant
Ne nous soit un désert, et puis un monument.
    Hispal, ôtez-moi cette crainte.
    Allez-vous-en voir promptement
Ce qu'on croira de moi dedans Alexandrie,
   Quand on sauta que nous sommes en vie.
    Déguisez bien notre séjour :
Dites que vous venez préparer mon retour,
Et faire qu'on m'envoie une escorte si sûre
    Qu'il n'arrive plus d'aventure.
    Croyez-moi, vous n'y perdrez rien ;
    Trouvez seulement le moyen
    De suivre en ma destinée
    Ou de fillage ou d'hyménée ;
    Et tenez pour chose assurée
    Que, si je ne vous fais du bien,
    Je serai de près éclairé. »
    Que ce fût ou non son dessein,
Pour ce servir d'Hispal il fallait tout promettre.
Dès qu'il trouve à propos de se mettre en chemin,
L'Infante pour Zaïr le charge d'une lettre
Il s'embarque, il fait voile ; il vogue, il a bon
                                   [vent.
Il arrive à la Cour, où chacun lui demande

S'il est mort, s'il est vivant,
        Tant la surprise fut grande,
En quels lieux est l'Infante, enfin ce qu'elle fait.
        Dès qu'il eut à tout satisfait,
    On fit partir une escorte puissante.
Hispal fut retenu ; non qu'on eût, en effet,
        Le moindre soupçon de l'Infante.
Le chef de cette escorte était jeune et bien fait.
Abordé près du parc, avant tout il partage
        Sa troupe en deux, laisse l'une au rivage,
        Va droit avec l'autre au château.
La beauté de l'Infante était beaucoup accrue :
Il en devint épris à la première vue,
Mais tellement épris, qu'attendant qu'il fît beau,
Pour ne point perdre temps, il lui dit sa pensée.
        Elle s'en tint fort offensée,
        Et l'avertit de son devoir.
Témoigner en tel cas un peu de désespoir
    Est quelquefois une bonne recette.
C'est ce que fait notre homme : il forme le dessein
        De se laisser mourir de faim ;
Car de se poignarder, la chose est trop tôt faite :
        On n'a pas le temps d'en venir
            Au repentir.
D'abord Alaciel riait de sa sottise.
Un jour se passe entier, lui sans cesse jeûnant,
        Elle toujours le détournant
        D'une si terrible entreprise

Le second jour commence à la toucher.
  Elle rêve à cette aventure
Laisser mourir un homme, et pouvoir l'empêcher,
  C'est avoir l'âme un peu trop dure.
  Par pitié donc elle condescendit
   Aux volontés du Capitaine,
   Et cet office lui rendit
Gaiement, de bonne grâce, et sans montrer de
           [peine :
Autrement le remède eût été sans effet.

Tandis que le galant se trouve satisfait,
  Et remet les autres affaires,
 Disant tantôt que les vents sont contraires ;
  Tantôt qu'il faut radouber ses galères
   Pour être en état de partir ;
   Tantôt qu'on vient de l'avertir
   Qu'il est attendu des Corsaires :
 Un corsaire, en effet, arrive, et surprenant
   Ses gens demeurés à la rade,
Les tue, et va donner au château l'escalade :
Du fier Grifonio c'était le Lieutenant
   Il prend le château d'emblée.
   Voici la fête troublée
   Le jeûneur maudit son sort.
   Le Corsaire apprend d'abord
   L'aventure de la belle ;
   Et, la tirant à l'écart,

Il en veut avoir sa part.
Elle fit fort la rebelle.
Il ne s'en étonna pas,
N'étant novice en tel cas.
« Le mieux que vous puissiez faire,
Lui dit tout franc ce Corsaire,
C'est de m'avoir pour ami ;
Je suis Corsaire et demi.
Vous avez fait jeûner un pauvre misérable
Qui se mourait pour vous d'amour ;
Vous jeûnerez à votre tour,
Ou vus me serez favorable.
La justice le veut : nous autres gens de mer
Savons rendre a chacun selon ce qu'il mérite ;
Attendez-vous de n'avoir à manger
Que quand de ce côté vous aurez été quitte.
Ne marchandez point tant, Madame, et croyez-
[moi. »
Qu'eût fait Alaciel ? force n'a point de loi.
S'accommoder à tout est chose nécessaire,
Ce qu'on ne voudrait pas, souvent il le faut faire ;
Quand il plaît au destin que l'on en vienne là,
Augmenter sa souffrance est une erreur extrême :
Si par pitié d'autrui la belle se força,
Que ne point essayer par pitié de soi-même ?
Elle se force donc, et prend en gré le tout.
Il n'est affliction dont on ne vienne à bout.
        Si le Corsaire eût été sage,

Il eût mené l'Infante en un autre rivage.
    Sage en amour ? hélas ! il n'en est point.
Tandis que celui-ci croit avoir tout à point
    Vent pour partir, lieu propre pour attendre,
Fortune, qui ne dort que lorsque nous veillons,
      Et veille quand nous sommeillons,
      Lui trame en secret cet esclandre.

Le Seigneur d'un château voisin de celui-ci,
      Homme fort ami de la joie,
    Sans nulle attache, et sans souci
Que de chercher toujours quelque nouvelle proie,
      Ayant eu le vent des beautés,
      Perfections, commodités,
      Qu'en sa voisine on disait être,
Ne songeait nuit et jour qu'à s'en rendre le
                           [maître :
Il avait des amis, de l'argent, du crédit,
    Pouvait assembler deux mille hommes.
Il les assemble donc un beau jour, et leur dit :
    « Souffrirons-nous, braves gens que nous
                          [sommes,
Qu'un pirate à nos yeux se gorge de butin ;
Qu'il traite comme une esclave une beauté divine ?
      Allons tirer notre voisine
      D'entre les griffes du mâtin.
      Que ce soir chacun soit en armes,
   Mais doucement, et sans donner d'alarmes ;

Sous les auspices de la nuit,
Nous pourrons nous rendre sans bruit
Au pied de ce château, dès la petite pointe
    Du jour.
La surprise, à l'ombre étant jointe,
Nous rendra sans hasard maîtres de ce séjour.
Pour ma part de butin je ne veux que la Dame :
Non pas pour en user ainsi que ce voleur ;
    Je me sens un désir en l'âme
De lui restituer ses biens et son honneur.
Tout le reste est à vous, hommes, chevaux, bagage,
Vivres, munitions, enfin tout l'équipage
    Dont ces brigands ont empli la maison.
    Je vous demande encore un don :
C'est qu'on pende aux crénaux, haut et court, le
                   [Corsaire. »
    Cette harangue militaire
    Leur sut tant d'ardeur inspirer,
Qu'il en fallut une autre afin de modérer
    Le trop grand désir de bien faire
Chacun repaît, le soir étant venu ;
  L'on mange peu, l'on boit en récompense :
    Quelques tonneaux sont mis sur cu.
    Pour avir fait cette dépense,
    Il s'est gagné plusieurs combats
    Tant en Allemagne qu'en France.
    Ce Seigneur donc n'y manqua pas,
    Et ce fut un trait de prudence.

Mainte échelle est portée, et point d'autre
                              [embarras ;
   Point de tambours, force bons coutelas ;
   On part sans bruit, on arrive en silence.
     L'Orient venait de s'ouvrir :
C'est un temps où le somme est dans sa violence,
Et qui par sa fraîcheur nous contraint de dormir.
     Presque tout le peuple Corsaire,
Du sommeil à la mort n'ayant qu'un pas à faire,
     Fut assommé sans le sentir.
    Le chef pendu, l'on amène l'Infante.
     Son peu d'amour pour le voleur,
     Sa surprise et son épouvante,
Et les civilités de son libérateur,
Ne lui permirent pas de répandre des larmes.
Sa prière sauva la vie à quelques gens ;
Elle plaignit les morts, consola les mourants,
Puis quitta sans regret ces lieux remplis d'alarmes.
     On dit même qu'en peu de temps
     Elle perdit la mémoire
     De ses deux derniers galant :
     Je n'ai pas de peine à le croire.
Son voisin la reçut en un appartement
   Tout brillant d'or et meublé richement.
On peut s'imaginer l'ordre qu'il y fit mettre :
     Nouvel hôte et nouvel amant,
     Ce n'était pas pour rien omettre ;
Grande chère surtout, et des vins fort exquis :

Les Dieux ne sont pas mieux servis.
Alaciel, qui de sa vie,
Selon sa loi, n'avait bu du vin,
Goûta ce soir, par compagnie,
De ce breuvage si divin.
Elle ignorait l'effet d'une liqueur si douce,
Insensiblement fit carrousse :
Et, comme amour jadis lui troubla la raison,
Ce fut alors un autre poison
Tous deux sont à craindre des dames
Alaciel mise au lit par ses femmes,
Ce bon Seigneur s'en fut la trouver tout d'un pas.
« Quoi trouver ? dira-t-on ; d'immobiles appas ?
— Si j'en trouvais autant, je saurais bien qu'en
[faire,
Disait l'autre jour un certain :
Qu'il me vienne une même affaire,
On verra si j'aurai recours à mon voisin. »
Bacchus donc, et Morphée, et l'hôte de la belle,
Cette nuit disposèrent d'elle.
Les charmes des premiers, dissipés à la fin,
La Princesse, au sortir du somme,
Se trouva dans les bras d'un homme ;
La frayeur lui glaça la voix :
Elle ne put crier, et de crainte saisie
Permit tout à son hôte, et pour une autre fois
Lui laissa lier la partie.
« Une nuit, lui dit-il, est de même que cent ;

Ce n'est que la première à quoi l'on trouve à
                                    [dire. »
Alaciel le crut. L'hôte, enfin, se lassant,
        Pour d'autres conquêtes soupire.
    Il part un soir, prie un de ses amis
De faire cette nuit les honneurs du logis,
        Prendre sa place, aller trouver la belle,
Pendant l'obscurité se coucher auprès d'elle,
        Ne point parler ; qu'il était fort aisé ;
Et qu'en s'acquittant bien de l'emploi proposé
L'Infante assurément agréerait son service.
L'autre bien volontiers lui rendit cet office ;
Le moyen qu'un ami puisse être refusé !
A ce nouveau venu la voilà donc en proie.
Il ne put sans parler contenir cette joie.
La belle se plaignait d'être ainsi leur jouet :
        « Comment l'entend Monsieur mon hôte ?
Dit-elle, et de quel droit me donner comme il
                                    [fait ? »
        L'autre confessa qu'en effet
    Ils avaient tort ; mais que toute la faute
        Était au maître du logis.
    « Pour vous venger de son mépris,
    Poursuivit-il, comblez-moi de caresses ;
        Enchérissez sur les tendresses
Que vous eûtes pour lui tant qu'il fut votre
                                    [amant :
Aimez-moi par dépit et par ressentiment,

Si vous ne pouvez autrement. »
Son conseil fut suivi ; l'on poussa les affaires,
　　L'on se vengea ; l'on n'omit rien.
　　Que si l'ami s'en trouva bien,
　　L'hôte ne s'en tourmenta guères.

　　Et de cinq, si j'ai bien compté.
Le sixième incident des travaux de l'Infante
　　Par quelques-uns est rapporté
　　D'une manière différente.
　　Force gens concluront de là
Que d'un galant au moins je fais grâce à elle.
　　C'est médisance que cela ;
　　Je ne voudrais mentir pour elle :
　　Son époux n'eut assurément
　　Que huit précurseurs seulement.
　　Poursuivons donc notre Nouvelle.
　L'hôte revint quand l'ami fut content.
　　Alaciel, lui pardonnant,
　　Fit entre les choses égales.
La clémence sied bien aux personnes royales.
Ainsi de main en main Alaciel passait,
　　Et souvent se divertissait
　　Au menus ouvrages des filles
　　Qui la servaient, toutes assez gentilles.
Elle en aimait fort une à qui l'on en contait ;
Et le conteur était un certain Gentilhomme
　De ce logis, bien fait et galant homme,

Mais violent dans ses désirs,
Et grand ménager de soupirs,
Jusques à commencer près de la plus sévère,
Par où l'on finit d'ordinaire.
Un jour, au bout du parc, le galant rencontra
Cette fillette ;
Et dans un pavillon fit autant, qu'il l'attira
Toute seulette.
L'Infante était fort près de là,
Mais il ne la vit point, et crut en assurance
Pouvoir user de violence.
Sa médisante humeur, grand obstacle aux faveurs,
Peste d'amour et des douceurs
Dont il tire sa subsistance,
Avait de ce galant souvent grêlé l'espoir :
La crainte lui nuisait autant que le devoir.
Cette fille l'aurait, selon toute apparence,
Favorisé,
Si la belle eût osé.
Se voyant craint de cette sorte,
Il fit tant qu'en ce pavillon
Elle entra par occasion :
Puis le galant ferme la porte ;
Mais en vain, car l'Infante avait de quoi l'ouvrir.
La fille voit sa faute, et tâche de sortir.
Il la retient ; elle crie, elle appelle :
L'Infante vient, et vient comme il fallait,
Quant sur ses fins le Demoiselle était.

Le galant, indigné de la manquer si belle,
   Perd tout respect, et jure par les Dieux
      Qu'avant que sortir de ces lieux
      L'une ou l'autre paiera sa peine,
   Quand il devrait leur attacher les mains.
      « Si loin de tous secours humains,
      Dit-il, la résistance est vaine.
      Tirez au sort sans marchander ;
      Je ne saurais vous accorder
         Que cette grâce :
      Il faut que l'une ou l'autre passe
         Pour aujourd'hui.
      — Qu'a fait Madame ? dit la belle ;
      Pâtira-t-elle pour autrui ?
      — Oui, si le sort tombe sur elle,
   Dit le galant ; prenez-vous-en à lui.
      — Non, non reprit alors l'Infante ;
Il ne sera pas dit que l'on ait, moi présente,
      Violenté cette innocente.
Je me résous plutôt à toute extrémité. »
      Ce combat plein de charité
   Fut par le sort à la fin terminé.
      L'Infante en eut toute la gloire.
Il lui donna sa voix, à ce que dit l'Histoire.
      L'autre sortit, et l'on jura
      De ne rien dire de cela.
   Mais le galant se serait laissé prendre
Plutôt que de cacher un secret si plaisant ;

Et, pour le divulguer, il ne voulut attendre
Que le temps qu'il fallait pour trouver seulement
    Quelqu'un qui le voulût entendre.

    Ce changement de favoris
    Devint à l'Infante une peine ;
    Elle eut regret d'être l'Hélène
    D'un si grand nombre de Pâris.
    Aussi l'amour se jouait d'elle.
    Un jour, entre autres, que la belle
    Dans ce bois dormait à l'écart,
    Il s'y rencontra par hasard
Un Chevalier errant, grand chercheur
                    [d'aventures,
De ces sortes de gens que sur des palefrois
    Les belles suivaient autrefois,
    Et passaient pour chastes et pures.
Celui-ci, qui donnait à ses désirs l'essor,
Comme faisaient jadis Rogel et Galaor,
    N'eut vu la Princesse endormie,
Que de prendre un baiser il forma le dessein :
Tout prêt à faire choix de la bouche ou du sein,
Il était sur le point d'en passer son envie,
    Quand tout d'un coup il se souvint
    Des lois de la Chevalerie.
    A ce penser il se retint,
    Priant toutefois en son âme
    Toutes les puissances d'amour

   Qu'il pût courir en ce séjour
   Quelque aventure avec la Dame..
L'Infante s'éveilla, surprise au dernier point :
   « Non, non, dit-il, ne craignez point ;
   Je ne suis Géant ni Sauvage,
Mais Chevalier errant, qui rends grâce aux Dieux
   D'avoir trouvé dans ce bocage
Ce qu'à peine on pourrait rencontrer dans les
          [Cieux. »
Après ce compliment, sans plus longue demeure,
Il lui dit en deux mots l'ardeur qui l'embrasait :
   C'était un homme qui faisait
   Beaucoup de chemin en peu d'heure.
Le refrain fut d'offrir sa personne et son bras,
   Et tout ce qu'en semblable cas
   On a coutume de dire
   A celle pour qui l'on soupire.
Son offre fut reçue, et la belle lui fit
   Un long roman de son histoire,
   Supprimant, comme on peut le croire,
Les six galants. L'Aventurier en prit
   Ce qu'il crut à propos d'en prendre ;
Et comme Alaciel de son sort se plaignit,
  Cet inconnu s'engagea de la rendre
Chez Zaïr ou dans Garbe, avant qu'il fût un mois.
  — Dans Garbe ? non, reprit-elle, et pour
cause :
   Si les Dieux avaient mis la chose

Jusques à présent à mon choix,
J'aurais voulu revoir Zaïr et ma patrie.
      — Pourvu qu'Amour me prête vie,
Vous les verrez, dit-il. C'est seulement à vous
      D'apporter remède à vos coups,
   Et consentir que mon ardeur s'apaise :
   Si j'en mourais, (à vos bontés ne plaise !)
Vous demeureriez seule ; et, pour vous parler
                                        [franc.
      Je tiens ce service assez grand
      Pour me flatter d'une espérance
         De récompense. »
Elle en tomba d'accord, promit quelques douceurs,
      Convint du nombre de faveurs
      Qu'afin que la chose fût sûre,
      Cette princesse lui paierait,
      Non tout d'un coup, mais à mesure
      Que le voyage se ferait,
      Tant chaque jour, sans nulle faute.
      Le marché s'étant ainsi fait,
      La Princesse en croupe se met,
      Sans prendre congé de son hôte.
      L'inconnu, qui pour quelque temps
      S'était défait de tous ses gens,
Les rencontra bientôt. Il avait dans sa troupe
Un sien neveu fort jeune, avec son Gouverneur.
Notre héroïne prend, en descendant de croupe,
   Un palefroi. Cependant le Seigneur

Marche toujours à côté d'elle,
Tantôt lui conte une nouvelle,
Et tantôt lui parle d'amour,
Pour prendre le chemin plus court.

Avec beaucoup de foi le traité s'exécute.
   Pas la moindre ombre de dispute :
Point de faute de calcul, non plus qu'entre
                        [marchands.
De faveur en faveur (ainsi comptaient ces gens)
Jusqu'au bord de la mer enfin ils arrivèrent,
      Et s'embarquèrent.
  Cet élément ne leur fut pas moins doux
Que l'autre avait été ; certain calme, au contraire,
Prolongeant le chemin, augmenta le salaire.
   Sains et gaillards, ils débarquèrent tous
   Au port de Joppe, et là se rafraîchirent ;
     Au bout de deux jours en partirent
     Sans autre escorte que leur train.
     Ce fut aux Brigands une amorce :
     Un gros d'Arabes en chemin
Les ayant rencontré, ils cédaient à la force,
Quand notre Aventurier fit un dernier effort,
Repoussa les Brigands, reçut une blessure
    Qui le mit dans la sépulture,
   Non sur-le-champ ; devant sa mort
Il pourvut à la belle, ordonna du voyage,
Et chargea son neveu, jeune homme de courage,

Lui léguant par même moyen
Le surplus des faveurs, avec son équipage,
Et tout le reste de son bien.

Quand on fut revenu de touts ces alarmes,
Et que l'on eut versé certain nombre de larmes,
On satisfit au testament du mort ;
On paya les faveurs, dont enfin la dernière
Echut justement sur le bord
De la frontière.
En cet endroit le neveu la quitta,
Pour se donner aucun ombrage ;
Et le Gouverneur la guida
Pendant le reste du voyage.
Au Soudan il la présenta.
D'exprimer ici la tendresse,
Ou, pour mieux dire, les transports
Que témoigna Zaïr en voyant la Princesse,
Il faudrait de nouveaux efforts,
Et je n'en puis plus faire : il est bon que j'imite
Phébus, qui sur la fin du jour
Tombe d'ordinaire si court,
Qu'on dirait qu'il se précipite.
Le gouverneur aimait à se faire écouter ;
Ce fut un passe-temps de l'entendre conter
Monts et merveilles de la Dame,
Qui riait sans doute en son âme.

« Seigneur, dit le bonhomme en parlant au
                                    [Soudan,
Hispal étant parti, Madame incontinent,
   Pour fuir oisiveté, principe de tout vice,
Résolut de vaquer nuit et jour au service
D'un Dieu qui chez ces gens a beaucoup de crédit.
     Je ne vous aurais jamais dit
     Tous ses temples et ses chapelles,
Nommés pour la plupart alcôves et ruelles.
Là les gens pour idole ont un certain oiseau
     Qui dans ses portraits est fort beau,
     Quoiqu'il n'ait des plumes qu'aux ailes.
     Au contraire des autres Dieux,
     Qu'on ne sert que quand on est vieux,
     La jeunesse lui sacrifie
     Si vous saviez l'honnête vie
Qu'en le servant menait madame Alaciel,
     Vous béniriez cent fois le Ciel
De vous avoir donné fille tant accomplie.
Au reste, en ces pays on vit d'autre façon
   Que parmi vous : les belles vont et viennent ;
     Point d'eunuques qui les retiennent ;
Les hommes en ces lieux ont tous barbe au
                                    [menton.
Madame dès l'abord s'est faite à leur méthode,
     Tant elle est de facile humeur ;
     Et je puis dire, à son honneur,
     Que de tout elle s'accommode.

Zaïr était ravi. Quelques jours écoulés,
La Princesse partit pour Garbe en grande escorte.
Les gens qui la suivaient furent tous régalés
    De beaux présents ; et d'une amour si forte
Cette belle toucha le cœur de Mamolin,
Qu'il ne se tenait pas. On fit grand festin,
    Pendant lequel, ayant belle audience,
Alaciel conta tout ce qu'elle voulut,
        Dit les mensonges qu'il lui plut.
Mamolin et sa Cour écoutaient en silence.
La nuit vint : on porta la Reine dans son lit.
        A son honneur elle en sortit :
        Le Prince en rendit témoignage.
        Alaciel, à ce qu'on dit,
        N'en demandait pas davantage.
Ce conte nous apprend que beaucoup de maris,
Qui se vantent de voir fort clair en leurs affaires,
N'y viennent bien souvent qu'après les favoris,
Et, tout savants qu'ils sont, ne s'y connaissent
                           [guères.
Le plus sûr toutefois est de se bien garder,
        C'est là l'un des plus grands secrets
        Pour empêcher les aventures.
Je tiens vos amitiés fort chastes et fort pures ;
Mais Cupidon alors fait d'étranges leçons.
        Rompez-lui toutes ses mesures :
Pourvoyez à la chose aussi bien qu'aux soupçons.

Ne m'allez point conter : « C'est le droit des
[garçons »
Si les garçons sans ce droit ont assez où se prendre.
Si quelqu'un cependant ne s'en pouvait défendre.
Le remède sera de rire en son malheur.
     Il est bon de garder sa fleur ;
Mais, pour l'avoir perdue, il ne se faut pas pendre.

LA COUPE ENCHANTÉE

Nouvelle tirée de l'Arioste

Les maux les plus cruels ne sont que des chansons
Près de ceux qu'aux maris cause la jalousie.
Figurez-vous un fou chez qui tous les soupçons
    Sont bien venus, quoi qu'on lui die.
Il n'a pas un moment de repos en sa vie ;
Si l'oreille lui tinte, Ô Dieux ! tout est perdu.
Ses songes sont toujours que l'on le fait cocu ;
    Pourvu qu'il songe, c'est l'affaire :
Je ne voudrais pas un tel point garantir ;

Car pour songer il faut dormir,
Et les jaloux ne dorment guère.
Le moindre bruit éveille un mari soupçonneux :
Qu'à l'entour de sa femme une mouche
[bourdonne,
C'est Cocuage qu'en personne
Il a vu de ses propres yeux,
Si bien vu que l'erreur n'en peut être effacée.
Il veut à toute force être au nombre des sots.
Il se maintient cocu, du moins de la pensée,
S'il ne l'est en chair et en os.
Pauvres gens ! dites-moi, qu'est-ce que Cocuage ?
Qu'est-ce enfin que ce mal dont tant de gens de
[bien
Se moquent avec juste cause ?
Quand on l'ignore, ce n'est rien ;
Quand on le sait, c'est peu de chose.
Vous croyez cependant que c'est un fort grand
[cas :
Tâchez donc d'en douter et ne ressemblez pas
A celui-là qui but dans la coupe enchantée.
Profitez du malheur d'autrui.
Si cette histoire peut soulager votre ennui,
Je vous l'aurai bientôt contée.
Mais je vous veux premièrement
Prouver par bon raisonnement
Que le mal dont la peur vous mine et vous
[consume

N'est mal qu'en votre idée, et non point dans
                                        [l'effet.

    En mettez-vous votre bonnet
    Moins aisément que de coutume ?
    Cela s'en va-t-il pas tout net ?
Voyez-vous qu'il en reste une seule apparence,
Une tache qui nuise à vos plaisirs secrets ?
Ne retrouvez-vous pas toujours les mêmes traits ?
Vous apercevez-vous d'aucune différence ?
    Je tire donc ma conséquence,
Et dis, malgré le peuple ignorant et brutal
    Cocuage n'est point un mal.
    — Oui, mais l'honneur est une étrange
                                        [affaire.
— Qui vous soutient que non ? ai-je dit le
                                        [contraire ?
Et bien ! l'honneur ! l'honneur ! je n'entends
                                        [que ce mot.
Apprenez qu'à Paris ce n'est pas comme à Rome ;
Le cocu qui s'afflige y passe pour un sot ;
Et le cocu qui rit pour un fort honnête homme.
Quand on prend comme il faut cet accident fatal,
    Cocuage n'est point un mal.

Prouvons que c'est un bien : la chose est fort
                                        [facile.

Tout vous rit : votre femme est souple comme un
                                        [gant ;
Et vous pourriez avoir vingt mignonnes en ville,
Qu'on n'en sonnerait pas deux mots en tout un
                                        [an.
    Quand vous parlez, c'est dit notable ;
    On vous met le premier à table ;
    C'est pour vous la place d'honneur,
    Pour vous le morceau du Seigneur :
Heureux qui vous le sert ! la blondine chiorme
Afin de vous gagner n'épargne aucun moyen :
Vou êtes le patron : dont je conclus en forme,
    Cocuage est un bien.
Quand vous perdez au jeu, l'on vous donne
                                        [revanche ;
Même votre homme écarte et ses as et ses rois.
Avez-vous sur les bras quelque Monsieur
                                        [Dimanche ?
Mille vourses vous sont ouvertes à la fois.
Ajoutez que l'on tient votre femme en haleine :
Elle n'en vaut que mieux, n'en a que plus d'appas.
Ménélas recontra des charmes dans Hélène
Qu'avant qu'être à Pâris la belle n'avait pas.
Ainsi de votre épouse : on veut qu'elle vous plaise.
Qui dit prude, au contraire, il dit laide ou
                                        [mauvaise,
Incapable en amour d'apprendre jamais rien.
Pour toutes ces raisons, je persiste en ma thèse :

Cocuage est un bien.
Si ce prologue est long la matière en est cause :
Ce n'est pas en passant qu'on traite cette chose.
Venons à notre Histoire. Il était un quidam,
Dont je tairai le nom, l'état et la patrie.

     Celui-ci, de peur d'accident,
     Avait juré que de sa vie
Femme ne lui serait autre que bonne amie,
Nymphe si vous le voulez, Bergère, et cætera ;
Pour épouse, jamais il n'en vint jusque-là.
S'il eut tort ou raison, c'est un point que je passe.
Quoi qu'il en soit, Hymen n'ayant pu trouver
                        [grâce
   Devant cet homme, il fallut que l'Amour
      Se mêlât seul de ses affaires,
Eût soin de le fournir des choses nécessaires,
     Soit pour la nuit, soit pour le jour.
Il lui procura donc des faveurs d'une belle,
     Qui d'une fille naturelle
Le fit père, et mourut. Le pauvre homme en
                       [pleura,
     Se plaignit, gémit, soupira,
     Non comme qui perdrait sa femme :
Tel seuil n'est bien souvent que changement
                     [d'habits,
Mais comme qui perdrait tous ses meilleurs amis,
     Son plaisir, son coeur et son âme.
La fille crût, se fit : on pouvait déjà voir

Hausser et baisser son mouchoir.
Le temps coule : on n'est pas sitôt à la bavette
Qu'on trotte, qu'on raisonne : on devient
[grandelette,
Puis grande tout à fait ; et puis le serviteur.
    Le père, avec raison, eut peur
    Que sa fille, chassant de race,
    Ne le prévînt, et ne prévint encor
    Prêtre, Notaire, hymen, accord ;
Choses qui d'ordinaire ôtent toute la grâce
    Au présent que l'on fait de soi.
    La laisser sur sa bonne foi,
    Ce n'était pas chose trop sûre.
    Il vous mit donc la créature
   Dans un Couvent. Là cette belle apprit
   Ce qu'on apprend, à manier l'aiguille ;
    Point de ces livres qu'une fille
Ne lit qu'avec danger, et qui gâtent l'esprit :
Le langage d'amour était jargon pour elle :
    On n'eût su tirer de la belle
    Un seul mot que de sainteté :
    En spiritualité
Elle aurait confondu le plus grand personnage.
Si l'une des nonnains la louait de beauté,
« Mon Dieu, fi ! disait-elle ; ah ! ma Sœur, soyez
[sage,
Ne considérez point des traits qui périront ;
C'est terre que cela, les vers le mangeront. »

Au reste, elle n'avait au monde sa pareille
        A manier un canevas.
Filait mieux que Cloton, brodait mieux que Pallas,
Tapissait mieux qu'Arachne, et mainte autre
                                    [merveille.
Sa sagesse, son bien, le bruit de ses beautés,
Mais le bien, plus que tout, y fit mettre la presse ;
Car la belle était là comme en lieux empruntés,
    Attendant mieux, ainsi que l'on y laisse
        Les bons partis, qui vont souvent
        Au moutier, sortant du Couvent.

Vous saurez que le père avait, longtemps devant,
        Cette fille légitimée.
Caliste (c'est le nom de notre renfermée)
N'eut pas la clef des champs, qu'adieu les livres
                                    [saints.
        Il se présenta des blondins.
        Des bons Bourgeois, des Paladins,
Des gens de tous états, de tout poil, de tout âge,
La belle en choisit un, bien fait, beau personnage,
    D'humeur commode, à ce qu'il lui sembla ;
Et pour gendre aussitôt le père l'agréa.
La dot était fort ample, ample fut le douaire ;
La fille était unique, et le garçon aussi.
Mais ce ne fut pas là le meilleur de l'affaire ;
        Les mariés n'avaient souci
        Que de s'aimer et de se plaire.

Deux ans de Paradis s'étant passés ainsi,
    L'enfer des Enfers vint ensuite.
Une jalouse humeur saisit soudainement
    Notre époux, qui fort sottement
S'alla mettre en l'esprit de craindre la poursuite
D'un amant qui sans lui se serait morfondu ;
    Sans lui le pauvre homme eût perdu
    Son temps à l'entour de la Dame,
Quoique pour la gagner il tentât tout moyen.

Que doit faire un mari quand on aime sa femme ?
    Rien.
    Voici pourquoi je lui conseille
De dormir, s'il le peut, d'un et d'autre côté.
    Si le galant est écouté,
Vos soins ne feront pas qu'on lui ferme l'oreille ;
Quant à l'occasion cent pour une. Mais si
Des discours du blondin la belle n'a souci,
Vous le lui faites naître, et la chance se tourne.
    Volontiers, où Soupçon séjourne,
    Cocuage séjourne aussi.
Damon (c'est notre époux) ne comprit pas ceci.
Je m'excuse et le plains, d'autant plus que
                    [l'ombrage
    Lui vint par conseil seulement.
    Il eût fait un trait d'homme sage,
    S'il n'eût cru que son mouvement.
    Vous allez entendre comment.

L'enchanteresse Nérie
Fleurissait lors ; et Circé,
Au prix d'elle, en diablerie
N'eût été qu'à l'A B C.
Car Nérie eut à ses gages
Les intendants des orages,
Et tint le destin lié :
Les Zéphirs étaient ses pages.
Quant à ses valets de pied,
C'étaient messieurs les Borées,
Qui portaient par les contrées
Ses mandats souventes fois,
Gens dispos, mais peu courtois.

Avec toute sa science,
Elle ne put trouver de remède à l'amour.
Damon la captiva. Celle dont la puissance
Eût arrêté l'astre du jour
Brûle pour un mortel qu'en vain elle souhaite
Posséder une nuit à son contentement.
Si Nérie eût voulu des baisers seulement,
C'était une affaire faite ;
Mais elle allait au point, et ne marchandait pas.
Damon, quoiqu'elle eût des appas,
Ne pouvait se résoudre à fausser la promesse
D'être fidèle à sa moitié,
Et voulait que l'enchanteresse
Se tint aux marques d'amitié.

Où sont-ils ces maris ? la race en est cessée,
Et même je ne sais si jamais on en vit.
L'Histoire, en cet endroit, est, selon ma pensée,
    Un peu sujette à contredit.
L'hippogriphe n'a rien qui me choque l'esprit,
    Non plus que la lance enchantée ;
Mais ceci, c'est un point qui d'abord me surprit.
Il passera pourtant, j'en ai fait passer d'autres.
Les gens d'alors étaient d'autres gens que les
                         [nôtres ;
    On ne vivait pas comme on vit.
Pour venir à ses fins, l'amoureuse Nérie
    Employa filtres et brevets,
Eut recours aux regards remplis d'afféterie,
    Enfin n'omit aucuns secrets.
Damon à ces ressorts opposait l'hyménée.
    Nérie en fut fort étonnée.
Elle lui dit un jour : « Votre fidélité
Vous paraît héroïque et digne de louange ;
Mais je voudrais savoir comment de son côté
    Caliste en use, et lui rendre le change.
Quoi donc ! si votre femme avait un favori,
Vous feriez l'homme chaste auprès d'une
                        [maîtresse ?
Et pendant que Caliste, attrapant son mari,
    Vous n'iriez qu'à moitié chemin ?
    Je vous croyais beaucoup plus fin,
Et ne vous tenais pas homme de mariage.

Laissez les bons Bourgeois se plaire en leur
                              [ménage ;
C'est pour eux seuls qu'Hymen fit les plaisirs
                              [permis,
Mais, vous, ne pas chercher ce qu'Amour a
                              [d'exquis !
Les plaisirs défendus n'auront rien qui vous
                              [pique !
Et vous les bannirez de votre République !
Non, non ; je veux qu'ils soient désormais vos
                              [amis.
        Faites-en seulement l'épreuve ;
Ils vous feront trouver Caliste toute neuve
        Quand vous reviendrez au logis.
Apprenez tout au moins si votre femme est chaste.
        Je trouve qu'un certain Eraste
        Va chez vous fort assidûment.
        — Serait-ce en qualité d'amant,
    Reprit Damon, qu'Eraste nous visite ?
Il est trop mon ami pour toucher ce point-là.
        — Votre ami tant qu'il vous plaira,
        Dit Nérie, honteuse et dépite :
Caliste a des appas, Eraste a du mérite ;
Du côté de l'adresse il ne leur manque rien
        Tout cela s'accommode bien.»
Ce discours porta coup, et fit songer notre homme.
Une épouse fringante, et jeune, et dans son feu,
        Et prenant plaisir à ce jeu

Qu'il n'est pas besoin que je nomme,
Un personnage expert aux choses de l'amour,
   Hardi comme un homme de cour,
Bien fait, et promettant beaucoup de sa personne :
Où Damon jusqu'alors avait-il mis ses yeux ?
Car d'amis... moquez-vous ? c'est une bagatelle ;
   En est-il de religieux
Jusqu'à désemparer, alors que la donzelle
Montre à demi son sein, sort du lit un bras blanc,
Se tourne, s'inquiète et regarde un galant
   En cent façons, de qui la moins friponne
Veut dire : « Il y fait bon, l'heure du berger

                            [sonne ;

   Êtes-vous sourd ? » Damon a dans l'esprit
Que tout cela s'est fait, du moins qu'il s'est pu

                            [faire ;

Sur ce beau fondement le pauvre homme bâtit
   Maint ombrage et mainte chimère.
   Nérie en a bientôt le vent ;
   Et, pour tourner en certitude
   Le soupçon et l'inquiétude
Dont Damon s'est coiffé si malheureusement,
   L'enchanteresse lui propose
     Une chose ;
   C'est de se frotter le poignet
D'une eau dont les sorciers ont trouvé le secret,
Et qu'ils appellent l'eau de la métamorphose,
   Ou des miracles autrement

Cette drogue, en moins d'un moment,
Lui donnerait d'Eraste et l'air et le visage,
Et le maintien et le corsage,
Et la voix ; et, Damon, sous ce feint personnage,
Pourrait voir si Caliste en viendrait à l'effet.
Damon n'attend pas davantage :
Il se frotte ; il devient l'Eraste le mieux fait
Que la Nature ait jamais fait.

En cet état il va trouver sa femme,
Met la fleurette au vent ; et cachant son ennui,
« Que vous êtes belle aujourd'hui ! »
Lui dit-il ; qu'avez-vous, Madame,
Qui vous donne cet air d'un vrai jour de
[printemps ? »
Caliste, qui savait les propos des amants,
Tourna la chose en raillerie.
Damon changea de batterie
Pleurs et soupirs furent tentés,
Et pleurs et soupirs rebutés.
Caliste était un roc ; rien n'émouvait la belle.
Pour dernière machine, à la fin notre époux
Proposa de l'argent ; et la somme fut telle
Qu'on ne s'en mit point en courroux.
La quantité rend excusable.
Caliste enfin l'inexpugnable
Commença d'écouter raison ;
Sa chasteté plia : car comment tenir bon

L'argent en aurait fait l'affaire.
Et quelle affaire ne fait point
Ce bienheureux métal, l'argent maître du Monde ?
Soyez beau, bien disant, ayez perruque blonde,
N'omettez un seul petit point ;
Un Financier viendra qui sous votre moustache
Enlèvera la belle ; et, dès le premier jour,
Il fera présent du panache ;
Vous languirez encore après un an d'amour.
L'argent sut donc fléchir ce cœur inexorable.
Le rocher disparut : un mouton succéda,
Un mouton qui s'accommoda
A tout ce qu'on voulut, mouton doux et traitable,
Mouton qui, sur le point de ne rien refuser,
Donna pour arrhes un baiser.
L'époux ne voulut pas pousser plus loin la chose,
Ni de sa propre honte être lui-même cause.
Il reprit donc sa forme, et dit à sa moitié :
« Ah ! Caliste, autrefois de Damon si chérie,
Caliste, que j'aimai cent fois plus que ma vie,
Caliste, qui m'aimas d'une ardente amitié,
L'argent t'est-il plus cher qu'une union si belle ?
Je devrais dans ton sang éteindre ce forfait :
Je ne puis ; et je t'aime encor toute infidèle :
Ma mort seule expiera le tort que tu m'as fait. »

Notre épouse, voyant cette métamorphose,
Demeura bien surprise ; elle dit peu de choses ;

Les pleurs furent son seul recours.
Le mari passa quelques jours
A raisonner sur cette affaire.
Un cocu se pouvait-il faire
Par la volonté seule, et sans venir au point ?
L'était-il ? ne l'était-il point ?
Cette difficulté fut encore éclaircie
        Par Nérie.
« Si vous êtes, dit-elle, en doute de cela,
        Buvez dans cette coupe-là ;
On la fit par tel art que, dès qu'un personnage
        Dûment atteint de cocuage
Y veut porter la lèvre, aussitôt tout s'en va ;
Il n'en avale rien, et répand le breuvage
Sur son sein, sur sa barbe et sur son vêtement.
Que s'il n'est point censé cocu suffisamment,
        Il boit tout sans répandre goutte. »
        Damon, pour éclaircir son doute,
Porte la lèvre au vase : il ne se répand rien.
« C'est, dit-il, réconfort ; et pourtant je sais bien
Qu'il n'a tenu qu'à moi. Qu'ai-je affaire de
                                        [coupe ?
Faites-moi place en votre troupe,
Messieurs de la grand'bande. » Ainsi disait
                                        [Damon,
        Faisant à sa femme un étrange sermon.
« Misérables humains ! si pour des cocuages
Il faut en ces pays faire tant de façon,

Allons-nous-en chez les Sauvages. »
Damon, de peur de pis, établit des Argus
A l'entour de sa femme, et la rendit coquette.
        Quand les galants sont défendus,
        C'est alors que l'on les souhaite.
Le malheureux époux s'informe, s'inquiète,
Et de tout son pouvoir court au-devant d'un mal
Que la peur bien souvent rend aux hommes fatal.
De quart d'heure en quart d'heure il consulte la
                                            [tasse.

        Il y boit huit jours sans disgrâce.
        Mais à la fin il y boit tant,
        Que le breuvage se répand.
Ce fut bien là le comble. O science fatale !
Science que Damon eût bien fait d'éviter !
Il jette de fureur cette coupe infernale ;
Lui-même est sur le point de se précipiter.
Il enferme sa femme en une tour carrée ;
Lui va, soir et matin, reprocher son forfait.
Cette honte, qu'aurait le silence enterrée,
Court le pays, et vit du vacarme qu'il fait.

Caliste cependant mène une triste vie.
Comme on ne lui laissait argent ni pierrerie,
Le Geôlier fut fidèle ; elle eut beau le tenter.
        Enfin la pauvre malheureuse

Prend son temps que Damon, plein d'ardeur
                              [amoureuse,
        Était d'humeur à l'écouter.
« J'ai, dit-elle, commis un crime inexcusable ;
Mais quoi ! suis-je la seule ? hélas ! non. Peu
                              [d'époux
Sont exempts, ce dit-on, d'un accident semblable.
Que le moins entaché se moque un peu de vous.
        Pourquoi donc être inconsolable ?
— Eh bien ! reprit Damon, je me consolerai,
        Et même vous pardonnerai,
        Tout incontinent que j'aurai
Trouvé de mes pareils une telle légende
Qu'il s'en puisse former une armée assez grande
Pour s'appeler Royale. Il ne faut qu'employer
Le vase qui me sut vos secrets révéler. »

Le mari, sans tarder exécutant la chose,
Attire les passants, tient table en son château.
Sur la fin des repas, à chacun il propose
L'essai de cette coupe, essai rare et nouveau.
« Ma femme, leur dit-il, m'a quitté pour un autre ;
        Voulez-vous savoir si la vôtre
    Vous est fidèle ? Il est quelquefois bon
D'apprendre comme tout se passe à la maison.
En voici le moyen : buvez dans cette tasse :
        Si votre femme de sa grâce
        Ne vous donne aucun suffrageant,

Vous ne répandrez nullement ;
Mais si du Dieu nommé Vulcan
Vous suivez la bannière, étant de nos confrères
En ces redoutables mystères,
De part et d'autre la boisson
Coulera sur votre menton. »
Autant en font l'essai : presque tous y sont pris.
Tel en rit, tel en pleure ; et, selon les esprits,
Cocuage en plus d'une sorte
Tient sa morgue parmi ses gens.
Déjà l'armée est assez forte
Pour faire corps et battre aux champs.
La voilà tantôt qui menace
Gouverneurs de petite place,
Et leur dit qu'ils seront pendus
Si de tenir ils ont l'audace :
Car, pour être Royale, il ne lui manque plus
Que peu de gens : c'est une affaire
Que deux ou trois mois peuvent faire.
Le nombre croît de jour en jour
Sans que l'on batte le tambour.
Les différents degrés où monte Cocuage
Règlent le pas et les emplois :
Ceux qu'il n'a visités seulement qu'une fois
Sont Fantassins pour tout potage ;
On fait les autres Cavaliers.
Quiconque est de ses familiers,
On ne manque pas de l'élire

Ou Capitaine, ou Lieutenant,
Ou l'on lui donne un Régiment,
Selon qu'entre les mains du Sire
Ou plus ou moins subitement
La liqueur du vase s'épand.
Un versa tout en un moment ;
Il fut fait Général. Et croyez que l'armée
De hauts Officiers ne manqua :
Plus d'un Intendant se trouva ;
Cette charge fut partagée.

Le nombre des soldats étant presque complet,
Et plus que suffisant pour se mettre en campagne,
        Renaud, neveu de Charlemagne,
Passe par ce château ; l'on l'y traite à souhait ;
        Puis le Seigneur du lieu lui fait
        Même harangue qu'à la troupe.
Renaud dit à Damon : « Grand merci de la coupe.
Je crois ma femme chaste, et cette foi suffit.
        Quand la coupe me l'aura dit,
Que m'en reviendra-t-il ? Cela sera-t-il cause
De me faire dormir de plus que de deux yeux ?
        Je dors d'autant, grâces aux Dieux.
        Puis-je demander autre chose ?
Que sais-je ? par hasard si le vin s'épandoit ?
Si je ne tenais pas votre vase assez droit ?
        Je suis quelquefois maladroit :
Si cette coupe enfin me prenait pour un autre ?

  Messire Damon, je suis vôtre :
  Commandez-moi tout, hors ce point. »
Ainsi Renaud partit, et ne hasarda point.
Damon dit : « Celui-ci, Messieurs, est bien plus sage
Que nous n'avons été : consolons-nous pourtant ;
Nous avons des pareils ; c'est un grand avantage. »
  Il s'en rencontra tant et tant,
Que, l'armée à la fin Royale devenue,
Caliste eut liberté, selon le convenant ;
  Par son mari chère tenue,
  Tout de même qu'auparavant.

  Époux, Renaud vous montre à vivre :
  Pour Damon, gardez de le suivre.
Peut-être le premier eût charge de l'ost :
Que sait-on ? Nul mortel, soit Roland, soit
Renaud,
Du danger de répandre exempt ne se peut croire.
Charlemagne lui-même aurait eu tort de boire.

LE FAUCON

Nouvelle tirée de Boccace

Je me souviens d'avoir damné jadis

L'amant avare ; et je ne m'en dédis.
Si la raison des contraires est bonne,
Le libéral doit être en Paradis ;
Je m'en rapporte à Messieurs de Sorbonne.

Il était donc autrefois un amant
Qui dans Florence aima certaine femme.
Comment aimer ? c'était si follement
Que, pour lui plaire, il eût vendu son âme.
S'agissait-il de divertir la Dame,
A pleines mains il vous jetait l'argent :
Sachant très bien qu'en amour comme en guerre,
On ne doit plaindre un métal qui fait tout,
Renverse murs, jette portes par terre,
N'entreprend rien dont il ne vienne à bout,
Fait taire chiens, et, quand il veut, servantes,
Et, quand il veut, les rend plus éloquentes
Que Cicéron, et mieux persuadantes ;
Bref, ne voudrait avoir laissé debout
Aucune place, et tant forte fût-elle.
Si laissa-t-il sur ses pieds notre belle.
Elle tint bon ; Fédéric échoua
Près de ce roc, et le nez s'y cassa ;
Sans fruit aucun vendit et fricassa
Tout son savoir comme l'on pourrait dire ;
Belles comtés, beaux marquisats de Dieu,
Qu'il possédait en plus et plus d'un lieu.
Avant qu'aimer, on l'appelait Messire

A longue queue ; enfin grâce à l'amour,
Il ne fut plus que Messire tout court.
Rien ne resta qu'une ferme au pauvre homme
Et peu d'amis, même amis Dieu sait comme.
Le plus zélé de tous se contenta,
Comme chacun, de dire : « C'est dommage. »
Chacun le dit, et chacun s'en tint là :
Car de prêter, à moins que sur bon gage,
Point de nouvelle : on oublia les dons,
Et le mérite, et les belles raisons
De Fédéric et sa première vie.
Le protestant de Madame Clitie
N'eut de crédit qu'autant qu'il eut du fonds.
Tant qu'il dura, le bal, la comédie
Ne manqua point à cet heureux objet ;
De maints tournois elle fut le sujet,
Faisant gagner Marchands de toutes guises,
Faiseurs d'habits, et faiseurs de devises,
Musiciens, gens du sacré vallon :
Fédéric eut à sa table Apollon.
Femme n'était ni fille dans Florence
Qui n'employât, pour débaucher le cœur
Du Cavalier, l'une un mot suborneur,
L'autre un coup d'œil, l'autre quelque autre
                                          [avance :
Mais tout cela ne faisait que blanchir.
Il aimait mieux Clitie inexorable
Qu'il n'aurait fait Hélène favorable.

Conclusion, qu'il ne la put fléchir.

Or, en ce train de dépense effroyable,
Il envoya les marquisats au Diable
Premièrement ; puis en vint aux comtés,
Titres par lui plus qu'aucuns regrettés,
Et dont alors on faisait plus de compte.
Delà les monts chacun veut être Comte,
Ici Marquis, Baron peut-être ailleurs.
Je ne sais pas lesquels sont les meilleurs ;
Mais je sais bien qu'avecque la patente
De ces beaux noms on s'en aille au marché,
L'on reviendra comme on était allé :
Prenez le titre et laissez-moi la rente.
Clitie avait aussi beaucoup de bien ;
Son mari même était grand terrien.
Ainsi jamais la belle ne prit rien,
Argent ni dons, mais souffrit la dépense
Et les cadeaux, sans croire, pour cela,
Être obligée à nulle récompense.
S'il m'en souvient, j'ai dit qu'il ne resta
Au pauvre amant rien qu'une métairie,
Chétive encore et pauvrement bâtie.
Honteux qu'on vît sa misère en Florence
Là Fédéric alla se confiner,
Honteux encor de n'avoir su gagner,
Ni par amour, ni par magnificence,
Ni par six ans de devoirs et de soins,

Une beauté qu'il n'en aimait pas moins.
Il s'en prenait à son peu de mérite,
Non à Clitie ; elle n'ouït jamais,
Ni pour froideurs, ni pour autres sujets,
Plainte de lui, ni grande ni petite.
Notre amoureux subsista comme il put
Dans sa retraite, où le pauvre homme n'eut,
Pour le servir, qu'une vieille édentée ;
Cuisine froide et fort peu fréquentée ;
A l'écurie, un cheval assez bon,
Mais non pas fin ; sur la perche, un faucon,
Dont à l'entour de cette métairie
Défunt Marquis s'en allait, sans Valets,
Sacrifiant à sa mélancolie
Mainte perdrix, qui, las ! ne pouvait mais
Des cruautés de madame Clitie.
Ainsi vivait le malheureux amant ;
Sage s'il eût, en perdant sa fortune,
Perdu l'amour qui l'allait consumant :
Mais de ses feux la mémoire importune
Le talonnait ; toujours un double ennui
Allait en croupe à la chasse avec lui.

Mort vint saisir le mari de Clitie.
Comme ils n'avaient qu'un fils pour tous enfants,
Fils n'ayant pas pour un pouce de vie,
Et que l'époux, dont les biens étaient grands,
Avait toujours considéré sa femme,

Par testament il déclare la Dame
Son héritière, arrivant le décès
De l'enfançon, qui peu de temps après
Devint malade. On sait que d'ordinaire
A ses enfants mère ne sait que faire
Pour leur montrer l'amour qu'elle a pour eux :
Zèle souvent aux enfants dangereux.
Celle-ci, tendre et fort passionnée,
Autour du sien est toute la journée,
Lui demandant ce qu'il veut, ce qu'il a ;
S'il mangerait volontiers de cela ;
Si ce jouet, enfin si cette chose
Est à son gré. Quoi que l'on lui propose,
Il le refuse, et pour toute raison
Il dit qu'il veut seulement le faucon
De Fédéric ; pleure, et mène une vie
A faire gens de bon cœur détester.
Ce qu'un enfant a dans la fantaisie
Incontinent il faut l'exécuter,
Si l'on veut l'ouïr toujours crier.

Or il est bon de savoir que Clitie
A cinq cents pas de cette métairie
Avait du bien, possédait un château :
Ainsi l'enfant avait pu de l'oiseau
Ouïr parler. On en disait merveilles ;
On en comptait des choses non pareilles,
Que devant lui jamais une perdrix

Ne se sauvait, et qu'il en avait pris
Tant ce matin, tant cette après-dînée.
Son maître n'eût donné pour un trésor
Un tel faucon. Qui fut bien empêchée ?
Ce fut Clitie. Aller ôter encor
A Fédéric l'unique et seule chose
Qui lui restait ! et, supposé qu'elle ose
Lui demander ce qu'il a pour tout bien,
Auprès de lui méritait-elle rien ?
Elle l'avait payé d'ingratitude ;
Point de faveurs ; toujours hautaine et rude
En son endroit. De quel front s'en aller
Après cela le voir et lui parler,
Ayant été cause de sa ruine ?
D'autre côté, l'enfant s'en va mourir,
Refuse tout, tient tout pour médecine ;
Afin qu'il mange, il faut l'entretenir
De ce faucon ; il se tourmente, il crie ;
S'il n'a l'oiseau, c'est fait que de sa vie.
Ces raisons-ci l'emportèrent enfin.
Chez Fédéric la Dame, un beau matin,
S'en va sans suite et sans nul équipage.
Fédéric prend pour un Ange des Cieux
Celle qui vient d'apparaître à ses yeux ;
Mais cependant il a honte, il enrage
De n'avoir pas chez soi pour lui donner
Tant et seulement un malheureux dîner.
Le pauvre état où sa Dame le treuve

Inv. et Dess. par H. Fragonard.

Le rend confus. Il dit donc à la veuve :
« Quoi ! venir voir le plus humble de ceux
Que vos beautés ont rendus amoureux,
Un villageois, un hère, un misérable !
C'est trop d'honneur ; votre bonté m'accable.
Assurément vous alliez autre part. »
A ce propos notre veuve repart :
« Non, non, Seigneur ; c'est pour vous la visite ;
Je viens manger avec vous ce matin.
— Je n'ai, dit-il, cuisinier ni marmite :
Que vous donner ? — N'avez-vous pas du pain ?
Reprit la Dame. Incontinent lui-même
Il va chercher quelque œuf au poulailler,
Quelque morceau de lard en son grenier.
Le pauvre amant, en ce besoin extrême,
Voit son faucon, sans raisonner le prend,
Lui tord le cou, le plume, le fricasse,
Et l'assaisonne, et court de place en place.
Tandis, la vieille a soin du demeurant ;
Fouille au bahut, choisit pour cette fête
Ce qu'ils avaient de linge plus honnête,
Met le couvert, va cueillir au jardin
Du serpolet, un peu de romarin,
Cinq ou six fleurs, dont la table est jonchée.
Pour abréger, on sert la fricassée :
La dame en mange, et feint d'y prendre goût.
Le repas fait, cette femme résout
De hasarder l'incivile requête,

Et parle ainsi : « Je suis folle, Seigneur,
De m'en venir vous arracher le cœur ;
Encore un coup ; il ne m'est guère honnête
De demander à mon défunt amant
L'oiseau qui fait son seul contentement :
Doit-il pour moi s'en priver un moment ?
Mais excusez une mère affligée :
Mon fils se meurt : il veut votre faucon.
Mon procédé ne mérite un tel don ;
La raison veut que je sois refusée :
Je ne vous ai jamais accordé rien.
Votre repos, votre honneur, votre bien,
S'en sont allés aux plaisirs de Clitie.
Vous n'aimiez plus que votre propre vie :
A cet amour j'ai très mal répondu ;
Et je m'en viens, pour comble d'injustice,
Vous demander... et quoi ? (c'est temps perdu).
Votre faucon. Mais non : plutôt périsse
L'enfant, la mère, avec le demeurant,
Que de vous faire un déplaisir si grand !
Souffrez, sans plus, que cette triste mère,
Aimant d'amour la chose la plus chère
Que jamais femme au monde puisse avoir,
Un fils unique, une unique espérance,
S'en vienne au moins s'acquitter du devoir
De la nature, et pour toute allégeance
En votre sein décharge sa douleur.
Vous savez bien par votre expérience

Que c'est d'aimer, vous le savez, Seigneur.
Ainsi je crois trouver chez vous excuse.
— Hélas ! reprit l'amant infortuné,
L'oiseau n'est plus ; vous en avez dîné.
— L'oiseau n'est plus ! dit la veuve confuse.
— Non, reprit-il ; plût au Ciel vous avoir
Servi mon cœur, et qu'il eût pris la place
De ce faucon ! Mais le sort me fait voir
Qu'il ne sera jamais en mon pouvoir
De mériter de vous aucune grâce.
En mon pallier rien ne m'était resté :
Depuis deux jours la bête a tout mangé.
J'ai vu l'oiseau ; je l'ai tué sans peine ;
Rien coûte-t-il quand on reçoit sa Reine ?
Ce que je puis pour vous est de chercher
Un bon faucon : ce n'est chose si rare
Que dès demain nous n'en puission trouver.
— Non, Fédéric, dit-elle, je déclare
Que c'est assez. Vous ne m'avez jamais
De votre amour donné plus grande marque.
Que mon fils soit enlevé par la Parque,
Ou que le ciel le rende à mes souhaits,
J'aurai pour vous de la reconnaissance.
Venez me voir, donnez-m'en l'espérance :
Encore un coup, venez nous visiter. »
Elle partit, non sans lui présenter
Une main blanche, unique témoignage
Qu'Amour avait amolli ce courage.

Le pauvre amant prit la main, la baisa,
Et de ses pleurs quelque temps l'arrosa.

Deux jours après, l'enfant suivit le père.
Le deuil fut grand ; la trop dolente mère
Fit dans l'abord force larmes couler.
Mais, comme il n'est peine d'âme si forte
Qu'il ne s'en faille à la fin consoler,
Deux médecins la traitèrent de sorte
Que sa douleur eut un terme assez court :
L'un fut le Temps, et l'autre fut l'Amour.
On épousa Fédéric en grand'pompe,
Non seulement par obligation,
Mais, qui plus est, par inclination,
Par amour même. Il ne faut qu'on se trompe
A cet exemple, et qu'un pareil espoir
Nous fasse ainsi consumer notre avoir :
Femmes ne sont toutes reconnaissantes.
A cela près, ce sont choses charmantes ;
Sous le ciel n'est un plus bel animal.
Je n'y comprends le sexe en général :
Loin de tout cela ; j'en vois peu d'avenantes.
Pour celles-ci, quand elles sont aimantes,
J'ai les desseins du monde les meilleurs :
Les autres n'ont qu'à se pourvoir ailleurs.

LE PETIT CHIEN

QUI SECOUE DE L'ARGENT ET DES PIERRERIES

Conte tiré de l'Aristote

La clef du coffre-fort et des cœurs, c'est la même.
  Que si ce n'est celle des cœurs,
  C'est du moins celle des faveurs :
  Amour doit à ce stratagème
  La plus grand'part de ses exploits.
  A-t-il épuisé son carquois,
Il met tout son salut en ce charme suprême.
Je tiens qu'il a raison : car qui hait les présents ?
  Tous les humains en sont friands,
Princes, Rois, Magistrats. Ainsi, quand une belle
  En croira l'usage permis,
Quand Vénus ne fera que ce que fait Thémis,
  Je ne m'écrierai pas contre elle.
  On a bien plus d'une querelle
  A lui faire sans celle-là.

Un Juge Mantouan belle femme épousa.

Il s'appelait Anselme ; on la nommait Argie :
Lui, déjà vieux barbon ; elle, jeune et jolie,
          Et de tous charmes assortie.
          L'époux, non content de cela,
          Fit si bien par sa jalousie,
Qu'il rehaussa de prix celle-là qui d'ailleurs
          Méritait de se voir servie
          Par les plus beaux et les meilleurs.
Elle le fut aussi : d'en dire la manière,
          Et comment s'y prit chaque amant,
Il serait long ; suffit que cet objet charmant
Les laissa soupirer, et ne s'en émut guère.
Amour établissait chez le Juge ses lois,
Quand l'Etat Mantouan, pour chose de grands
                                        [poids,
Résolut d'envoyer Ambassade au Saint-Père.
Comme Anselme était Juge, et de plus Magistrat,
          Vivait avec assez d'éclat,
          Et ne manquait pas de prudence,
          On le député en diligence.
          Ce ne fut pas sans résister
Qu'au choix qu'on fit de lui consentit le bon
                                        [homme.
          L'affaire était longue à traiter ;
          Il devait demeurer dans Rome
Six mois, et plus encor ; que savait-il combien ?
Tant d'honneur pouvait nuire au conjugal lien.
          Longue ambassade et long voyage

Aboutissent à cocuage.
Dans cette crainte, notre époux
Fit cette harangue à sa belle :
« On nous sépare, Argie : adieu ! Soyez fidèle
A celui qui n'aime que vous.
Jurez-le-moi ; car, entre nous,
J'ai sujet d'être un peu jaloux.
Que fait autour de notre porte
Cette soupirante cohorte ?
Vous me direz que jusqu'ici
La cohorte a mal réussi :
Je le crois ; cependant, pour plus grande
                                [assurance,
Je vous conseille, en mon absence,
De prendre pour séjour notre maison des champs.
Fuyez la ville et les amants,
        Et leurs présents ;
L'invention en est damnable ;
Des machines d'Amour c'est la plus redoutable :
De tout temps le monde a vu Don
Etre le père d'Abandon
Déclarez-lui la guerre, et soyez sourde, Argie,
        A sa sœur la Cajolerie.
Dès que vous sentirez approcher les blondins,
Fermez vite vos yeux, vos oreilles, vos mains.
Rien ne vous manquera ; je vous fais la maîtresse
De tout ce que le Ciel m'a donné de richesse :
Tenez, voilà les clefs de l'argent, des papiers ;

Faites-vous payer des Fermiers ;
Je ne vous demande aucun compte :
Suffit que je puisse sans honte
Apprendre vos plaisirs ; je vous les permets tous,
Hors ceux d'amour, qu'à votre époux
Vous garderez entiers pour son retour de Rome. »
C'en était trop pour le bon homme ;
Hélas ! il permettait tous plaisirs, hors un point
Sans lequel seul il n'en est point.
Son épouse lui fit promesse solennelle
D'être sourde, aveugle et cruelle,
Et de ne prendre aucun présent ;
Il la retrouverait, au retour, toute telle
Qu'il la laissait en s'en allant,
Sans nul vestige de galant.

Anselme étant parti, tout aussitôt Argie
S'en alla demeurer aux champs ;
Et tout aussitôt les amants
De l'aller voir firent partie.
Elle les renvoya ; ces gens l'embarrassaient,
L'attiédissaient, l'affadissaient,
L'endormaient en contant leur flamme :
Ils déplaisaient tous à la Dame,
Hormis certain jeune blondin
Bien fait, et beau par excellence,
Mais qui ne put par sa souffrance
Amener à son but cet objet inhumain.

Son nom était Atis ; son métier, Paladin.
        Il ne plaignit, en son dessein,
        Ni les soupirs, ni la dépense.
        Tout moyen par lui fut tenté :
Encor si des soupirs il se fût contenté ;
        La source en est inépuisable ;
        Mais de la dépense, c'est trop.
Le bien de notre amant s'en va le grand galop ;
        Voilà notre homme misérable.
Que fait-il ? Il s'éclipse ; il part, il va chercher
        Quelque désert pour se cacher.

        En chemin, il rencontre un homme,
Un Manant, qui, fouillant avecque son bâton,
Voulait faire sortir un serpent d'un buisson.
        Atis s'enquit de la raison.
« C'est, reprit le manant, afin que je l'assomme.
        Quand j'en rencontre sur mes pas,
        Je leur fais de pareilles fêtes. »
— Ami, reprit Atis, laisse-le ; n'est-il pas
Créature de Dieu comme les autres bêtes ?
Il est à remarquer que notre Paladin
N'avait pas cette horreur commune au genre
                                        [humain
Contre la gent reptile et toute son espèce.
        Dans ses armes il en portait ;
        Et de Cadmus il descendait,
Celui-là qui devint serpent sur sa vieillesse.

Force fut au Manant de quitter son dessein ;
Le serpent se sauva. Notre amant, à la fin,
S'établit dans un bois écarté, solitaire :
Le silence y faisait sa demeure ordinaire,
      Hors quelque oiseau qu'on entendait,
      Et quelque écho qui répondait.
      Là, le bonheur et la misère
Ne se distinguaient point, égaux en dignité ;
Chez les loups qu'hébergeait ce lieu peu fréquenté
Atis ne rencontra nulle tranquillité ;
Son amour l'y suivit ; et cette solitude,
Bien loin d'être un remède à son inquiétude,
      En devint même l'aliment,
Par le loisir qu'il eut d'y plaindre son tourment ;
Il s'ennuya bientôt de ne plus voir sa belle.
« Retournons, ce dit-il, puisque c'est notre sort :
      Atis, il t'est plus doux encor
      De la voir ingrate et cruelle
      Que d'être privé de ses traits :
      Adieu, ruisseaux, ombrages frais,
      Chants amoureux de Philomèle ;
Mon inhumaine seule attire à soi mes sens ;
Éloigné de ses yeux, je ne vois ni n'entends.
L'esclave fugitif se va remettre encore
En ses fers, quoique durs, mais, hélas ! trop
                    [chéris. »

Il approchait des murs qu'une Fée a bâtis,

Quand sur les bords du Mince, à l'heure que
                                    [l'Aurore
Commence à s'éloigner du séjour de Thétis,
        Une Nymphe en habit de Reine,
Belle, majestueuse, et d'un regard charmant,
Vint s'offrir tout d'un coup aux yeux du pauvre
                                    [amant,

        Qui rêvait alors à sa peine.
« Je veux, dit-elle, Atis, que vous soyez heureux,
Je le veux, je le puis, étant Manto la Fée,
        Votre amie et votre obligée.
Vous connaissez ce nom fameux ;
Mantoue en tient le sien : jadis en cette terre
        J'ai posé la première pierre
De ces murs, en durée égaux aux bâtiments
Dont Memphis voit le Nil laver les fondements.
La Parque est inconnue à toutes mes pareilles :
        Nous opérons mille merveilles ;
Malheureuses, pourtant de ne pouvoir mourir ;
Car nous sommes d'ailleurs capables de souffrir
Toute l'infirmité de la nature humaine.
Nous devenons serpents un jour de la semaine.
        Vous souvient-il qu'en ce lieu-ci
        Vous en tirâtes un de peine ?
C'était moi qu'un Manant s'en allait assommer ;
        Vous me donnâtes assistance :
        Atis, je veux, pour récompense,
        Vous procurer la jouissance

De celle qui vous fait aimer.
Allons-nous-en la voir : je vous donne assurance
        Qu'avant qu'il soit deux jours de temps
        Vous gagnerez par vos présents
        Argie et tous ses surveillants.
Dépensez, dissipez, donnez à tout le monde ;
        A pleines mains répandez l'or,
Vous n'en manquerez point : c'est pour vous le
                                        [trésor
Que Lucifer me garde en sa grotte profonde.
Votre belle saura quel est notre pouvoir.
Même pour m'approcher de cette inexorable,
        Et vous la rendre favorable,
        En petit chien vous m'allez voir
        Faisant mille tours sur l'herbette ;
Et vous, en Pèlerin jouant de la musette,
Me pourrez, à ce son, mener chez la beauté
        Qui tient votre cœur enchanté. »

Aussitôt fait que dit ; notre amant et la Fée
        Changent de forme en un instant :
Le voilà Pèlerin chantant comme un Orphée,
Et Manto petit chien faisant tours et sautant.
        Ils vont au château de la belle.
Valets et gens du lieu s'assemblent autour d'eux :
Le petit chien fait rage ; aussi fait l'amoureux ;
Chacun danse, et Guillot fait sauter Perronnelle.
Madame entend ce bruit, et sa Nourrice y court.

On lui dit qu'elle vienne admirer à son tour
Le roi des épagneux, charmante créature,
    Et vrai miracle de Nature.
Il entend tout, il parle, il danse, il fait cent tours :
    Madame en fera ses amours ;
Car, veuille ou non son maître, il faut qu'il le lui
                      [vende,
    S'il n'aime mieux le lui donner.
    La Nourrice en fait la demande.
    Le Pèlerin, sans tant tourner,
Lui dit tout bas le prix qu'il veut mettre à la
                      [chose ;
    Et voici ce qu'il lui propose :
« Mon chien n'est point à vendre ; à donner encor
                      [moins ;
    Il fournit à tous mes besoins :
    Je n'ai qu'à dire trois paroles,
Sa patte entre mes mains fait tomber à l'instant,
    Au lieu de puces, des pistoles,
Des perles, des rubil, avec maint diamant :
C'est un prodige enfin. Madame cependant
    En a, comme on dit, la monnoie.
    Pourvu que j'aie cette joie
De coucher avec elle une nuit seulement,
Favori sera sien dès le même moment. »

La proposition surprit fort la Nourrice.
    « Quoi ! madame l'Ambassadrice !

Un simple Pèlerin ! Madame à son chevet
Pourrait voir un bourdon ! Et si l'on le savait !
Si cette même nuit quelque hôpital avait
      Hébergé le chien et son maître ! »
Mais ce maître est bien fait, et beau comme le
                                 [Jour ;
      Cela fait passer en amour
      Quelque bourdon que ce puisse être.
Atis avait changé de visage et de traits :
On ne le connut pas, c'étaient d'autres attraits.
La Nourrice ajoutait : « A gens de cette mine,
      Comment peut-on refuser rien ?
      Puis, celui-ci possède un chien
      Que le Royaume de la Chine
      Ne paierait pas de tout son or.
Une nuit de Madame aussi, c'est un trésor. »
      J'avais oublié de vous dire
Que le drôle à son chien feignit de parler bas ;
      Il tombe aussitôt dix ducats
      Qu'à la Nourrice offre le Sire.
      Il tombe encore un diamant :
      Atis en riant le ramasse.
« C'est, dit-il, pour Madame ; obligez-moi, de
                                [grâce,
      De lui présenter avec mon compliment.
      Vous direz à Son Excellence
Que je lui suis acquis. » La Nourrice, à ces mots,
      Court annoncer en diligence

Le petit chien et sa science,
Le Pèlerin et son propos.

Il ne s'en fallut rien qu'Argie
Ne battît sa Nourrice. « Avoir l'effronterie
De lui mettre en l'esprit une telle infamie !
Avec qui ? Si c'était encor le pauvre Atis !
Hélas ! mes cruautés sont cause de sa perte.
Il ne me proposa jamais de tels partis.
Je n'aurais pas d'un Roi cette chose soufferte,
     Quelque don que l'on pût m'offrir,
Et d'un porte-bourdon je la pourrais souffrir,
     Moi qui suis une Ambassadrice !
     — Madame, reprit la Nourrice,
     Quand vous seriez Impératrice,
     Je vous dis que ce Pèlerin
A de quoi marchander, non pas une mortelle,
     Mais la Déesse la plus belle.
     Atis, votre beau Paladin,
Ne vaut pas seulement un doigt du personnage.
     — Mais mon mari m'a fait jurer...
— Et quoi ? de lui garder la foi de mariage !
Bon ! jurer ? ce serment vous lie-t-il davantage
Que le premier n'a fait ? Qui l'ira déclarer ?
Qui le saura ? J'en vois marcher tête levée,
Qui n'iraient pas ainsi, j'ose vous l'assurer,
Si sur le bout du nez tache pouvait montrer
     Que telle chose est arrivée.

Cela nous fait-il empirer
D'un ongle ou d'un cheveu ? Non, Madame, il
[faut être
Bien habile pour reconnaître
Bouche ayant employé son temps et ses appas,
D'avec bouche qui s'est tenue à ne rien faire.
Donnez-vous, ne vous donnez pas,
Ce sera toujours même affaire.
Pour qui ménagez-vous les trésors de l'amour ?
Pour celui, qui, je crois, ne s'en servira guère ;
Vous n'aurez pas grand'peine à fêter son retour. »

La fausse vieille sut tant dire,
Que tout se réduisit seulement à douter
Des merveilles du chien et des charmes du Sire.
Pour cela l'on les fit monter :
La belle était au lit encore.
L'univers n'eut jamais d'Aurore
Plus paresseuse à se lever.
Notre feint Pèlerin traversa la ruelle
Comme un homme ayant vu d'autres gens que
[des Saints.
Son compliment parut galant et des plus fins ;
Il surprit et charma la belle.
« Vous n'avez pas, ce lui dit-elle,
La mine de vous en aller
A Saint-Jacques de Compostelle. »
Cependant, pour la régaler,

Le chien à son tour entre en lice.
On eût vu sauter Favori
Pour la Dame et pour la Nourrice,
Mais point du tout pour le mari.
Ce n'est pas tout ; il se secoue :
Aussitôt perles de tomber,
Nourrice de les ramasser,
Soubrettes de les enfiler,
Pèlerin de les attacher
A de certains bras, dont il loue
La blancheur et le reste. Enfin il fait si bien,
Qu'avant que partir de la place,
On traite avec lui de son chien.
On lui donne un baiser pour arrhes de la grâce
Qu'il demandait ; et la nuit vint.
Aussitôt que le drôle tint
Entre ses bras madame Argie,
Il redevint Atis. La Dame en fut ravie :
C'était avec bien plus d'honneur
Traiter monsieur l'Ambassadeur.
Cette nuit eut des sœurs, et même en très bon
                                    [nombre.
Chacun s'en aperçut ; car d'enfermer sous l'ombre
Une telle aise, le moyen ?
Jeunes gens font-ils jamais rien
Que le plus aveugle ne voie ?

A quelques mois de là, le Saint-Père renvoie

        Anselme avec force pardons,
        Et beaucoup d'autres menus dons.
Les biens et les honneurs pleuvaient sur sa
                               [personne.
De son vice-gérant il apprend tous les soins :
        Bons certificats des voisins.
        Pour les Valets, nul ne lui donne
        D'éclaircissements sur cela.
        Monsieur le Juge interrogea
        La Nourrice avec les Soubrettes,
        Sages personnes et discrètes ;
        Il n'en put tirer ce secret.
        Mais, comme parmi les femelles
        Volontiers le Diable se met,
        Il survint de telles querelles,
La Dame et la Nourrice eurent de tels débats,
        Que celle-ci ne manqua pas
A se venger de l'autre, et déclarer l'affaire :
Dût-elle aussi se perdre, il fallut tout conter.
        D'exprimer jusqu'où la colère
Ou plutôt la fureur de l'époux put monter,
        Je ne tiens pas qu'il soit possible.
Ainsi je m'en tairai : on peut par les effets
Juger combien Anselme était homme sensible.
        Il choisit un de ses Valets,
Le charge d'un billet, et mande que Madame
Vienne voir son mari malade en la cité.
La belle n'avait point son village quitté ;

L'époux allait, venait, et laissait là sa femme.
« Il te faut en chemin écarter tous ses gens,
Dit Anselme au porteur de ces ordres pressants.
La perfide a couvert mon front d'ignominie :
Pour satisfaction je veux avoir sa vie ;
  Poignarde-la : mais prends ton temps ;
Tâche de te sauver : voilà pour ta retraite ;
Prends cet or. Si tu fais ce qu'Anselme souhaite,
  Et punis cette offense-là,
Quelque part que tu sois, rien ne te manquera. »
  Le Valet va trouver Argie,
  Qui par son chien est avertie.
Si vous me demandez comme un chien avertit.
  Je crois que par la jupe il tire ;
  Il se plaint, il jappe, il soupire,
Il en veut à chacun : pour peu qu'on ait d'esprit,
  On entend bien ce qu'il veut dire.
Favori fit bien plus ; et tout bas il apprit
  Un tel péril à sa maîtresse.
« Partez pourtant, dit-il ; on ne vous fera rien ;
Reposez-vous sur moi ; j'en empêcherai bien
  Ce Valet à l'âme traîtresse. »

Ils étaient en chemin, près d'un bois qui servait
  Souvent aux voleurs de refuge ;
Le ministre cruel des vengeances du Juge
Envoie un peu devant le train qui les suivait,
  Puis il dit l'ordre qu'il avait.

La Dame disparaît aux yeux du personnage ;
     Manto la cache en un nuage.
Le Valet étonné retourne vers l'époux,
Lui conte le miracle ; et son maître en courroux
Va lui-même à l'endroit. O prodige ! ô merveille !
Il y trouve un palais, de beauté sans pareille :
Une heure auparavant c'était un champ tout nu.
     Anselme, à son tour éperdu,
     Admire ce palais bâti non pour des hommes,
     Mais apparemment pour des Dieux ;
Appartements dorés, meubles très précieux,
     Jardins et bois délicieux :
On aurait peine à voir, en ce siècle où nous
                                        [sommes,
Chose si magnifique et si riante aux yeux.
     Toutes les portes sont ouvertes ;
     Les chambres sans hôte et désertes ;
Pas une âme en ce Louvre ; excepté qu'à la fin
Un More très lippu, très hideux, très vilain,
S'offre aux regards du Juge, et semble la copie
     D'un Esope d'Ethiopie.
     Notre Magistrat l'ayant pris
     Pour le Balayeur du logis,
Et croyant l'honorer, lui donnant cet office :
« Cher ami, lui dit-il, apprends-nous à quel Dieu
     Appartient un tel édifice ;
     Car de dire un Roi, c'est trop peu.
     — Il est à moi, reprit le More. »

Notre Juge à ces mots, se prosterne, l'adore,
Lui demande pardon de sa témérité.
« Seigneur, ajouta-t-il, que votre Déité
     Excuse un peu mon ignorance.
Certes, tout l'univers ne vaut pas la chevance
Que je rencontre ici. » Le More lui répond :
     « Veux-tu que je t'en fasse un don ?
De ces lieux enchantés je te rendrai le maître,
     A certaine condition.
     Je ne ris point ; tu pourras être
     De ces lieux absolu Seigneur,
Si tu me veux servir deux jours d'Enfant
                      [d'honneur.
     … Entends-tu ce langage ?
     Et sais-tu quel est cet usage ?
     Il te le faut expliquer mieux.
Tu connais l'échanson du monarque des Dieux ?

ANSELME

Ganymède ?

LE MORE

     Celui-là même.
Prends que je sois Jupin, le monarque suprême,
     Et que tu sois le jouvenceau :
Tu n'es pas tout à fait si jeune ni si beau.

ANSELME

Ah ! Seigneur, vous raillez, c'est chose par trop
[sûre :
Regardez la vieillesse et la magistrature.

LE MORE

Moi, railler ! point du tout.

ANSELME

Seigneur...

LE MORE

Ne veux-tu point ?

ANSELME

Seigneur... »
Anselme ayant examiné ce point,
Consent à la fin au mystère.
Maudit amour des dons, que ne fais-tu pas faire ?
En Page incontinent son habit est changé :
Toque au lieu de chapeau, haut-de-chausses
[troussé :
La barbe seulement demeure au personnage.
L'Enfant d'honneur Anselme, avec cet équipage,
Suit le More partout. Argie avait ouï
Le dialogue entier, en certain coin cachée.
Pour le More lippu, c'était Manto la Fée,

Par son art métamorphosée,
    Et par son art ayant bâti
Ce Louvre en un moment ; par son art fait un
                                        [Page
Sexagénaire et grave. A la fin, au passage
D'une chambre en une autre, Argie à son mari
Se montre tout d'un coup : « Est-ce Anselme,
                                        [dit-elle,
    Que je vois ainsi déguisé ?
Anselme ! il ne se peut ; mon œil s'est abusé.
Le vertueux Anselme à la sage cervelle
Me voudra-t-il donner une telle leçon ?
C'est lui pourtant. Oh ! oh ! Monsieur notre
                                        [barbon,
Notre Législateur, notre homme d'Ambassade,
Vous êtes à cet âge homme de mascarade !
Homme de … ? la pudeur me défend d'achever.
Quoi ? vous jugez les gens à mort pour mon
                                        [affaire,
    Vous qu'Argie a pensé trouver
    En un fort plaisant adultère !
Du moins n'ai-je pas pris un More pour galant :
Tout me rend excusable, Atis et son mérite,
    Et la qualité du présent.
    Vous verrez tout incontinent
Si femme qu'un tel don à l'amour sollicite,
    Peut résister un seul moment.
More, devenez chien. » Tout aussitôt le More

Redevient petit chien encore.
« Favori, que l'on danse. » A ces mots, Favori
       Danse, et tend la patte au mari.
       « Qu'on fasse tomber des pistoles. »
       Pistoles tombent à foison.
« Eh bien ! qu'en dites-vous ? sont-ce choses
                              [frivoles ?
       C'est de ce chien qu'on m'a fait don.
       Il a bâti cette maison.
Puis faites-moi trouver au monde une Excellence,
       Une Altesse, une Majesté,
       Qui refuse sa jouissance
       A dons de cette qualité,
Surtout quand le donneur est bien fait, et qu'il
                              [aime,
       Et qu'il mérite d'être aimé !
En échange du chien, l'on me voulait moi-même :
Ce que vous possédez de trop, je l'ai donné,
Bien entendu, Monsieur ; suis-je chose si chère ?
Vraiment, vous me croiriez bien pauvre ménagère,
Si je laissais aller tel chien à ce prix-là.
Savez-vous qu'il a fait le Louvre que voilà ?
Le Louvre pour lequel... Mais oublions cela,
       Et n'ordonnez plus qu'on me tue,
Moi qu'Atis seulement en ses lacs a fait choir :
Je le donne à Lucrèce, et voudrais bien la voir
       Des mêmes armes combattue.
Touchez là, mon mari ; la paix : car aussi bien

Je vous défie, ayant ce chien :
Le fer ni le poison pour moi ne sont à craindre ;
Il m'avertit de tout ; il confond les jaloux,
Ne le soyez donc point ; plus on veut nous
[contraindre,
    Moins on doit s'assurer de nous. »
Anselme accorda tout : qu'eût fait le pauvre Sire ?
    On lui promit de ne pas dire
Qu'il avait été Page. Un tel cas étant tu,
    Cocuage, s'il eût voulu,
    Aurait eu ses franches coudées.
Argie en rendit grâce ; et, compensations
    D'une et d'autre part accordées,
On quitta la campagne à ces conditions.

« Que devint le palais ? » dira quelque critique.
— Le palais ? que m'importe ? il devint ce qu'il
[put.
A moi ces questions ! suis-je homme qui se pique
D'être si régulier ? Le palais disparut.
— Et le chien ? — Le chien fit ce que l'amant
[voulut.
— Mais que voulut l'amant ? — Censeur, tu
[m'importunes.
Il voulut par ce chien tenter d'autres fortunes.
D'une seule conquête est-on jamais content ?
    Favori se perdait souvent :
    Mais chez sa première maîtresse

Il revenait toujours. Pour elle, sa tendresse
Devint bonne amitié. Sur ce pied, notre amant
      L'allait voir fort assidûment ;
      Et même en l'accommodement
Argie à son époux fit un serment sincère
      De n'avoir plus aucune affaire.
      L'époux jura, de son côté,
      Qu'il n'aurait plus aucun ombrage,
      Et qu'il voulait être fouetté
      Si jamais on le voyait Page.

PATÉ D'ANGUILLE

Même beauté, tant soit exquise,
Rassasie et soûle à la fin.
Il me faut d'un et d'autre pain :
Diversité, c'est ma devise.

Cette maîtresse un tantet bise
Rit à mes yeux : pourquoi cela ?
C'est quelle est neuve ; et celle-là

Qui depuis longtemps m'est acquise,
Blanche qu'elle est, en nulle guise
Ne me cause d'émotion.
Son cœur dit oui : le mien dit non.
D'où vient ? en voici la raison :
Diversité, c'est ma devise.

Je l'ai jà dit d'autre façon,
Car il est bon que l'on déguise
Suivant la loi de ce dicton :
Diversité, c'est ma devise.
Ce fut celle aussi d'un mari
De qui la femme était fort belle.
Il se trouva bientôt guéri
De l'amour qu'il avait pour elle :
L'hymen et la possession
Eteignirent sa passion.
Un sien Valet avait pour femme
Un petit bec assez mignon :
Le Maître, étant bon compagnon,
Eut bientôt empaumé la Dame.
Cela ne plus pas au Valet,
Qui, les ayant pris sur le fait,
Vendiqua son bien de couchette,
A sa moitié chanta goguette,
L'appela tout net et tout franc...
Bien sot de faire un bruit si grand
Pour une chose si commune ;

Dieu nous gard de plus grand'fortune !

Il fit à son Maître un sermon.
« Monsieur, dit-il, chacun la sienne,
Ce n'est pas trop ; Dieu et raison
Vous recommandent cette Antienne.
Direz-vous : Je suis sans Chrétienne ?
Vous en avez à la maison
Une qui vaut cent fois la mienne,
Ne prenez donc pas tant de peine ;
C'est pour ma femme trop d'honneur ;
Il ne lui faut si gros Monsieur ;
Tenons-nous chacun à la nôtre,
N'allez point à l'eau chez un autre,
Ayant plein puits de ces douceurs :
Je m'en rapporte aux connaisseurs.
Si Dieu m'avait fait tant de grâce,
Qu'ainsi que vous je disposasse
De Madame, je m'y tiendrais,
Et d'une Reine ne voudrais.
Mais puisqu'on ne saurait défaire
Ce qui s'est fait, je voudrais bien
(Ceci soit dit sans vous déplaire)
Que, content de votre ordinaire,
Vous ne goûtassiez plus du mien. »

Le Patron ne voulut lui dire
Ni oui ni non sur ce discours,

Et commanda que tous les jours
On mît au repas près du Sire
Un pâté d'anguille : ce mets
Lui chatouillait fort le palais.
Avec un appétit extrême
Une et deux fois il en mangea ;
Mais, quand ce vint à la troisième,
La seule odeur le dégoûta.
Il voulut sur une autre viande
Mettre la main ; on l'empêcha :
« Monsieur, dit-on, nous le commande ;
Tenez-vous-en à ce mets-là.
Vous l'aimez, qu'avez-vous à dire ?
— M'en voilà soûl, reprit le Sire.
Eh quoi ! toujours pâtés au bec !
Pas une anguille de rôtie !
Pâtés tous les jours de ma vie !
J'aimerais mieux du pain tout sec :
Laissez-moi prendre un peu du vôtre.
Pain de par Dieu, ou de par l'autre !
Au Diable ces pâtés maudits !
Ils me suivront en Paradis,
Et par-delà, Dieu me pardonne ! »
Le Maître accourt soudain au bruit :
Et, prenant sa part du déduit :
« Mon ami, dit-il, je m'étonne
Que d'un mets si plein de bonté
Vous soyez si tôt dégoûté.

Ne vous ai-je pas ouï dire
Que c'était votre grand ragoût ?
Il faut qu'en peu de temps, beau Sire,
Vous ayez bien changé de goût.
Qu'ai-je fait qui fût plus étrange ?
Vous me blâmez lorsque je change
Un mets que vous croyez friand,
Et vous en faites tout autant !
Mon doux ami, je vous apprend
Que ce n'est pas une sottise,
En fait de certains appétits,
De changer son pain blanc en bis ;
Diversité, c'est ma devise. »

Quand le Maître eut ainsi parlé,
Le Valet fut tout consolé.
Non que ce dernier n'eût à dire
Quelque chose encor là-dessus :
Car, après tout, doit-il suffire
D'alléguer son plaisir sans plus ?
J'aime le change. — A la bonne heure !
On vous l'accorde ; mais gagnez,
S'il se peut, les intéressés ;
Cette voie est bien la meilleure :
Suivez-la donc. A dire vrai,
Je crois que l'amateur du change
De ce conseil tenta l'essai.
On dit qu'il parlait comme un Ange,

Des mots dorés usant toujours :
Mots dorés font tout en amours,
C'est une maxime constante.
Chacun sait quelle est mon entente :
J'ai rabattu cent et cent fois
Ceci dans cent et cent endroits ;
Mais la chose est si nécessaire
Que je ne puis jamais m'en taire,
Et redirai jusques au bout :
Mots dorés en amour font tout.
Ils persuadent la Donzelle,
Son petit chien, sa Demoiselle,
Son époux quelquefois aussi.
C'est le seul qu'il fallait ici
Persuader : il n'avait l'âme
Sourde à cette éloquence ; et, Dame !
Les Orateurs du temps jadis
N'en ont de telle en leurs écrits.
Notre jaloux devint commode :
Même on dit qu'il suivit la mode
De son maître, et toujours depuis
Changea d'objets en ses déduits.
Il n'était bruit que d'aventures
Du chrétien et de créatures.
Les plus nouvelles sans manquer
Etaient pour lui les plus gentilles :
Par où le drôle en put croquer
Il en croqua ; femmes et filles,

Nymphes, Grisettes, ce qu'il put.
Toutes étaient de bonne prise ;
Et sur ce point, tant qu'il vécut,
Diversité fut sa devise.

LE MAGNIFIQUE

Un peu d'esprit, beaucoup de bonne mine,
Et plus encor de libéralité,
C'est en amour une triple machine
Par qui maint fort est bientôt emporté,
Rocher fût-il : rochers aussi se prennent.
Qu'on soit bien fait, qu'on ait quelque talent,
Que les cordons de la bourse ne tiennent,
Je vous le dis, la place est au galant.
On la prend bien quelquefois sans ces choses.
Bon fait avoir néanmoins quelques doses
D'entendement, et n'être pas un sot.
Quant à l'avare, on le hait ; le magot
A grand besoin de bonne rhétorique :
La meilleure est celle du libéral.

Un Florentin, nommé le Magnifique,
La possédait en propre original.
Le Magnifique était un nom de guerre
Qu'on lui donna ; bien l'avait mérité :
Son train de vivre, et son honnêteté,
Ses dons surtout, l'avaient par toute terre
Déclaré tel ; propre, bien fait, bien mis,
L'esprit galant et l'air des plus polis.
Il se piqua pour certaine femelle
De haut état. La conquête était belle :
Elle excitait doublement le désir ;
Rien n'y manquait, la gloire et le plaisir,
Aldobrandin était de cette dame
Mari jaloux, non comme d'une femme,
Mais comme qui depuis peu jouirait
D'une Philis. Cet homme la veillait
De tous ses yeux ; s'il en eût eu dix mille,
Il les eût tous à ce soin occupés :
Amour le rend, quand il le veut, inutile ;
Ces Argus-là sont souvent trompés.
Aldobrandin ne croyait pas possible
Qu'il le fût onc ; il défiait les gens.
Au demeurant, il était fort sensible
A l'intérêt, aimait fort les présents.
Son concurrent n'avait encor su dire
Le moindre mot à l'objet de ses vœux :
On ignorait, ce lui semblait, ses feux,

Et le surplus de l'amoureux martyre.
(Car c'est toujours une même chanson.)
Si l'on eût su, qu'eût-on fait ? Que fait-on ?
Jà n'est besoin qu'au lecteur je le die.
Pour revenir à notre pauvre amant,
Il n'avait su dire un mot seulement
Au médecin touchant sa maladie.
Or, le voilà qui tourmente sa vie,
Qui va, qui vient, qui court, qui perd ses pas ;
Point de fenêtre et point de jalousie
Ne lui permet d'entrevoir les appas
Ni d'entr'ouïr la voix de sa Maîtresse.
Il ne fut onc semblable forteresse ;
Si faudra-t-il qu'elle y vienne pourtant.
Voici comment s'y prit notre assiégeant.

Je pense avoir déjà dit, ce me semble,
Qu'Aldobrandin homme à présents était ;
Non qu'il en fît, mais il en recevait.
Le Magnifique avait un cheval d'amble,
Beau, bien taillé, dont il faisait grand cas :
Il l'appelait, à cause de son pas,
La Haquenée. Aldobrandin le loue :
Ce fut assez ; notre amant proposa
De le troquer. L'époux s'en excusa :
« Non pas, dit-il, que je ne vous avoue
Qu'il me plaît fort ; mais à de tels marchés
Je perds toujours. » Alors le Magnifique,

Qui voit le but de cette politique,
Reprit : « Eh bien ! faisons mieux : ne troquez ;
Mais, pour le prix du cheval, permettez
Que, vous présent, j'entretinne Madame :
C'est un désir curieux qui m'a pris.
Encor faut-il que vos meilleurs amis
Sachent un peu ce qu'elle a dedans l'âme :
Je vous demande un quart d'heure sans plus. »
Aldobrandin l'arrêtant là-dessus :
« J'en suis d'avis ! je livrerais ma femme !
Ma foi, mon cher, gardez votre cheval.
— Quoi ? vous présent ? — Moi présent. — Et
                                   [quel mal
Encore un coup peut-il, en la présence
D'un mari fin comme vous, arriver ? »
Aldobrandin commence d'y rêver ;
En raisonnant en soi : « Quelle apparence
Qu'il en mévienne, en effet, moi présent ?
C'est marché sûr ; il est fol à son dam.
Que prétend-il ? Pour plus grande assurance,
Sans qu'il le sache, il faut faire défense
A ma moitié de répondre au galant.
— Sus, dit l'époux, j'y consens. — La distance
De vous à nous, poursuivit notre amant,
Sera réglée, afin qu'aucunement
Vous n'entendiez. » Il y consent encore ;
Puis va quérir sa femme en ce moment.
Quand l'autre voit celle-là qu'il adore,

Il se croit être en un enchantement.
Les saluts faits, en un coin de la salle
Ils se vont seoir. Notre galant n'étale
Un long narré, mais vient d'abord au fait.
« Je n'ai le lieu ni le temps à souhait,
Commença-t-il, puis je tiens inutile
De tant tourner ; il n'est que d'aller droit.
Partant, Madame, en un mot comme en mille,
Votre beauté jusqu'au vif m'a touché.
Penseriez-vous que ce fût un pêché
Que d'y répondre ? Ah ! je vous crois, Madame,
De trop bon sens. Si j'avais le loisir,
Je ferais voir par les formes ma flamme,
Et vous dirais de cet ardent désir
Tout le menu ; mais que je brûle, meure,
Et m'en tourmente, et me dise aux abois,
Tout ce chemin que l'on fait en six mois,
Il me convient le faire en un quart d'heure,
Et plus encore ; car ce n'est pas là tout ;
Froid est l'amant qui ne va jusqu'au bout,
Et par sottise en si beau train demeure.
Vous vous taisez ? pas un mot ! Qu'est-ce là ?
Renvaierez-vous de la sorte un pauvre homme ?
Le Ciel vous fit, il est vrai, ce qu'on nomme
Divinité ; mais faut-il pour cela
Ne point répondre, alors que l'on vous prie ?
Je vois, je vois ; c'est une tricherie
De votre époux : il m'a joué ce trait,

Et ne prétend qu'aucune repartie
Soit du marché : mais j'y sais un secret ;
Rien n'y fera, pour le sûr, sa défense.
Je saurai bien me répondre pour vous :
Puis ce coin d'œil, par son langage doux,
Rompt à mon sens quelque peu le silence :
J'y lis ceci : « Ne croyez pas, Monsieur,
« Que la Nature ait composé mon cœur
« De marbre dur. Vos fréquentes passades,
« Joutes, tournois, devises, sérénades,
« M'ont avant vous déclaré votre amour.
« Bien loin qu'il m'ait en nul point offensée,
« Je vous dirai que dès le premier jour
« J'y répondis et me sentis blessée
« Du même trait. Mais que nous sert ceci ?...
— Ce qu'il nous sert ? Je m'en vais vous le dire :
Étant d'accord, il faut cette nuit-ci
Goûter le fruit de ce commun martyre,
De votre époux nous venger et nous rire,
Bref, le payer du soin qu'il prend ici :
De ces fruits-là le dernier n'est le pire.
Votre jardin viendra comme de cire :
Descendez-y ; ne doutez du succès.
Votre mari ne se tiendra jamais
Qu'à sa maison des champs, je vous l'assure,
Tantôt il n'aille éprouver sa monture.
Vos Douagnas en leur premier sommeil,
Vous descendrez sans nul autre appareil

Que de jeter une robe fourrée
Sur votre dos, et viendrez au jardin.
De mon côté l'échelle est préparée ;
Je monterai par la cour du voisin ;
Je l'ai trop gagné ; la rue est publique.
Ne craignez rien... — Ah ! mon cher Magnifique,
« Que je vous aime, et que je vous sais gré
« De ce dessein ! Venez, je descendrai...
— C'est vous qui parle. Eh ! plût au ciel,
                                        [Madame,
Qu'on vous osât embrasser les genoux !...
— Mon Magnifique, à tantôt votre flamme
« Ne craindra point les regards d'un jaloux. »

L'amant la quitte, et feint d'être en courroux ;
Puis, tout grondant : « Vous me la donnez bonne,
Aldobrandin ! je n'entendais cela.
Autant vaudrait n'être avecque personne
Que d'être avec Madame que voilà.
Si vous trouvez chevaux à ce prix-là,
Vous les devez prendre, sur ma parole.
Le mien hennit du moins ; mais cette idole
Est proprement un fort joli poisson.
Or sus, j'en tiens ; ce m'est une leçon.
Quiconque veut le reste du quart d'heure
N'a qu'à parler, j'en ferai juste prix. »
Aldobrandin rit si fort qu'il en pleure.
« Ces jeunes gens, dit-il, en leurs esprits

Mettent toujours quelque haute entreprise.
Notre féal, vous lâchez trop tôt prise :
Avec le temps on en viendrait à bout.
J'y tiendrai l'œil ; car ce n'est pas là tout ;
Nous y savons encor quelque rubrique :
Et cependant, Monsieur le Magnifique,
La Haquenée est nettement à nous :
Plus ne fera de dépense chez vous.
Dès aujourd'hui, qu'il ne vous en déplaise,
Vous me verrez dessus, fort à mon aise,
Dans le chemin de ma maison des champs. »

Il n'y manqua sur le soir ; et nos gens
Au rendez-vous tout aussi peu manquèrent.
Dire comment les choses s'y passèrent,
C'est un détail trop long ; lecteur prudent,
Je m'en remets à ton bon jugement :
La Dame était jeune, fringante et belle,
L'amant bien fait, et tous deux fort épris.
Trois rendez-vous coup sur coup furent pris :
Moins n'en valait si gentille femelle.
Aucun péril, nul mauvais accident,
Bons dormitifs en or comme en argent
Aux Douagnas et bonne sentinelle.
Un pavillon vers le bout du jardin
Vint à propos : messire Aldobrandin
Ne l'avait fait bâtir pour cet usage.
Conclusion, qu'il prit en cocuage

Tous ses degrés : un seul ne lui manqua,
Tant su jouer son jeu la Haquenée !
Content ne fut d'une seule journée
Pour l'éprouver ; aux champs il demeura
Trois jours entiers, sans doute ni scrupule.
J'en connais bien qui ne sont si chanceux ;
Car ils ont femme, et n'on cheval ni mule,
Sachant de plus tout ce qu'on fait chez eux.

LA MATRONE D'ÉPHÈSE

S'il est conte usé, commun et rebattu,
C'est celui qu'en ces vers j'accommode à ma
                                              [guise.
        « Et pourquoi donc le choisis-tu ?
        Qui t'engage à cette entreprise ?
N'a-t-elle point déjà produit assez d'écrits ?
        Quelle grâce aura ta Matrone
        Au prix de celle de Pétrone ?
Comment la rendras-tu nouvelle à nos esprits ? »
Sans répondre aux censeurs, car c'est chose infinie,

Voyons si dans mes vers je l'aurai rajeunie.
   Dans Éphèse il fut autrefois
Une Dame en sagese et vertu sans égale,
   Et selon la commune voix,
Ayant su raffiner sur l'amour conjugale.
Il n'était bruit que d'elle et de sa chasteté ;
   On l'allait voir par rareté ;
C'était l'honneur du sexe : heureuse sa patrie !
Chaque mère à sa bru l'alléguait pour patron ;
Chaque époux la prônait à sa femme chérie :
D'elle descendent ceux de la Prudoterie,
   Antique et célèbre maison.
   Son mari l'aimait d'amour folle.
   Il mourut. De dire comment,
   Ce serait un détail frivole.
   Il mourut ; et son testament
N'était plein que de legs qui l'auraient consolée,
Si les biens réparaient la perte d'un mari
   Amoureux autant que chéri.
Mainte Veuve pourtant fait la déchevelée
Qui n'abandonne pas le soin du demeurant,
Et, du bien qu'elle aura, fait le compte en pleurant.
Celle-ci, par ses cris, mettait tout en alarme ;
   Celle-ci faisait un vacarme,
Un bruit, et des regrets à percer tous les cœurs ;
   Bien qu'on sache qu'en ses malheurs,
De quelque désespoir qu'une âme soit atteinte,
La douleur est toujours moins forte que la plainte :

Toujours un peu de faste entre parmi les pleurs.

Chacun fit son devoir de dire à l'affligée
Que tout a sa mesure, et que de tels regrets
     Pourraient pécher par leur excès :
Chacun rendit par là sa douleur rengrégée.
Enfin, ne voulant plus jouir de la clarté
     Que son époux avait perdue,
Elle entre dans sa tombe, en ferme volonté
D'accompagner cette ombre aux enfers descendue.
Et voyez ce que peut l'excessive amitié,
(Ce mouvement aussi va jusqu'à la folie,)
Une Esclave en ce lieu la suivit par pitié,
     Prête à mourir de compagnie ;
Prête, je m'entends bien, c'est-à-dire en un mot,
N'ayant examiné qu'à demi ce complot,
Et, jusques à l'effet, courageuse et hardie.
L'Esclave avec la Dame avait été nourrie ;
Toutes deux s'entr'aimaient, et cette passion
Etait crûe avec l'âge au cœur des deux femelles :
Le monde entier à peine eût fourni deux modèles
     D'une telle inclination.
Comme l'Esclave avait plus de sens que la Dame,
Elle laissa passer les premiers mouvements ;
Puis tâcha, mais en vain, de remettre cette âme
Dans l'ordinaire train des communs sentiments.
Aux consolations la Veuve inaccessible
S'appliquait seulement à tout moyen possible

De suivre le défunt aux noirs et tristes lieux.
Le fer aurait été le plus court et le mieux ;
Mais la Dame voulait paître encore ses yeux
  Du trésor qu'enfermait la bière,
  Froide dépouille, et pourtant chère :
  C'était là le seul aliment
  Qu'elle prît en ce monument.
  La faim donc fut celle des portes
  Qu'entre d'autres de tant de sortes
Notre Veuve choisit pour sortir d'ici-bas.
Un jour se passe, et deux, sans autre nourriture
Que ses profonds soupirs, que ses fréquents hélas !
  Qu'un inutile et long murmure
Contre les Dieux, le Sort, et toute la Nature.
  Enfin sa douleur n'omit rien,
 Si la douleur doit s'exprimer si bien.

Encore un autre mort faisait sa résidence
Non loin de ce tombeau, mais bien différemment,
  Car il n'avait pour monument
  Que le dessous d'une potence :
Pour exemple aux voleurs on l'avait là laissé.
  Un Soldat bien récompensé
  Le gardait avec vigilance.
  Il était dit par ordonnance
Que si d'autres voleurs, un parent, un ami,
L'enlevaient, le Soldat nonchalant, endormi,
  Remplirait aussitôt sa place.

C'était trop de sévérité :
Mais la publique utilité
Défendait que l'on fît au Garde aucune grâce.

Pendant la nuit, il vit, aux fentes du tombeau,
Briller quelque clarté, spectacle assez nouveau.
Curieux, il y court, entend de loin la Dame
          Remplissant l'air de ses clameurs.
Il entre, est étonné, demande à cette femme
          Pourquoi ces cris, pourquoi ces pleurs,
          Pourquoi cette triste musique,
Pourquoi cette maison noire et mélancolique.
Occupée à ses pleurs, à peine elle entendit
          Toutes ces demandes frivoles.
          Le mort pour elle y répondit :
          Cet objet, sans autres paroles,
          Disait assez par quel malheur
La Dame s'enterrait ainsi toute vivante.
« Nous avons fait serment, ajouta la Suivante,
De nous laisser mourir de faim et de douleur. »
Encor que le Soldat fût mauvais orateur,
Il leur fit concevoir ce que c'est que la vie ;
La Dame, cette fois, eut de l'attention ;
          Et déjà l'autre passion
          Se trouvait un peu ralentie :
Le temps avait agi. « Si la foi du serment,
Poursuivit le Soldat, vous défend l'aliment,
          Voyez-moi manger seulement ;

Vous n'en mourrez pas moins. » Un tel
                [tempérament
    Ne déplut pas aux deux femelles.
    Conclusion, qu'il obtint d'elles
Une permission d'apporter son soupé :
Ce qu'il fit. Et l'Esclave eut le cœur fort tenté
De renoncer dès lors à la cruelle envie
    De tenir au mort compagnie :
« Madame, ce dit-elle, un penser m'est venu :
Qu'importe à votre époux que vous cessiez de
                    [vivre ?
Croyez-vous que lui-même il fût homme à vous
                    [suivre,
Si par votre trépas vous l'aviez prévenu ?
Non, Madame ; il voudrait achever sa carrière.
La nôtre sera longue encor, si nous voulons.
Se faut-il, à vingt ans, enfermer dans la bière ?
Nous aurons tous loisirs d'habiter ces maisons.
On ne meurt que trop tôt. Qui nous presse ?
                [Attendons.
Quant à moi, je voudrais ne mourir que ridée.
Voulez-vous emporter vos appas chez les morts ?
Que vous servira-t-il d'en être regardée ?
    Tantôt en voyant les trésors
Dont le Ciel prit plaisir d'orner votre visage,
    Je disais : Hélas ! c'est dommage !
Nous-mêmes nous allons enterrer tout cela. »

A ce discours flatteur, la Dame s'éveilla.
Le Dieu qui fait aimer prit son temps ; il tira
Deux traits de son carquois : de l'un il entama
Le Soldat jusqu'au vif ; l'autre effleura la Dame.
Jeune et belle, elle avait sous ses pleurs de l'éclat ;
      Et des gens de goût délicat
Auraient bien pu l'aimer, et même étant leur
                               [femme.
Le Garde en fut épris : les pleurs et la pitié,
      Sorte d'amours, ayant ses charmes,
Tout y fit : une belle, alors qu'elle est en larmes,
      En est plus belle de moitié.
Voilà donc notre Veuve écoutant la louange,
Poison qui de l'amour est le premier degré ;
      La voilà qui trouve à son gré
Celui qui le lui donne. Il fait tant qu'elle mange ;
Il fait tant que de plaire, et se rend en effet
Plus digne d'être aimé que le mort le mieux fait ;
      Il fait tant enfin qu'elle change ;
Et toujours par degrés, comme l'on peut penser,
De l'un à l'autre il fait cette femme passer.
      Je ne le trouve pas étrange.
Elle écoute un amant, elle en fait un mari,
Le tout au nez du mort qu'elle avait tant chéri.

Pendant cet hyménée, un voleur se hasarde
D'enlever le dépôt commis au soin du Garde :
Il en entend le bruit, il y court à grands pas ;

Mais en vain ; la chose était faite.
Il revient au tombeau conter son embarras,
        Ne sachant où trouver retraite :
L'Esclave alors lui dit, le voyant éperdu :
        « L'on vous a pris votre pendu ?
Les lois ne vous feront, dites-vous, nulle grâce ?
Si Madame y consent, j'y remédierai bien.
        Mettons notre mort en la place ;
        Les passants n'y connaîtront rien. »
La Dame y consentit. O volages femelles !
La femme est toujours femme. Il en est qui sont
                                        [belles
        Il en est qui ne le sont pas :
        S'il en était d'assez fidèles,
        Elles auraient assez d'appas.

Prudes, vous vous devez défier de vos forces :
Ne vous vantez de rien. Si votre intention
        Est de résister aux amorces,
La nôtre est bonne aussi : mais l'exécution
Nous trompe également, témoin cette Matrone.
        Et, n'en déplaise au bon Pétrone,
Ce n'était pas un fait tellement merveilleux,
Qu'il en dût proposer l'exemple à nos neveux.
Cette Veuve n'eut tort qu'au bruit qu'on lui vit
                                        [faire,
Qu'au dessein de mourir, mal conçu, mal formé :
        Car, de mettre au patibulaire

Le corps d'un mari tant aimé,
Ce n'était pas peut-être une si grande affaire ;
Cela lui sauvait l'autre ; et, tout considéré,
Mieux vaut goujat debout qu'Empereur enterré.

———————

BELPHÉGOR

Nouvelle tirée de Machiavel.

A Mlle DE CHAMPMESLÉ

De votre nom j'orne le frontispice
Des derniers vers que ma Muse a polis.
Puisse le tout, ô charmante Philis,
Aller si loin que notre los franchisse
La nuit des temps ! nous la saurons dompter,
Moi par écrire, et vous par réciter.
Nos noms unis perceront l'ombre noire ;
Vous régnerez longtemps dans la mémoire
Après avoir imprégné jusques ici

Dans les esprits, dans les cœurs même aussi.
Qui ne connaît l'inimitable actrice
Représentant ou Phèdre ou Bérénice,
Chimène en pleurs, ou Camille en fureur ?
Est-il quelqu'un que votre choix n'enchante ?
S'en trouve-t-il une autre aussi touchante,
Une autre enfin allant si droit au cœur ?
N'attendez pas que je fasse l'éloge
De ce qu'en vous on trouve de parfait :
Comme il n'est point de grâce qui n'y loge,
Ce serait trop ; je n'aurais jamais fait.
De mes Philis vous seriez la première,
Vous auriez eu mon âme tout entière,
Si de mes vœux j'eusse plus présumé :
Mais en aimant, qui ne veut être aimé ?
Par des transports n'espérant pas vous plaire,
Je me suis dit seulement votre ami,
De ceux qui sont amants plus qu'à demi :
Et plût au Sort que j'eusse pu mieux faire !
Ceci soit dit : venons à notre affaire.

Un jour Satan, monarque des enfers,
Faisait passer ses sujets en revue.
Là, confondus, tous les états divers,
Princes et Rois, et la tourbe menue,
Jetaient maint pleur, poussaient maint et maint
                                        [cri,
Tant que Satan en était étourdi.

Il demandait, en passant, à chaque âme :
« Qui t'a jetée en l'éternelle flamme ? »
L'une disait : « Hélas ! c'est mon mari ; »
L'autre répondait : « C'est ma femme. »
Tant et tant fut ce discours répété,
Qu'enfin Satan dit en plein Consistoire :
« Si ces gens-ci disent la vérité,
Il est aisé d'augmenter notre gloire.
Nous n'avons donc qu'à le vérifier.
Pour cet effet, il nous faut envoyer
Quelque Démon plein d'art et de prudence,
Qui, non content d'observer avec soin
Tous les hymens dont il sera témoin,
Y joigne aussi sa propre expérience. »
Le Prince ayant proposé sa sentence,
Le noir Sénat suivit tout d'une voix.

De Belphégor aussitôt on fit choix.
Ce Diable était tout yeux et tout oreilles,
Grand éplucheur, clairvoyant à merveilles,
Capable enfin de pénétrer dans tout,
Et de pousser l'examen jusqu'au bout.
Pour subvenir aux frais de l'entreprise,
On lui donna mainte et mainte remise,
Toutes à vue, et qu'en lieux différents
Il pût toucher par des correspondants.
Quant au surplus, les fortunes humaines,
Les biens, les maux, les plaisirs et les peines,

Bref, ce qui suit notre condition,
Fut une annexe à sa Légation
Il se pouvait tirer d'affliction
Par ses bons tours et par son industrie ;
Mais non mourir, ni revoir sa patrie,
Qu'il n'eût ici consumé certain temps ;
Sa mission devait durer dix ans.

Le voilà donc qui traverse et qui passe
Ce que le Ciel voulut mettre d'espace
Entre ce Monde et l'éternelle nuit :
Il n'en mit guère ; un moment y conduit.
Notre Démon s'établit à Florence,
Ville pour lors de luxe et de dépense :
Même, il la crut propre pour le trafic.
Là, sous le nom du Seigneur Roderic,
Il se logea, meubla, comme un riche homme,
Grosse maison, grand train, nombre de gens ;
Anticipant tous les jours sur la somme
Qu'il ne devait consumer qu'en dix ans.
On s'étonnait d'une telle bombance :
Il tenait table, avait de tous côtés
Gens à ses frais, soit pour ses voluptés,
Soit pour le faste et la magnificence.
L'un des plaisirs où il dépensa
Fut la louange : Apollon l'encensa ;
Car il est maître en l'art de flatterie :
Diable n'eut onc tant d'honneurs en sa vie,

Son cœur devint le but de tous les traits
Qu'Amour lançait : il n'était point de belle
Qui n'employât ce qu'elle avait d'attraits
Pour le gagner, tant sauvage fût-elle ;
Car de trouver une seule rebelle,
Ce n'est la mode à gens de qui la main
Par les présents s'aplanit tout chemin :
C'est un ressort en tous desseins utile.
Je l'ai dit, et le redis encor,
Je ne connais d'autre premier mobile
Dans l'Univers que l'argent et que l'or.

Notre envoyé cependant tenait compte
De chaque hymen en journaux différents ;
L'un, des époux satisfaits et contents,
Si peu rempli, que le Diable en eut honte :
L'autre journal incontinent fut plein.
A Belphégor il ne restait enfin
Que d'éprouver la chose par lui-même.

Certaine fille à Florence était lors,
Belle et bien faite, et peu d'autres trésors ;
Noble d'ailleurs, mais d'un orgueil extrême,
Et d'autant plus, que de quelque vertu
Un tel orgueil paraissait revêtu.
Pour Roderic on en fit la demande.
Le père dit que Madame Honesta,
C'était son nom, avait eu jusque-là

Force partis ; mais que parmi la bande
Il pourrait bien Roderic préférer,
Et demander temps pour délibérer.
On en convint. Le poursuivant s'applique
A gagner celle où ses vœux s'adressaient.
Fêtes et bals, sérénades, musique,
Cadeaux, festins bien fort apetissaient,
Altéraient fort le fonds de l'Ambassade.
Il n'y plaint rien, en use en grand Seigneur,
S'épuise en dons. L'autre se persuade
Qu'elle lui fait encor beaucoup d'honneur.
Conclusion qu'après force prières,
Et des façons de toutes les manières
Il eut un oui de Madame Honesta.
Auparavant, le Notaire y passa ;
Dont Belphégor se moquant en son âme :
« Hé quoi ! dit-il, on acquiert une femme
Comme un château ! ces gens ont tout gâté. »
Il eut raison : ôtez d'entre les hommes
La simple foi, le meilleur est ôté.
Nous nous jetons, pauvre gens que nous sommes,
Dans les procès, en prenant le revers ;
Les si, les car, les contrats, sont la porte
Par où la noise entra dans l'Univers :
N'espérons pas que jamais elle en sorte.
Solennités et lois n'empêchent pas
Qu'avec l'Hymen Amour n'ait des débats.
C'est le cœur seul qui peut rendre tranquille :

Le cœur fait tout, le reste est inutile.
Qu'ainsi ne soit, voyons d'autres États :
Chez les amis, tout s'excuse, tout passe ;
Chez les amants, tout plaît, tout est parfait ;
Chez les époux, tout ennuie et tout lasse.
Le devoir nuit : chacun est ainsi fait.
« Mais, dira-t-on, n'est-il en nulles guises
D'heureux ménages ? » Après mûr examen,
J'appelle un bon, voire un parfait hymen,
Quand les conjoints se souffrent leurs sottises.
Sur ce point-là c'est assez raisonné.

Dès que chez lui le Diable eut amené
Son épousée, il jugea par lui-même
Ce qu'est l'hymen avec un tel démon :
Toujours débats, toujours quelque sermon
Plein de sottise en un degré suprême.
Le bruit fut tel, que Madame Honesta
Plus d'une fois les voisins éveilla ;
Plus d'une fois on courut à la noise.
« Il lui fallait quelque simple Bourgeoise,
Ce disait-elle : un petit trafiquant
Traiter ainsi des filles de mon rang !
Méritait-il femme si vertueuse ?
Sur mon devoir je suis trop scrupuleuse :
J'en ai regrets ; et si je faisais bien… »
Il n'est pas sûr qu'Honesta ne fit rien :
Ces prudes-là nous en font bien accroire.

Nos deux époux, à ce que dit l'Histoire,
Sans disputer n'étaient pas un moment.
Souvent leur guerre avait pour fondement
Le jeu, la jupe, ou quelque ameublement
D'été, d'hiver, d'entre-temps, bref un monde
D'inventions propres à tout gâter.
Le pauvre Diable eut lieu de regretter
De l'autre Enfer la demeure profonde.
Pour comble enfin, Roderix épousa
La parenté de Madame Honesta,
Ayant sans cesse et le père et la mère,
Et la grand'sœur, avec le petit frère :
De ses deniers mariant la grand'sœur,
Et du petit payant le Précepteur.
Je n'ai pas dit la principale cause
De sa ruine, infaillible accident,
Et j'oubliais qu'il eut un Intendant.
Un Intendant ! qu'est-ce que cette chose ?
Je définis cet être un animal
Qui, comme on dit, sait pêcher en eau trouble ;
Et plus le bien de son maître va mal,
Plus le sien croît, plus son profit redouble,
Tant qu'aisément lui-même achèterait
Ce qui de net au Seigneur resterait :
Dont, par raison bien et dûment déduite,
On pourrait voir chaque chose réduite
En son état s'il arrivait qu'un jour
L'autre devint l'Intendant à son tour ;

Car regagnant ce qu'il eut étant maître,
Ils reprendraient tous deux leur premier être.
Le seul recours du pauvre Roderic,
Son seul espoir étant certain trafic
Qu'il prétendait devoir remplir sa bourse :
Espoir douteux, incertaine ressource.
Il était dit que tout serait fatal
A notre époux ; ainsi tout alla mal :
Ses agents, tels que la plupart des nôtres,
En abusaient : il perdit un vaisseau,
Et vit aller le commerce à vau-l'eau ;
Trompé des uns, mal servi par les autres,
Il emprunta. Quand ce vint à payer,
Et qu'à sa porte il vit le créancier,
Force lui fut d'esquiver par la fuite,
Gagnant les champs, où de l'âpre poursuite
Il se sauva chez un certain fermier,
En certain coin remparé de fumier.
A Mathéo (c'était le nom du Sire),
Sans tant tourner, il dit ce qu'il était ;
Qu'un double mal chéz lui le tourmentait,
Ses créanciers, et sa femme encor pire ;
Qu'il n'y avait remède que d'entrer
Au corps des gens et de s'y remparer,
D'y tenir bon ; irait-on là le prendre ?
Dame Honesta viendrait-elle y prôner
Qu'elle a regret de se bien gouverner ?
Chose ennuyeuse, et qu'il est las d'entendre :

Que de ces corps trois fois il sortirait,
Sitôt que lui, Mathéo, l'en prierait ;
Trois fois sans plus, et ce, pour récompense
De l'avoir mis à couvert des Sergents.
Tout aussitôt l'Ambassadeur commence
Avec grand bruit d'entrer au corps des gens.
Ce que le sien, ouvrage fantastique,
Devint alors, l'Histoire n'en dit rien.

Son coup d'essai fut une fille unique
Où le galant se trouvait assez bien ;
Mais Mathéo, moyennant grosse somme,
L'en fit sortir au premier mot qu'il dit.
C'était à Naple. Il se transporte à Rome ;
Saisit un corps : Mathéo l'en bannit,
Le chasse encore ; autre somme nouvelle.
Trois fois enfin, toujours d'un corps femelle,
Remarquez bien, notre Diable sortit.
Le Roi de Naple avait lors une fille,
Honneur du sexe, espoir de sa famille :
Maint jeune Prince était son poursuivant.
Là d'Honesta Belphégor se sauvant,
On ne le put tirer de cet asile.
Il n'était bruit, aux champs comme à la ville,
Que d'un Manant qui chassait les Esprits
Cent mille écus d'abord lui sont promis.
Bien affligé de manquer cette somme
[Car les trois fois l'empêchaient d'espérer

Que Belphégor se laissât conjurer],
Il la refuse : il se dit un pauvre homme,
Pauvre pêcheur, qui, sans savoir comment,
Sans dons du Ciel, par hasard seulement,
De quelque corps a chassé quelque Diable,
Apparemment chétif et misérable,
Et ne connaît celui-ci nullement.
Il a beau dire ; on le force, on l'amène,
On le menace, on lui dit que, sous peine
D'être pendu, d'être mis, haut et court,
En un gibet, il faut que sa puissance
Se manifeste avant la fin du jour.
Dès l'heure même on vous met en présence
Notre Démon et son conjurateur :
D'un tel combat le Prince est spectateur.
Chacun y court ; n'est fils de bonne mère
Qui pour le voir ne quitte toute affaire.
D'un côté sont le gibet et la hart ;
Cent mille écus bien comptés d'autre part.
Mathéo tremble, et lorgne la finance.
L'Esprit malin, voyant sa contenance,
Riait sous cape, alléguait les trois fois ;
Dont Mathéo suait dans son harnois,
Pressait, priait, conjurait avec larmes.
Le tout en vain. Plus il est en alarmes,
Plus l'autre rit. Enfin le Manat dit
Que sur ce Diable il n'avait nul crédit.
On vous le happe et mène à la potence.

Comme il allait haranguer l'assistance,
Nécessité lui suggéra ce tour :
Il dit tout bas qu'on battit le tambour,
Ce qui fut fait ; de quoi l'Esprit immonde
Un peu surpris, au Manant demanda :
« Pourquoi ce bruit ? Coquin, qu'entends-je là ? »
L'autre répond : « C'est Madame Honesta
Qui vous réclame, et va par tout le Monde
Cherchant l'époux que le Ciel lui donna. »
Incontinent le Diable décampa,
S'enfuit au fond des Enfers, et conta
Tout le succès qu'avait eu son voyage.
« Sire, dit-il, le nœud du mariage
Damne aussi dru qu'aucuns autres états.
Votre Grandeur voit tomber ici-bas,
Non par flocons, mais menu comme pluie,
Ceux que l'Hymen fait de sa Confrérie ;
J'ai par moi-même examiné le cas.
Non que de soi la chose ne soit bonne ;
Elle eut jadis un plus heureux destin :
Mais comme tout se corrompt à la fin.
Plus beau fleuron n'est en votre couronne. »
Satan le crut : il fut récompensé,
Encor qu'il eût son retour avancé.
Car qu'eût-il fait ? ce n'était pas merveilles
Qu'ayant sans cesse un Diable à ses oreilles,
Toujours le même et toujours sur un ton,
Il fut contraint d'enfiler la venelle.

Dans les Enfers encore en change-t-on,
L'autre peine est, à mon sens, plus cruelle.
Je voudrais voir quelque Saint y durer :
Elle eût à Job fait tourner la cervelle.

De tout ceci que prétends-je inférer ?
Premièrement, je ne sais pire chose
Que de changer son logis en prison.
En second lieu, si par quelque raison
Votre ascendant à l'hymen vous expose,
N'épousez point d'Honesta, s'il se peut :
N'a pas pourtant une Honesta qui veut.

LA CLOCHETTE

Conte.

Oh ! combien l'homme est inconstant, divers,
Faible, léger, tenant mal sa parole !
J'avais juré, même en assez beaux vers,
De renoncer à tout Conte frivole :

Et quand juré ? c'est ce qui me confond ;
Depuis deux jours j'ai fait cette promesse.
Puis fiez-vous à rimeur qui répond
D'un seul moment. Dieu ne fit la sagesse
Pour les cerveaux qui hantent les neuf Sœurs ;
Trop bien ont-ils quelque art qui vous peut plaire,
Quelque jargon plein d'assez de douceurs ;
Mais d'être sûrs, ce n'est là leur affaire
Si me faut-il trouver, n'en fût-il point,
Tempérament pour accorder ce point ;
Et, supposé que quant à la matière
J'eusse failli, du moins pourrais-je pas
Le réparer par la forme, en tout cas ?
Voyons ceci. Vous saurez que naguère
Dans la Touraine un jeune Bachelier...
[Interprétez ce mot à votre guise :
L'usage en fut autrefois familier
Pour dire ceux qui n'ont la barbe grise ;
Ores ce sont suppôts de sainte Église.]
Le nôtre soit, sans plus, un jouvenceau,
Qui dans les prés, sur le bord d'un ruisseau,
Vous cajolait la jeune bachelette,
Aux blanches dents, aux pieds nus, au corps gent,
Pendant qu'Io, portant une clochette
Aux environs allait l'herbe mangeant.
Notre galant vous lorgne une fillette,
De celles-là que je viens d'exprimer :
Le malheur fut qu'elle était trop jeunette,

Et d'âge encor incapable d'aimer.
Non qu'à treize ans on y soit inhabile ;
Même les lois ont avancé ce temps ;
Les lois songeaient aux personnes de ville,
Bien que l'amour semble né pour les champs...

Le Bachelier déploya sa science,
Ce fut en vain : le peu d'expérience,
L'humeur farouche, ou bien l'aversion,
Ou tous les trois, firent que la bergère,
Pour qui l'amour était langue étrangère
Répondit mal à tant de passion.
Que fit l'amant ? Croyant tout artifice
Libre en amours, sur le rez de la nuit,
Le compagnon détourne une génisse
De ce bétail par la file conduit.
Le demeurant non compté par la belle
(Jeunesse n'a les soins qui sont requis)
Prit aussitôt le chemin du logis.
Sa mère, étant moins oublieuse qu'elle,
Vit qu'il manquait une pièce au troupeau.
Dieu sait la vie ! elle tance Isabeau,
Vous la renvoie, et la jeune pucelle
S'en va pleurant et demande aux échos
Si pas un d'eux ne sait nulle nouvelle
De celle-là dont le drôle à propos
Avait d'abord étoupé la clochette :
Puis il la prit ; puis, la faisant sonner,

Il se fit suivre ; et tant, que la fillette
Au fond d'un bois se laissa détourner.

Jugez, lecteur, quelle fut sa surprise
Quand elle ouït la voix de son amant.
« Belle, dit-il, toute chose est permise
Pour se tirer de l'amoureux tourment. »
A ce discours, la fille tout en transe
Remplit de cris ces lieux peu fréquentés.
Nul n'accourut. O belles ! évitez
Le fond des bois, et leur vaste silence.

LE GLOUTON

Conte tiré d'Athénée.

A son souper un glouton
Commande que l'on apprête
Pour lui seul un esturgeon.
Sans en laisser que la tête,
Il soupe ; il crève. On y court ;

On lui donne maints clystères.
On lui dit, pour faire court,
Qu'il mette ordre à ses affaires.
« Mes amis, dit le goulu,
M'y voilà tout résolu ;
Et puisqu'il faut que je meure,
Sans faire tant de façon,
Qu'on m'apporte tout à l'heure
Le reste de mon poisson. »

LES DEUX AMIS

Conte tiré d'Athénée.

Axiocus avec Alcibiades,
Jeunes, bien faits, galants, et vigoureux,
Par bon accord, comme grands camarades,
En même nid furent pondre tous deux.
Qu'arrive-t-il ? l'un de ces amoureux
Tant bien exploite autour de la donzelle,
Qu'il en naquit une fille si belle,

Qu'ils s'en vantaient tous deux également.
Le temps venu que cet objet charmant
Put pratiquer les leçons de sa mère,
Chacun des deux en voulut être amant ;
Plus n'en voulut l'un ni l'autre être père.
« Frère, dit l'un, ah ! Vous ne sauriez faire
Que cet enfant ne soit vous tout craché.
— Pardieu, dit l'autre, il est à vous, compère ;
Je prends sur moi le hasard du péché. »

LE JUGE DE MESLE

Deux Avocats qui ne s'accordaient point
Rendaient perplexe un Juge de province :
Si ne put onc découvrir le vrai point,
Tant lui semblait que fût obscur et mince.
Deux pailles prend d'inégale grandeur ;
Du doigt les serre : il avait bonne pince.
La longue échet sans faute au Défendeur,
Dont renvoyé s'en va gai comme un Prince.
La Cour s'en plaint, et le Juge repart :

« Ne me blâmez, Messieurs, pour cet égard ;
De nouveauté dans mon fait il n'est maille ;
Maint d'entre vous souvent juge au hasard,
Sans que pour ce tire à la courte paille. »

ALIX MALADE

Alix malade, et se sentant presser,
Quelqu'un lui dit : « Il faut se confesser ;
Voulez-vous pas mettre en repos votre âme ?
— Oui, je le veux, lui répondit la Dame :
Qu'à Père André on aille de ce pas ;
Car il entend d'ordinaire mon cas. »
Un Messager y court en diligence,
Sonne au Couvent de toute sa puissance.
« Que venez-vous demander ? lui dit-on.
— C'est père André, celui qui d'ordinaire
Entend Alix dans sa confession.
— Vous demandez, reprit alors un Frère,
Le Père André, le Confesseur d'Alix ?
Il est bien loin : hélas ! le pauvre Père
Depuis dix ans confesse en Paradis. »

LE BAISER RENDU

Guillot passait avec sa mariée.
Un Gentilhomme à son gré la trouvant :
« Qui t'a, dit-il, donné telle épousée ?
Que je la baise, à la charge d'autant.
— Bien volontiers, dit Guillot à l'instant :
Elle est, Monsieur, fort à votre service. »
Le Monsieur donc fait alors son office
En appuyant. Perronnelle en rougit.
Huit jours après, ce gentilhomme prit
Femme à son tour : à guillot il permit
Même faveur. guillot, tout plein de zèle :
« Puisque, dit-il, monsieur est si fidèle,
J'ai grand regret, et je suis bien fâché
Qu'ayant baisé seulement Perronnelle,
Ii n'ait encore avec elle couché. »

SŒUR JEANNE

Sœur Jeanne, ayant fait un poupon,
Jeûnait, vivait en sainte fille,
Toujours était en oraison ;
Et toujours ses Sœurs à la grille.
Un jour donc l'Abbesse leur dit :
« Vivez comme Sœur Jeanne vit ;
Fuyez le monde et sa séquelle. »
Toutes reprirent à l'instant :
« Nous serons aussi sages qu'elle
Quand nous en aurons fait autant. »

————————

PORTRAIT D'IRIS

Initiation d'Anacréon.

O toi qui peins d'une façon galante,
Maître passé dans Cythère et Paphos,
Fais un effort ; peins-nous Iris absente.
Tu n'as point vu cette beauté charmante,
Me diras-tu : tant mieux pour ton repos.
Je m'en vais donc t'instruire en peu de mots.
Premièrement, mets des lis et des roses ;
Après cela, des amours et des ris.
Mais à quoi bon le détail de ces choses ?
D'une Vénus tu peux faire une Iris ;
Nul ne saurait découvrir le mystère :
Traits si pareils jamais ne se sont vus :
Et tu pourras à Paphos et Cythère
De cette Iris refaire une Vénus.

L'AMOUR MOUILLÉ

Autre imitation d'Anacréon.

J'étais couché mollement,
Et, contre mon ordinaire,
Je dormais tranquillement,
Quand un enfant s'en vint faire
A ma porte quelque bruit.
Il pleuvait fort cette nuit :
Le vent, le froid et l'orage,
Contre l'enfant faisaient rage.
« Ouvrez, dit-il, je suis nu. »
Moi, charitable et bon homme,
J'ouvre au pauvre morfondu,
Et m'enquiers comme il se nomme.
« Je te le dirai tantôt,
Repartit-il ; car il faut
Qu'auparavant je m'essuie. »
J'allume aussitôt du feu.
Il regarde si la pluie
N'a point gâté quelque peu
Un arc dont je me méfie.
Je m'approche toutefois,
Et de l'enfant prends les doigts.
Les réchauffe ; et dans moi-même

Je dis : « Pourquoi craindre tant ?
Que peut-il ? c'est un enfant :
Ma couardise est extrême
D'avoir eu le moindre effroi ;
Que serait-ce si chez moi
J'avais reçu Polyphème ? »
L'enfant, d'un air enjoué
Ayant un peu secoué
Les pièces de son armure
Et sa blonde chevelure,
Prend un trait, un trait vainqueur,
Qu'il me lance au fond du cœur.
« Voilà, dit-il, pour ta peine.
Souviens-toi bien de Clymène
Et de l'Amour, c'est mon nom,
— Ah ! je vous connais, lui dis-je,
Ingrat et cruel garçon ;
Faut-il que qui vous oblige
Soit traité de la façon ! »
Amour fit une gambade ;
Et le petit scélérat
Me dit : « Pauvre camarade,
Mon arc est en bon état,
Mais ton cœur est bien malade. »

TOME II

PRÉFACE DE L'AUTEUR

(1667)

Voici les derniers ouvrages de cette nature qui partiront des mains de l'auteur, et par conséquent la dernière occasion de justifier ses hardiesses et les licences qu'il s'est données. Nous ne parlons point des mauvaises rimes, des ves qui enjambent, des deux voyelles sans élision, ni en général de ces sortes de négligences qu'il ne se pardonnerait pas à lui-même en un autre genre de poésie, mais qui sont inséparables, pour ainsi dire, de celui-ci. Le trop grand soin de les éviter jetterait un faiseur de contes en de longs détours, en récits aussi froids que beaux, en des contraintes fort inutiles, et lui ferait négliger le plaisir du cœur pour travailler à la satisfaction de l'oreille. Il faut laisser les narrations étudiées pour les grands sujets, et ne pas faire un poème épique des aventures de Renaud d'Ast. Quand celui qui a rimé ces nouvelles y aurait apporté tout le soin et l'exactitude qu'on lui demande, outre que ce soin s'y remarquerait d'autant plus qu'il est moins nécessaire, et que cela contrevient aux préceptes de Quintilien, encore l'auteur n'aurait-il pas satisfait au principal point, qui est d'attacher le lecteur, de le réjouir, d'attirer malgré lui son attention, de lui plaire enfin : car, comme l'on sait, le secret de plaire ne consiste toujours en l'ajustement, ni même en la régularité ; il faut du piquant et de l'agréable, si l'on veut toucher. Combien voyons-nous de ces beautés régulières qui ne touchent point, et dont personne n'est amoureux ! Nous ne voulons pas ôter aux modernes la louange qu'ils ont méritée.Le beau tour de vers, le beau langage, la justesse, les bonnes rimes, sont des perfections en un poète : cependant, que l'on considère quelques-unes de nos épigrammes où tout cela se rencontre, peut-être y trouvera-t-on beaucoup moins de sel, j'oserais dire encore bien moins de grâces, qu'en celles de Marot et de Saint-Gelais, quoique les ouvrages de ces derniers soient presque tous pleins de ces mêmes fautes qu'on nous impute. On dira que ce n'étaient pas des fautes en leur siècle, et que c'en sont de très grandes au nôtre. A cela nous

répondons par un même raisonnement, et disons,
comme nous avons déjà dit, que c'en seraient en
effet dans un autre genre de poésie, mais que ce
n'en sont point dans celui-ci. Feu M. de Voiture
en est le garant. Il ne faut que lire ceux de ses
ouvrages où il fait revivre le caractère de Marot ;
car notre auteur ne prétend pas que la gloire lui
en soit due, ni qu'il ait mérité non plus de
grands applaudissements du public pour avoir rimé
quelques contes. Il s'est véritablement engagé dans
une carrière toute nouvelle, et l'a fournie le mieux
qu'il a pu, prenant tantôt un chemin, tantôt
l'autre, et marchant toujours plus assurément,
quand il a suivi la manière de nos vieux poètes,
QUORUM IN HAC RE IMITARI NEGLIGENTIAM EXOP-
TAT POTIUS QUAM ISTORUM DILIGENTIAM.

Mais, en disant que nous voulions passer ce
point-là, nous nous sommes insensiblement engagé
à l'examiner. Et possible n'a-ce pas été inutile-
ment ? car il n'y a rien qui ressemble mieux à
des fautes que ces licences. Venons à la liberté
que l'auteur se donne de tailler dans le bien
d'autrui ainsi que dans le sien propre, sans qu'il
en excepte les nouvelles mêmes les plus connues,
ne s'en trouvant point d'inviolable pour lui. Il
retranche, il amplifie, il change les incidents et les
circonstances, quelquefois le principal événement
et la suite ; enfin, ce n'est plus la même chose,

c'est proprement une nouvelle nouvelle ; et celui
qui l'a inventé aurait bien de la peine à reconnaître
son propre ouvrage. NON SIC DECET CONTAMINARI
FABULAS, diront les critiques. Et comment ne le
diraient-ils pas ? ils ont bien fait le même reproche
à Térence ; mais Térence s'est moqué d'eux, et a
prétendu avoir droit d'en user ainsi. Il a mêlé du
sien parmi les sujets qu'il a tirés de Ménandre,
comme Sophocle et Euripide ont mêlé du leur
parmi ceux qu'ils ont tirés des écrivains qui les
précédaient, n'épargnant histoire ni fable où il
s'agissait de la bienséance et des règles du dramati-
que. Ce privilège cessera-t-il à l'égard des contes
faits à plaisir ? et faudra-t-il avoir dorénavant plus
de respect et plus de religion, s'il est permis d'ainsi
dire, pour le mensonge, que les anciens n'en ont
eu pour la vérité ? Jamais ce qu'on appelle un
bon conte ne passe d'une main à l'autre sans
recevoir quelque nouvel embellissement.

D'où vient donc, nous pourra-t-on dire, qu'en
beaucoup d'endroits l'auteur retranche au lieu
d'enchérir ? Nous en demeurons d'accord ; et il
le fait pour éviter la longueur et l'obscurité, deux
défauts intolérables dans ces matières, le dernier
surtout ; car si la clarté est recommandable en
tous les ouvrages de l'esprit, on peut dire qu'elle
est nécessaire dans les récits, où une chose, la
plupart du temps, est la suite et la dépendance

d'une autre, où le moindre fonde quelquefois le plus important ; en sorte que si le fil vient une fois à se rompre, il est impossible au lecteur de le renouer. D'ailleurs, comme les narrations en vers sont très malaisées, il se faut charger de circonstances le moins qu'on peut ; par ce moyen vous vous soulagerez vous-même, et vous soulagez aussi le lecteur, à qui l'on ne saurait manquer d'apprêter des plaisirs sans peine. Que si l'auteur a changé quelques incidents et même quelques catastrophes, ce qui préparait cette catastrophe et la nécessité de la rendre heureuse l'y ont contraint. Il a cru que dans ces sortes de contes chacun devait être content à la fin ; cela plaît toujours au lectur, à moins qu'on ne lui ait rendu les personnes trop odieuses. Mais il n'en faut point venir là si l'on peut, ni faire rire et pleurer dans une même nouvelle. Cette bigarrure déplaît à Homère sur toutes choses ; il ne veut pas que nos compositions ressemblent aux grotesques, et que nous fassions un ouvrage moitié femme, moitié poisson. Ce sont les raisons générales que l'auteur a eues. On en pourrait encore alléguer de particulières, et défendre chaque endroit ; mais il faut laisser quelque chose à faire à l'habileté et à l'indulgence des lecteurs. Ils se contenteront donc de ces raisons-ci. Nous les aurions mises un peu plus en jour et fait valoir davantage, si l'étendue des préfaces l'avait permis.

LES OIES DE FRÈRE PHILIPPE

Nouvelle tirée de Boccace.

Je dois trop au beau sexe, il me fait trop d'honneur
De lire ces récits, si tant est qu'il les lise.
Pourquoi non ? C'est assez qu'il condamne en
[son cœur
  Celles qui font quelque sottise.
  Ne peut-il pas, sans qu'il le dise,
  Rire sous cape de ces tours,
  Quelque aventure qu'il y trouve ?
  S'ils sont faux, ce sont vains discours ;
  S'ils sont vrais, il les désapprouve.
Irait-il après tout s'alarmer sans raison
  Pour un peu de plaisanterie ?
Je craindrais plutôt que la cajolerie
  Ne mît le feu dans la maison.
Chassez les soupirants, Belles, souffrez mon Livre :
  Je réponds de vous corps pour corps.
Mais pourquoi les chasser ? Ne saurait-on bien
[vivre
  Qu'on ne s'enferme avec les morts ?
  Le monde ne vous connaît guères,

S'il croit que les faveurs sont chez vous familières :
      Non pas que les heureux amants
      Soient ni phénix ni corbeaux blancs ;
      Aussi ne sont-ce fourmilières.
Ce que mon Livre en dit doit passer pour chansons.
J'ai servi des beautés de toutes les façons :
      Qu'ai-je gagné ? très peu de chose ;
Rien. Je m'aviserais sur le tard d'être la cause
Que la moindre de vous commît le moindre mal !
Contons, mais contons bien ; c'est le point
                    [principal,
C'est tout ; à cela près, censeurs, je vous conseille
De dormir comme moi, sur l'une et l'autre oreille.
      Censurez, tant qu'il vous plaira,
      Méchants vers et phrases méchantes :
      Mais pour bons tours, laissez-les là,
      Ce sont choses indifférentes ;
      Je n'y vois rien de périlleux.
Les mères, les maris, me prendront aux cheveux
      Pour dix ou douze contes bleus !
      Voyez un peu la belle affaire !
Ce que je n'ai pas fait, mon Livre irait le faire ?
Beau sexe, vous pouvez le lire en sûreté.
      Mais je voudrais m'être acquitté
      De cette grâce par avance.
      Que puis-je faire en récompense ?
Un conte où l'on va voir vos appas triompher :
Nulle précaution ne les peut étouffer.

Vous auriez surpassé le Printemps et l'Aurore
Dans l'esprit d'un garçon, si, dès ses jeunes ans,
Outre l'éclat des cieux et les beautés des champs,
     Il eût vu les vôtres encore.
Aussi, dès qu'il les vit, il en sentit les coups,
Vous surpassâtes tout : il n'eut d'yeux que pour
                            [vous ;
Il laissa les palais : enfin votre personne
     Lui parut avoir plus d'attraits
     Que n'en auraient, à beaucoup près,
     Tous les joyaux de la Couronne.
On l'avait, dès l'enfance, élevé dans un bois.
     Là, son unique compagnie
Consistait aux oiseaux ; leur aimable harmonie
     Le désennuyait quelquefois.
Tout son plaisir était cet innocent ramage ;
Encor ne pouvait-il entendre leur langage.
     En une école si sauvage
Son père l'emmena dès ses plus tendres ans.
     Il venait de perdre sa mère ;
Et le pauvre garçon ne connut la lumière
     Qu'afin qu'il ignorât les gens.
Il ne s'en figura, pendant un fort long temps,
     Point d'autres que les habitants
     De cette forêt, c'est-à-dire
     Que des loups, des oiseaux, enfin ce qui
                       [respire
     Pour respirer sans plus et ne songer à rien.

Ce qui porta son père à fuir tout entretien,
Ce furent deux raisons, ou mauvaises, ou
                                    [bonnes :
    L'une, la haine des personnes ;
  L'autre, la crainte ; et, depuis qu'à ses yeux
Sa femme disparut, s'envolant dans les cieux,
        Le monde lui fut odieux ;
        Las d'y gémir et de s'y plaindre,
        Et partout des plaintes ouïr,
Sa moitié le lui fit par son trépas haïr,
        Et le reste des femmes craindre.
Il voulut être ermite, et destina son fils
        A ce même genre de vie.
        Ses biens aux pauvres départis,
        Il s'en va seul, sans compagnie
Que celle de ce fils, qu'il portait dans ses bras :
Au fond d'une forêt il arrête ses pas.
(Cet homme s'appelait Philippe, dit l'Histoire.)
Là, par un saint motif, et non par humeur noire,
Notre ermite nouveau cache avec très grand soin
Cent choses à l'enfant, ne lui dit, près ni loin,
        Qu'il fût au monde aucune femme,
        Aucuns désirs, aucun amour ;
Au progrès de ses ans réglant en ce séjour
        La nourriture de son âme,
A cinq, il lui nomma des fleurs, des animaux,
        L'entretint de petits oiseaux ;
Et, parmi ce discours aux enfants agréable,

Mêla des menaces du Diable,
Lui dit qu'il était fait d'une étrange façon.
La crainte est aux enfants la première leçon.
Les dix ans expirés, matière plus profonde
Se mit sur le tapis : un peu de l'autre Monde
　　　　Au jeune enfant fut révélé,
　　　　Et de la femme point parlé.
　　　　Vers quinze ans, lui fut enseigné,
Tout autant que l'on put, l'Auteur de la Nature.
　　　　Et rien touchant la créature.
Ce propos n'est alors déjà plus de saison
　　　　Pour ceux qu'au monde on veut soustraire ;
Telle idée, en ce cas, est fort peu nécessaire.
Quand ce fils eut vingt ans, son père trouva bon
　　De le mener à la ville prochaine.
Le vieillard, tout cassé, ne pouvait plus qu'à peine
Aller quérir son vivre : et lui mort, après tout,
Que ferait ce cher fils ? comment venir à bout
　　De subsister sans connaître personne ?
Les loups n'étaient pas gens qui donnassent
　　　　　　　　　　　　　　　[l'aumône.
　　　　Il savait bien que le garçon
　　　　N'aurait de lui pour héritage
　　　　Qu'une besace et qu'un bâton :
　　　　C'était un étrange partage.
Le père à tout cela songeait sur ses vieux ans.
　　　　Au reste, il était peu de gens
　　　　Qui ne lui donnassent la miche.

Frère Philippe eût été riche
S'il eût voulu. Tous les petits enfants
Le connaissaient, et, du haut de leur tête,
Ils criaient : *« Apprêtez la quête !*
Voilà frère Philippe ! » Enfin dans la cité
Frère Philippe souhaité
Avait force dévots ; de dévotes pas une,
Car il n'en voulait point avoir.
Sitôt qu'il crut son fils ferme dans son devoir,
Le pauvre homme le mène voir
Les gens de bien, et tente la fortune.
Ce ne fut qu'en pleurant qu'il exposa ce fils.
Voilà nos ermites partis ;
Ils vont à la cité, superbe, bien bâtie,
Et de tous objets assortie :
Le prince y faisait son séjour.
Le jeune homme, tombé des nues,
Demandait : « Qu'est-ce là ?... — Ce sont des
[gens de Cour.
— Et là ?... — Ce sont palais... — Ici ?... Ce
[sont statues. »
Il considérait tout, quand de jeunes beautés
Aux yeux vifs, aux traits enchantés,
Passèrent devant lui. Dès lors nulle autre chose
Ne put ses regards attirer.
Adieu palais, adieu ce qu'il vient d'admirer ;
Voici bien pis, et bien une autre cause
D'étonnement.

Ravi comme en extase à cet objet charmant,
    « Qu'est-ce là, dit-il à son père,
    Qui porte un si gentil habit ?
Comment l'appelle-t-on ? » Ce discours ne plut
                        [guère
    Au bon vieillard, qui répondit :
    « C'est oiseau qui s'appelle oie.
— O l'agréable oiseau ! dit le fils, plein de joie.
Oie, hélas ! chante un peu, que j'entende ta voix !
    Ne pourrait-on point te connaître ?
Mon père, je vous prie et mille et mille fois,
    Menons-en une en notre bois :
    J'aurai soin de la faire paître. »

RICHARD MINUTOLO

Nouvelle tirée de Boccace.

C'est de tout temps qu'à Naples on a vu
Régner l'amour et la galanterie.
De beaux objets cet État est pourvu

Mieux que pas un qui soit en Italie.
Femmes y sont qui font venir l'envie
D'être amoureux quand on ne voudrait pas.

Une surtout ayant beaucoup d'appas
Eut pour amant un gentilhomme
Qu'on appelait Richard Minutolo.
Il n'était lors de Paris jusqu'à Rome
Galant qui sut si bien le numéro.
Force lui fut, d'autant que cette belle
(Dont sous le nom de madame Catelle
Il est parlé dans le Décameron)
Fut un long temps si dure et si rebelle,
Que Minutol n'en sut tirer raison.
Que fait-il donc ? Comme il voit que son zèle
Ne produit rien, il feint d'être guéri ;
Il ne va plus chez madame Catelle ;
Il se déclare amant d'une autre belle ;
Il fait semblant d'en être favori.
Catelle en rit ; pas grain de jalousie :
Sa concurrente était sa bonne amie.
Si bien qu'un jour qu'ils étaient en devis,
Minutolo, pour lors de la partie,
Comme en passant, mit dessus le tapis
Certains propos de certaines coquettes,
Certain mari, certaines amourettes,
Qu'il controuva sans personne nommer ;
Et fit si bien que madame Catelle

De son Époux commence à s'alarmer,
Entre en soupçon, prend le morceau pour elle.
Tant en fut dit, que la pauvre femelle,
Ne pouvant plus durer en tel tourment,
Voulut savoir de son défunt amant,
Qu'elle tira dedans une ruelle,
De quelles gens il entendait parler,
Qui, quoi, comment, et ce qu'il voulait dire.
« Vous avez eu, lui dit-il, trop d'empire
Sur mon esprit, pour vous dissimuler.
Votre mari voit madame Simonne ;
Vous connaissez la galante que c'est :
Je ne le dis pour offenser personne ;
Mais il y va tant de votre intérêt,
Que je n'ai pu me taire davantage.
Si je vivais dessous votre servage,
Comme autrefois, je me garderais bien
De vous tenir un semblable langage,
Qui, de ma part, ne serait bon à rien.
De ses amants toujours on se méfie.
Vous penseriez que par supercherie
Je vous dirais du mal de votre époux ;
Mais, grâce à Dieu, je ne veux rien de vous :
Ce qui me meut n'est du tout que bon zèle.
Depuis un jour j'ai certaine nouvelle
Que votre Époux, chez Janot le Baigneur,
Doit se trouver avecque sa Donzelle.
Comme Janot n'est pas fort grand seigneur,

Pour cent ducats vous lui ferez tout dire ;
Pour cent ducats il fera tout aussi.
Vous pouvez donc tellement vous conduire
Qu'au rendez-vous trouvant votre mari,
Il sera pris sans s'en pouvoir dédire.
Voici comment. La Dame a stipulé
Qu'en une chambre où tout sera fermé
L'on les mettra ; soit craignant qu'on n'ait vue
Sur le Baigneur ; soit que, sentant son cas
Simonne encor n'ait toute honte bue.
Prenez sa place, et ne marchandez pas :
Gagnez Janot ; donnez-lui cent ducats ;
Il vous mettra dedans la chambre noire,
Non pour jeûner, comme vous pouvez croire ;
Trop bien ferez tout ce qu'il vous plaira.
Ne parlez point ; vous gâteriez l'histoire ;
Et vous verrez comme tout en ira. »
L'expédient plut très fort à Catelle.
De grand dépit Richard elle interrompt :
« Je vous entends, c'est assez, lui dit-elle,
Laissez-moi faire ; et le drôle et sa belle
Verront beau jeu, si la corde ne rompt.
Pensent-ils donc que je sois quelque buse ? »
Lors pour sortir elle prend une excuse,
Et tout d'un pas s'en va trouver Janot,
A qui Richard avait donné le mot.
L'argent fait tout ; si l'on prend en France
Pour obliger en de semblables cas,

On peut juger avec grande apparence
Qu'en Italie on n'en refuse pas.
Pour tout carquois, d'une large escarcelle
En ce pays le Dieu d'Amour se sert.
Janot en prend de Richard, de Catelle ;
Il en eût pris du grand Diable d'Enfer.
Pour abréger, la chose s'exécute
Comme Richard s'était imaginé.
Sa maîtresse eut d'abord quelque dispute
Avec Janot, qui fit le réservé ;
Mais, en voyant bel argent bien compté,
Il promet plus qu'on ne lui demande.
Le temps venu d'aller au rendez-vous,
Minutolo s'y rend seul de sa bande ;
Entre en la chambre et n'y trouve aucuns trous
Par où le jour puisse nuire à sa flamme.
Guère n'attend : il tardait à la Dame
D'y rencontrer son perfide d'époux,
Bien préparée à lui chanter sa gamme.
Pas n'y manqua ; l'on peut s'en assurer.
Dans le lieu dit Janot la fit entrer.
Là ne trouva ce qu'elle allait chercher,
Point de mari, point de dame Simonne,
Mais, au lieu d'eux, Minutol en personne
Qui, sans parler, se mit à l'embrasser.
Quant au surplus, je le laisse à penser :
Chacun s'en doute assez sans qu'on le die.
De grand plaisir notre amant s'extasie.

Que si le jeu plut beaucoup à Richard,
Catelle aussi, toute rancune à part,
Le laissa faire, et ne voulut mot dire.
Il en profite, et se garde de rire ;
Mais, toutefois, ce n'est pas sans effort.
De figurer le plaisir qu'a le Sire,
Il me faudrait un esprit bien plus fort :
Premièrement il jouit de sa belle ;
En second lieu, il trompe une cruelle,
Et croit gagner les pardons en cela.

Mais à la fin Catelle s'emporta.
« C'est trop souffrir, traître ! ce lui dit-elle.
Je ne suis pas celle que tu prétends.
Laisse-moi là, sinon à belles dents
Je te déchire et te saute à la vue.
C'est donc cela que tu te tiens en mue,
Fais le malade et te plains tous les jours,
Te réservant sans doute à tes amours ?
Parle, méchant, dis-moi, suis-je pourvue
De moins d'appas, ai-je moins d'agrément,
Moins de beauté, que ta dame Simonne ?
Le rare oiseau ! O la belle friponne !
T'aimais-je moins ? Je te hais à présent ;
Et plût à Dieu que je t'eusse vu pendre ! »
Pendant cela, Richard, pour l'apaiser,
La caressait, tâchait de la baiser,
Mais il ne put ; elle s'en sut défendre.

« Laisse-moi là ! se mit-elle à crier ;
Comme une enfant penses-tu me traiter ?
N'approche point, je ne suis plus ta femme ;
Rends-moi mon bien : va-t'en trouver ta Dame ;
Va, déloyal, va-t'en, je te le dis.
Je suis bien sotte et bien de mon pays
De te garder la foi du mariage.
A quoi tient-il que, pour te rendre sage,
Tout sur-le-champ je n'envoye quérir
Minutolo, qui m'a si fort chérie ?
Je le devrais, afin de te punir ;
Et, sur ma foi, j'en ai presque l'envie. »

A ce propos le galant éclata.
« Tu ris, dit-elle : ô dieux, quelle insolence !
Rougira-t-il ? Voyons sa contenance. »
Lors de ses bras la belle s'échappa,
D'une fenêtre à tâtons approcha,
L'ouvrit de force, et fut bien étonnée
Quand elle vit Minutol son amant.
Elle tomba plus d'à demi pâmée.
« Ah ! qui t'eût cru, dit-elle, si méchant ?
Que dira-t-on ? me voilà diffamée !
— Qui le saura ? dit Richard à l'instant :
Janot est sûr, j'en réponds sur ma vie.
Excusez donc si je vous ai trahie ;
Ne me sachez mauvais gré d'un tel tour.
Adresse, force, et ruse, et tromperie,

Inv. et Dess. par Eisen

Tout est permis en matière d'amour.
J'étais réduit, avant ce stratagème,
A vous servir, sans plus, pour vos beaux yeux :
Ai-je failli de me payer moi-même ?
L'eussiez-vous fait ? Non, sans doute ; et les Dieux
En ce rencontre ont tout fait pour le mieux.
Je suis content ; vous n'êtes point coupable :
Est-ce de quoi paraître inconsolable ?
Pourquoi gémir ? J'en connais, Dieu merci,
Qui voudraient bien qu'on les trompât ainsi. »

Tout ce discours n'apaisa point Catelle ;
Elle se mit à pleurer tendrement.
En cet état elle parut si belle,
Que Minutol, de nouveau s'enflammant,
Contente-toi : veux-tu donc que j'appelle
Lui prit la main : « Veux-tu donc que j'appelle
Tous les voisins, tous les gens de Janot ?
— Ne faites point, dit-il, cette folie ;
Votre plus court est de ne dire mot :
Pour de l'argent, et non par tromperie
(Comme le monde est à présent bâti),
L'on vous croirait venue en ce lieu-ci.
Que si d'ailleurs cette supercherie
Allait jamais jusqu'à votre mari,
Quel déplaisir ! songez-y, je vous prie :
En des combats n'engagez point sa vie ;
Je suis du moins aussi mauvais que lui. »

A ces raisons enfin Catelle cède.
« La chose étant, poursuit-il, sans remède,
Le mieux sera que vous vous consoliez.
N'y pensez plus. Si pourtant vous vouliez...
Mais bannissons bien loin toute espérance,
Jamais mon zèle et ma persévérance
N'ont eu de vous que mauvais traitement...
Si vous vouliez, vous feriez aisément
Que le plaisir de cette jouissance
Ne serait pas, comme il est, imparfait :
Que reste-t-il ? le plus fort en est fait. »
Tant bien sut dire et prêcher, que la Dame
Séchant ses yeux, rassérénant son âme,
Plus doux que miel à la fin l'écouta.
D'une faveur en une autre il passa,
Eut un souris, puis après autre chose,
Puis un baiser, puis autre chose encor,
Tant que la belle après un peu d'effort
Vient à son point, et le drôle en dispose,
Heureux cent fois plus qu'il n'avait été :
Car quand l'amour d'un et d'autre côté
Veut s'entremettre, et prend part à l'affaire,
Tout va bien mieux, comme m'ont assuré
Ceux que l'on tient savants en ce mystère.
Ainsi Richard jouit de ses amours,
Vécut content, et fit force bons tours,
Dont celui-ci peut passer à la montre.
Pas ne voudrais en faire un plus rusé :

Que plût à Dieu qu'en certaine rencontre
D'un pareil cas je me fusse avisé !

LES CORDELIERS DE CATALOGNE

Nouvelle tirée des Cent Nouvelles nouvelles.

Je veux vous conter la besogne
Des Cordeliers de Catalogne :
Besogne où ces pères en Dieu
Témoignèrent en certain lieu
Une charité si fervente,
Que mainte femme en fut contente,
Et crut y gagner Paradis
Telles gens par leurs bons avis
Mettent à bien les jeunes âmes,
Tirent à soi filles et femmes.
Se savent emparer du cœur,
Et dans la vigne du Seigneur
Travaillent ainsi qu'on peut croire,
Et qu'on verra par cette histoire.

Au temps que le sexe vivait
Dans l'ignorance, et ne savait
Gloser encor sur l'Évangile
(Temps à coter fort difficile)
Un essaim de frères mineurs,
Pleins d'appétit et beaux dîneurs,
S'alla jeter dans une ville
En jeunes beautés très fertile.
Pour des galants, peu s'en trouvait ;
De vieux maris, il en pleuvait.
A l'abord une Confrérie
Par les bons pères fut bâtie.
Femme n'était qui n'y courût,
Qui ne s'en mît, et qui ne crût
Par ce moyen être sauvée :
Puis, quand leur foi fut éprouvée,
On vient au véritable point.
Frère André ne marchanda point,
Et leur fit ce beau petit prêche :
« Si quelque chose vous empêche
D'aller tout droit au Paradis,
C'est d'épargner pour vos maris
Un bien dont ils n'ont plus que faire
Quand ils ont pris leur nécessaire,
Sans que jamais il vous ait plu
Nous faire part du superflu.
Vous me direz que notre usage
Répugne aux dons du mariage :

Nous l'avouons ; et, Dieu merci,
Nous l'aurions que voir en ceci,
Sans le soin de vos consciences.
La plus grière des offences,
C'est d'être ingrate ; Dieu l'a dit :
Pour cela Satan fut maudit.
Prenez-y garde ; et de vos restes
Rendez grâce aux bontés célestes,
Nous laissant dîmer sur un bien
Qui ne vous coûte presque rien.
C'est un droit, ô troupe fidèle,
Qui vous témoigne notre zèle ;
Droit authentique et bien signé,
Que les papes nous ont donné,
Droit enfin, et non pas aumône ;
Toute femme doit en personne
S'en acquitter trois fois le mois
Vers les enfants de saint François.
Cela fondé sur l'Écriture :
Car il n'est bien dans la nature
(Je le répète, écoutez-moi)
Qui ne subisse cette loi
De reconnaissance et d'hommage.
Or, les œuvres du mariage
Étant un bien, comme savez
Ou savoir chacune devez,
Il est clair que dîme en est due.
Cette dîme sera reçue

Selon notre petit pouvoir.
Quelque peine qu'il faille avoir,
Nous la prendrons en patience ;
N'en faites point de conscience ;
Nous sommes gens qui n'avons pas
Toutes nos aises ici-bas.
Au reste, il est bon qu'on vous dise
Qu'entre la chair et la chemise
Il faut cacher le bien qu'on fait ;
Tout ceci doit être secret
Pour vos maris et pour tout autre.
Voici trois beaux mots de l'Apôtre
Qui font à notre intention :
Foi, charité, discrétion. »

Frère André, par cette éloquence,
Satisfit fort son audience,
Et passa pour un Salomon :
Peu dormirent à son sermon.
Chaque femme, ce dit l'histoire,
Garda très bien dans sa mémoire,
Et mieux encor dedans son cœur,
Le discours du Prédicateur.
Ce n'est point tout : il s'exécute.
Chacune accourt ; grande dispute
A qui la première paiera :
Mainte Bourgeoise murmura
Qu'au lendemain on l'eût remise.

Et notre Mère Sainte Église,
Ne sachant comment renvoyer
Cet escadron prêt à payer,
Fut contrainte enfin de leur dire :
« De par Dieu, souffrez qu'on respire.
C'en est assez pour le présent ;
On ne peut faire qu'en faisant.
Réglez votre temps sur le nôtre ;
Aujourd'hui l'une et demain l'autre :
Tout avec ordre ; et, croyez-nous,
On en va mieux quand on va doux. »
Le sexe suit cette sentence :
Jamais de bruit pour la quittance ;
Trop bien quelque collation,
Et le tout par dévotion ;
Puis de trinquer à la commère.
Je laisse à penser quelle chère
Faisait alors frère Frapart.
Tel d'entre eux avait pour sa part
Dix jeunes femmes bien payantes,
Frisques, gaillardes, attrayantes ;
Tel aux douze et quinze passait ;
Frère Roc à vingt se chaussait :
Tant et si bien que les donzelles,
Pour se montrer plus ponctuelles
Payaient deux fois assez souvent :
Dont il advint que le Couvent,
Las enfin d'un tel ordinaire,

Après avoir à cette affaire
Vaqué cinq ou six mois entiers,
Eût fait crédit bien volontiers ;
Mais les Donzelles, scrupuleuses,
De s'acquitter étaient soigneuses,
Croyant faillir en retenant
Un bien à l'ordre appartenant.
Point de dîmes accumulées.
Il s'en trouva de si zélées,
Que par avance elles payaient.
Les beaux Pères n'expédiaient
Que les fringantes et les belles,
Enjoignant aux sempiternelles
De porter en bas leur tribut ;
Car dans ces dîmes de rebut
Les Lais trouvaient encore à frire.
Bref, à peine il se pourrait dire
Avec combien de charité
Le tout était exécuté.
Il advint qu'une de la bande,
Qui voulait porter son offrande
Un beau soir, en chemin faisant,
Et son mari la conduisant,
Lui dit : « Mon Dieu ! j'ai quelque affaire
Là-dedans avec certain frère ;
Ce sera fait dans un moment. »
L'époux répondit brusquement :
« Quoi ? quelle affaire ? êtes-vous folle ?

Il est minuit, sur ma parole :
Demain vous direz vos péchés :
Tous les bons Pères sont couchés.
— Cela n'importe, dit la femme.
— Hé, par Dieu, si ! dit-il, Madame,
Je tiens qu'il importe beaucoup ;
Vous ne bougerez pour ce coup.
Qu'avez-vous fait ? et quelle offense
Presse ainsi votre conscience ?
Demain matin, j'en suis d'accord.
— Ah ! Monsieur, vous me faites tort,
Reprit-elle ; ce qui me presse,
Ce n'est pas d'aller à confesse,
C'est de payer, car, si j'attends,
Je ne le pourrai de longtemps ;
Le frère aura d'autres affaires.—
Quoi payer ? — La dîme aux bons Pères.—
Quelle dîme ? — Savez-vous pas ?—
Moi, je le sais ! — C'est un grand cas
Que toujours femme aux Moines donne !
— Mais cette dîme, ou cette aumône,
La saurai-je point à la fin ?
— Voyez, dit-elle, qu'il est fin !
N'entendez-vous pas ce langage ?
C'est des œuvres du mariage,
— Quelles œuvres ? reprit l'époux.—
Eh ! là ! Monsieur, c'est ce que nous...
Mais j'aurais payé depuis l'heure ;

Vous êtes cause qu'en demeure
Je me trouve présentement ;
Et cela, je ne sais comment,
Car toujours je suis coutumière
De payer toute la première. »
L'époux, rempli d'étonnement,
Eut cent pensers en un moment ;
Il ne sut que dire et que croire.
Enfin, pour apprendre l'histoire
Il se tut, il se contraignit ;
Du secret, sans plus, se plaignit ;
Par tant d'endroits tourna sa femme,
Qu'il apprit que mainte autre dame
Payait la même pension :
Ce lui fut consolation.
« Sachez, dit la pauvre innocente,
Que pas une n'en est exempte :
Votre sœur paie à frère Aubry ;
La Baillie au père Fabry ;
Son Altesse à frère Guillaume,
Un des beaux moines du Royaume.
Moi, qui paie à frère Girard,
Je voulais lui porter ma part. »

Que de maux la langue nous cause !
Quand ce mari sut toute chose,
Il résolut premièrement
D'en avertir secrètement

Monseigneur, puis les gens de Ville.
Mais, comme il était difficile
De croire un tel cas dès l'abord,
Il voulut avoir le rapport
Du drôle à qui payait sa femme.
Le lendemain devant la Dame
Il fait venir frère Girard,
Lui porte à la gorge un poignard,
Lui fait conter tout le mystère.
Puis, ayant enfermé ce frère
A double clef, bien garrotté,
Et la Dame d'autre côté,
Il va partout conter sa chance.
Au logis du Prince il commence ;
Puis descend chez l'Échevin ;
Puis il fait sonner le tocsin.
Toute la ville en est troublée ;
On court en foule à l'Assemblée,
Et le sujet de la rumeur
N'est point su du peuple dîmeur.

Chacun opine à la vengeance.
L'un dit qu'il faut en diligence
Aller massacrer ces cagots ;
L'autre dit qu'il faut de fagots
Les entourer dans leur repaire,
Et brûler gens et Monastère ;
Tel veut qu'ils soient à l'eau jetés,

Dedans leurs frocs empaquetés,
Afin que cette pépinière,
Flottant ainsi sur la rivière,
S'en aille apprendre à l'univers
Comment on traite les pervers.
Tel invente un autre supplice,
Et chacun selon son caprice ;
Bref, tous conclurent à la mort ;
L'avis du feu fut le plus fort.

On court au Couvent tout à l'heure ;
Mais, par respect de la demeure,
L'arrêt ailleurs s'exécuta ;
Un bourgeois sa grange prêta.
La penaille, ensemble enfermée,
Fut en peu d'heures consumée,
Les maris sautant alentour,
Et dansant au son du tambour.
Rien n'échappa de leur colère,
Ni moinillon, ni béat père :
Robes, manteaux, et capuchons
Tout fut brûlé comme cochons ;
Tous périrent dedans les flammes :
Je ne sais ce qu'on fit des femmes :
Pour le pauvre frère Girard,
Il avait eu son fait à part.

LE BERCEAU

Nouvelle tirée de Boccace

Non loin de Rome un hôtelier était,
Sur le chemin qui conduit à Florence,
Homme sans bruit, et qui ne se piquait
De recevoir gens de grosse dépense :
Même chez lui rarement on gîtait.
Sa femme était encor de bonne affaire,
Et ne passait de beaucoup les trente ans.
Quant au surplus, ils avaient deux enfants ;
Garçon d'un an, fille en âge d'en faire.
Comme il arrive en allant et venant,
Pinucio, jeune homme de famille,
Jeta si bien les yeux sur cette fille,
Tant la trouva gracieuse et gentille,
D'esprit si doux et d'air tant attrayant,
Qu'il s'en piqua : très bien le lui sut dire ;
Muet n'était, elle sourde non plus ;
Dont il avint qu'il sauta par-dessus
Ces longs soupirs et tout ce vain martyre.
Se sentir pris, parler, être écouté,
Ce fut tout un ; car la difficulté
Ne gisait pas à plaire à cette belle :
Pinuce était gentilhomme bien fait ;

Et jusque-là la fille n'avait fait
Grand cas de gens de même étoffe qu'elle :
Non qu'elle crût pouvoir changer d'état ;
Mais elle avait, nonobstant son jeune âge,
Le cœur trop haut, le goût trop délicat,
Colette donc (ainsi l'on l'appelait),
En mariage à l'envi demandée,
Rejetait l'un, de l'autre ne voulait,
Et n'avait rien que Pinuce en l'idée.
Longs pourparlers avecque son amant
N'étaient permis ; tout leur faisait obstacle.
Les rendez-vous et le soulagement
Ne se pouvaient, à moins que d'un miracle.
Cela ne fit qu'irriter leurs esprits.
Ne gênez point, je vous en donne avis,
Tant vos enfants, ô vous, pères et mères ;
Tant vos moitiés, vous, époux et maris :
C'est où l'amour fait le mieux ses affaires.

Pinucio, certain soir qu'il faisait
Un temps fort brun, s'en vint, en compagnie
D'un sien ami, dans cette hôtellerie
Demander gîte. On lui dit qu'il venait
Un peu trop tard. « Monsieur, ajouta l'hôte,
Vous savez bien comme on est à l'étroit
Dans ce logis ; tout est plein jusqu'au toit :
Mieux vous vaudrait passer outre, sans faute ;
Ce gîte n'est pour gens de votre état.

— N'avez-vous pas encore quelque grabat,
Reprit l'amant, quelque coin de réserve ? »
L'hôte repart : « Il ne nous reste plus
Que notre chambre, où deux lits sont tendus ;
Et de ces lits il n'en est qu'un qui serve
Aux survenants ; l'autre, nous l'occupons.
Si vous voulez coucher de compagnie,
Vous et Monsieur, nous vous hébergerons. »
Pinuce dit : « Volontiers ; je vous prie
Que l'on nous serve à manger au plus tôt. »
Leur repas fait, on les conduit en haut.
Pinucio, sur l'avis de Colette,
Marque de l'œil comme la chambre est faite :
Chacun couché, pour la belle on mettait
Un lit de camp ; celui de l'hôte était
Contre le mur, attenant de la porte ;
Et l'on avait placé de même sorte,
Tout vis-à-vis, celui du survenant ;
Entre les deux un berceau pour l'enfant,
Et toutefois plus près du lit de l'hôte.
Cela fit faire une plaisante faute
A cet ami qu'avait notre galant.
Sur le minuit, que l'hôte apparemment
Devait dormir, l'hôtesse en faire autant,
Pinucio, qui n'attendait que l'heure,
Et qui comptait les moments de la nuit,
Son temps venu, ne fait longue demeure,
Au lit de camp s'en va droit et sans bruit.

Pas ne trouva la pucelle endormie,
J'en jurerais. Colette apprit un jeu
Qui, comme on sait, lasse plus qu'il n'ennuie.
Trêve se fit ; mais elle dura peu :
Larcins d'amour ne veulent longue pause.
Tout à merveille allait au lit de camp,
Quand cet ami qu'avait notre galant,
Pressé d'aller mettre ordre à quelque chose,
Qu'honnêtement exprimer je ne puis,
Voulut sortir, et ne put ouvrir l'huis
Sans enlever le berceau de sa place,
L'enfant avec, qu'il mit près de leur lit ;
Le détourner aurait fait trop de bruit.
Lui revenu, près de l'enfant il passe,
Sans qu'il daignât le remettre en son lieu ;
Puis se recouche, et quand il plut à Dieu
Se rendormit. Après un peu d'espace,
Dans le logis je ne sais quoi tomba.
Le bruit fut grand ; l'hôtesse s'éveilla,
Puis alla voir ce que ce pouvait être.
A son retour le berceau la trompa.
Ne le trouvant joignant le lit du maître :
« Saint Jean, dit-elle en soi-même aussitôt,
J'ai pensé faire une étrange bévue :
Près de ces gens je me suis, peu s'en faut,
Remise au lit en chemise ainsi nue ;
C'était pour faire un bon charivari.
Dieu soit loué que ce berceau me montre

Que c'est ici qu'est couché mon mari ! »
Disant ces mots, auprès de cet ami
Elle se met. Fol ne fut, n'étourdi,
Le compagnon, dedans un tel rencontre ;
La mit en œuvre, et sans témoigner rien
Il fit l'époux, mais il le fit trop bien.
Trop bien ! je faux et c'est tout le contraire.
Il le fit mal ; car qui le veut bien faire
Doit en besogne aller plus doucement.
Aussi l'hôtesse eut quelque étonnement.
« Qu'a mon mari ? dit-elle, et quelle joie
Le fait agir en homme de vingt ans ?
Prenons ceci, puisque Dieu nous l'envoie ;
Nous n'aurons pas toujours tel passe-temps. »
Elle n'eut dit ces mots entre ses dents,
Que le galant recommence la fête.
La Dame était de bonne emplette encor ;
J'en ai, je crois, dit un mot dans l'abord :
Chemin faisant, c'était fortune honnête.
Pendant cela, Colette, appréhendant
D'être surprise avecque son amant,
Le renvoya, le jour venant à poindre.
Pinucio, voulant aller rejoindre
Son compagnon, tomba tout de nouveau
Dans cette erreur que causait le berceau ;
Et pour son lit il prit le lit de l'hôte.
Et n'y fut pas qu'en abaissant sa voix,
(Gens trop heureux font toujours quelque faute) :

« Ami, dit-il, pour beaucoup je voudrais
Te pouvoir dire à quel point va ma joie.
Je te plains fort que le ciel ne t'envoie
Tout maintenant même bonheur qu'à moi.
Ma foi ! Colette est un morceau de Roi.
Si tu savais ce que vaut cette fille !
J'en ai bien vu, mais de telle, entre nous,
Il n'en est point. C'est bien le cuir le plus doux,
Le corps mieux fait, la taille plus gentille ;
Et des tetons ! je ne te dis pas tout.
Quoi qu'il en soit, avant que d'être au bout,
Gaillardement six postes se sont faites ;
Six de bon compte, et ce ne sont sornettes. »

D'un tel propos l'hôte tout étourdi
D'un ton confus gronda quelques paroles.
L'hôtesse dit tout bas à cet ami,
Qu'elle prenait toujours pour son mari :
« Ne reçois plus chez toi ces bêtes folles ;
N'entends-tu point comme il sont en débat ? »
En son séant l'hôte, sur son grabat
S'étant levé, commence à faire éclat.
« Comment ! dit-il d'un ton plein de colère,
Vous veniez donc ici pour cette affaire !
Vous l'entendez ! et je vous sais bon gré
De vous moquer encor comme vous faites !
Prétendez-vous, beau Monsieur que vous êtes,
En demeurer quitte à si bon marché ?

Quoi ! ne tient-il qu'à honnir des familles ?
Pour vos ébats nous nourrirons nos filles !
J'en suis d'avis ! Sortez de ma maison :
Je jure Dieu que j'en aurai raison.
Et toi, coquine, il faut que je te tue. »
A ce discours proféré brusquement,
Pinucio, plus froid qu'une statue,
Resta sans pouls, sans voix, sans mouvement.
Chacun se tut l'espace d'un moment.
Colette entra dans des peurs nonpareilles.
L'hôtesse, ayant reconnu son erreur,
Tint quelque temps le loup par les oreilles.
Le seul ami se souvint par bonheur
De ce berceau, principe de la chose.
Adressant donc à Pinuce sa voix :
« T'en tiendras-tu, dit-il, une autre fois ?
T'ai-je averti que le vin serait cause
De ton malheur ? Tu sais que, quand tu bois,
Toute la nuit tu cours, tu te démènes,
Et vas contant mille chimères vaines
Que tu te mets dans l'esprit en dormant.
Reviens au lit. » Pinuce, au même instant,
Fait le dormeur, poursuit le stratagème,
Que le mari prit pour argent comptant.
Il ne fut pas jusqu'à l'hôtesse même
Qui n'y voulût aussi contribuer.
Près de sa fille elle alla se placer ;
Et dans ce poste elle se sentit forte.

« Par quel moyen, comment, de quelle sorte,
S'écria-t-elle, aurait-il pu coucher
Avec Colette, et la déshonorer ?
Je n'ai bougé toute nuit d'auprès d'elle :
Elle n'a fait ni pis ni mieux que moi.
Pinucio nous l'allait donner belle ! »
L'hôte reprit : « C'est assez ; je vous croi. »
On se leva, ce ne fut pas sans rire ;
Car chacun d'eux en avait sa raison.
Tout fut secret ; et quiconque eut du bon
Par-devers soi le garda sans rien dire.

───────────

L'ORAISON DE SAINT JULIEN

Nouvelle tirée de Boccace.

Beaucoup de gens ont une ferme foi
Pour les brevets, oraisons et paroles :
Je me ris d'eux ; et je tiens, quant à moi,
Que tous tels sorts sont recettes frivoles,
Frivoles sont : c'est sans difficulté.

Bien est-il vrai qu'auprès d'une beauté
Paroles ont des vertus nonpareilles ;
Paroles font en amour des merveilles :
Tout cœur se laisse à ce charme amollir.
De tels brevets je veux bien me servir ;
Des autres, non. Voici pourtant un Conte
Où l'oraison de Monsieur Saint Julien
A Renaud d'Ast produisit un grand bien.
S'il ne l'eût dite, il eût trouvé mécompte
A son argent et mal passé la nuit.

Il s'en allait devers Château-Guillaume,
Quand trois quidams, (bonnes gens, et sans bruit,
Ce lui semblait, tels qu'en tout un royaume
Il n'aurait cru trois aussi gens de bien),
Quand n'ayant, dis-je, aucun soupçon de rien,
Ces trois quidams, tout pleins de courtoisie,
Après l'abord et l'ayant salué
Fort humblement : « Si notre compagnie,
Lui dirent-ils, vous pouvait être à gré,
Et qu'il vous plût achever cette traite
Avecque nous, ce nous serait honneur.
En voyageant, plus la troupe est complète,
Mieux elle vaut : c'est toujours le meilleur.
Tant de brigands infestent la Province,
Que l'on ne sait à quoi songe le Prince
De le souffrir. Mais quoi ! les mal-vivants
Seront toujours. » Renaud dit à ces gens

Que volontiers. Une lieue étant faite,
Eux discourant, pour tromper le chemin,
De chose et d'autre, ils tombèrent enfin
Sur ce qu'on dit de la vertu secrète
De certains mots, caractères, brevets,
Dont les aucuns ont de très bons effets ;
Comme de faire aux insectes la guerre,
Charmer les loups, conjurer le tonnerre,
Ainsi du reste ; où sans pact ni demi
(De quoi l'on soit pour le moins averti)
L'on se guérit ; l'on guérit sa monture,
Soit du farcin, soit de la mémarchure,
L'on fait souvent ce qu'un bon Médecin
Ne saurait faire avec tout son latin.

Ces survenants de mainte expérience
Se vantaient tous ; et Renaud en silence
Les écoutait. « Mais vous, ce lui dit-on,
Savez-vous point aussi quelque oraison ?
— De tels secrets, dit-il, je ne me pique,
Comme homme simple et qui vis à l'antique.
Bien vous dirai qu'en allant par chemin
J'ai certains mots que je dis au matin
Dessous le nom d'oraison ou d'antienne
De Saint Julien, afin qu'il ne m'advienne
De mal gîter ; et j'ai même éprouvé
Qu'en y manquant cela m'est arrivé.
J'y manque peu : c'est un mal que j'évite

Par-dessus tous, et que je crains autant.
— Et ce matin, Monsieur, l'avez-vous dite ?
Lui repartit l'un des trois en riant.
— Oui, dit Renaud. — Or bien, répliqua l'autre,
Gageons un peu quel sera le meilleur,
Pour ce jourd'hui, de mon gîte ou du vôtre. »

Il faisait lors un froid plein de rigueur ;
La nuit de plus était fort approchante,
Et la couchée encore assez distante.
Renaud reprit : « Peut-être ainsi que moi
Vous servez-vous de ces mots en voyage ?
— Point, lui dit l'autre ; et vous jure ma foi
Qu'invoquer Saints n'est pas trop mon usage :
Mais si je perds, je le pratiquerai.
— En ce cas-là volontiers gagerai,
Reprit Renaud, et j'y mettrais ma vie,
Pourvu qu'alliez en quelque hôtellerie ;
Car je 'nai là nulle maison d'ami.
Nous mettrons donc cette clause au pari,
Poursuivit-il, si l'avez agréable :
C'est là raison. » L'autre lui répondit :
« J'en suis d'accord ; et gage votre habit,
Votre cheval, la bourse au préalable ;
Sûr de gagner, comme vous allez voir. »

Renaud dès lors put bien s'apercevoir
Que son cheval avait changé d'étable.

Mais quel remède ? En côtoyant un bois,
Le parieur ayant changé de voix :
Ça, descendez, dit-il, mon gentilhomme ;
Votre oraison vous fera bon besoin ;
Château-Guillaume est encore un peu loin. »
Fallut descendre. Ils lui prirent en somme
Chapeau, casaque, habit, bourse, et cheval,
Bottes aussi. « Vous n'aurez tant de mal
D'aller à pied, » lui dirent les perfides.
Puis de chemin (sans qu'ils prissent de guides)
Changeant tous trois, ils furent aussitôt
Perdus de vue ; et le pauvre Renaud,
En caleçons, en chausses, en chemise,
Mouillé, fangeux, ayant au nez la bise,
Va tout dolent, et craint avec raison
Qu'il n'ait, ce coup, malgré son oraison,
Très mauvais gîte ; hormis qu'en sa valise
Il espérait : car il est à noter
Qu'un sien Valet, contraint de s'arrêter
Pour faire mettre un fer à sa monture,
Devait le joindre. Or, il ne le fit pas,
Et ce fût le là le pis de l'aventure :
Le drôle, ayant vu de loin tout le cas,
(Comme Valets souvent ne valent guères),
Prend à côté, pourvoit à ses affaires,
Laisse son Maître, à travers champ s'enfuit,
Donne des deux, gagne devant la nuit
Château-Guillaume, et dans l'hôtellerie

La plus fameuse, enfin la mieux fournie,
Attend Renaud près du foyer ardent,
Et fait tirer du meilleur cependant.
Son Maître était jusqu'au cou dans les boues ;
Pour en sortir avait fort à tirer.
Il acheva de se désespérer
Lorsque la neige, en lui donnant aux joues,
Vint à flocons, et le vent qui fouettait.
Au prix du mal que le pauvre homme avait,
Gens que l'on pend sont sur des lits de roses.
Le sort se plaît à dispenser les choses
De la façon ; c'est tout mal ou tout bien :
Dans ses faveurs il n'a point de mesures ;
Dans son courroux de même il n'omet rien
Pour nous mater : témoin les aventures
Qu'eut cette nuit Renaud, qui n'arriva
Qu'une heure après qu'on eut fermé la porte.
Du pied du mur enfin il s'approcha ;
Dire comment, je n'en sais pas la sorte.
Son bon destin, par un très grand hasard,
Lui fit trouver une petite avance
Qu'avait un toit ; et ce toit faisait part
D'une maison voisine du rempart.
Renaud, ravi de ce peu d'allégeance,
Se met dessous. Un bonheur, comme on dit,
Ne vient point seul. Quatre ou cinq brins de paille
Se rencontrant, Renaud les étendit.
« Dieu soit loué ! dit-il, voilà mon lit. »

Pendant cela le mauvais temps l'assaille
De toutes parts : il n'en peut presque plus.
Transi de froid, immobile et perclus,
Au désespoir bientôt il s'abandonne,
Claque des dents, se plaint, tremble et frissonne
Si hautement, que quelqu'un l'entendit.
Ce quelqu'un là, c'était une Servante :
Et sa maîtresse, une Veuve galante
Qui demeurait au logis que j'ai dit,
Pleine d'appas, jeune et de bonne grâce.
Certain Marquis, Gouverneur de la Place,
L'entretenait : et, de peur d'être vu,
Troublé, distrait, enfin interrompu
Dans son commerce au logis de la Dame,
Il se rendait souvent chez cette femme
Par une porte aboutissant aux champs ;
Allait, venait, sans que ceux de la Ville
En sussent rien, non pas même ses gens.
Je m'en étonne ; et tout plaisir tranquille
N'est ordinaire un plaisir de Marquis :
Plus il est su, plus il leur semble exquis.
Or il advint que la même soirée
Où notre Job, sur la paille étendu,
Tenait déjà sa fin tout assurée,
Monsieur était de Madame attendu,
Le souper prêt, la chambre bien parée ;
Bons restaurants, champignons, et ragoûts ;
Bains et parfums ; matelas blancs et mous ;

Vins du coucher ; toute l'artillerie
De Cupidon, non pas le langoureux,
Mais celui-là qui n'a fait en sa vie
Que de bons tours, le patron des heureux,
Des jouissants. Etant donc la Donzelle
Prête à bien faire, advint que le Marquis
Ne put venir. Elle en reçut l'avis
Par un sien Page ; et de cela la belle
Se consola ; tel était leur marché.
Renaud y gagne ; il ne fut écouté
Plus d'un moment que, pleine de bonté
Cette Servante, et confite en tendresse,
Par aventure, autant que sa Maîtresse,
Dit à la Veuve : « Un pauvre souffreteux
Se plaint là-bas ; le froid est rigoureux ;
Il peut mourir : vous plaît-il pas, Madame,
Qu'en quelque coin l'on le mette à couvert ?
— Oui, je le veux, répondit cette femme.
Ce galetas qui de rien ne nous sert
Lui viendra bien : dessus quelque couchette
Vous lui mettrez un peu de paille nette ;
Et là-dedans il faudra l'enfermer :
De nos reliefs vous le ferez souper
Auparavant, puis l'envoirez coucher. »

Sans cet arrêt c'était fait de la vie
Du bon Renaud. On ouvre ; il remercie,
Dit qu'on l'avait retiré du tombeau.

Conte son cas, reprend force et courage :
Il était grand, bien fait, beau personnage,
Ne semblait même homme en amour nouveau,
Quoiqu'il fût jeune. Au reste, il avait honte
De sa misère et de sa nudité :
L'Amour est nu, mais il n'est pas crotté.
Renaud dedans, la Chambrière monte,
Et va conter le tout de point en point.
La Dame dit : « Regardez si j'ai point
Quelque habit d'homme encor dans mon armoire :
Car feu Monsieur doit en avoir laissé.
— Vous en avez, j'en ai bonne mémoire, »
Dit la Servante. Elle eut bientôt trouvé
Le vrai ballot. Pour plus d'honnêteté,
La Dame ayant appris la qualité
De Renaud d'Ast, car il s'était nommé,
Dit qu'on le mit au bain chauffé pour elle.
Cela fut fait ; il ne se fit prier.
On le parfume avant que l'habiller.
Il monte en haut, et fait à la Donzelle
Son compliment, comme homme bien appris.
On sert enfin le souper du Marquis.
Renaud mangea tout ainsi qu'un autre homme ;
Même un peu mieux, la chronique le dit :
On peut à moins gagner de l'appétit.
Quant à la Veuve, elle ne fit en somme
Que regarder, témoignant son désir ;
Soit que déjà l'attente du plaisir

L'eût disposée, ou soit par sympathie,
Ou que la mine ou bien le procédé
De Renaud d'Ast eussent son cœur touché.
De tous côtés se trouvant assaillie,
Elle se rend aux semonces d'Amour.
« Quand je ferai, disait-elle, ce tour,
Qui l'ira dire ? il n'y a rien du nôtre :
Si le marquis est quelque peu trompé,
Il le mérite et doit l'avoir gagné,
Ou gagnera ; car c'est un bon apôtre.
HOmme pour homme, et péché pour péché
Autant me vaut celui-ci que cet autre. »
Renaud n'était si neuf qu'il ne vit bien
Que l'oraison de Monsieur Saint Julien
Ferait effet, et qu'il aurait bon gîte.
Lui hors de table, on dessert au plus vite.
Les voilà seuls, et, pour le faire court,
En beau début. La Dame s'était mise
En un habit à donner de l'amour.
La négligence, à mon gré si requise,
Pour cette fois fut sa Dame d'atour.
Point de clinquant, jupe simple et modeste,
Ajustement moins superbe que leste ;
Un mouchoir noir, de deux grands doigts trop
                                        [court ;
Sous ce mouchoir ne sais quoi fait au tour :
Par là Renaud s'imagine le reste.
Mot n'en dirai ; mais je n'omettrai point

Qu'elle était jeune, agréable et touchante,
Blanche surtout, et de taille avenante,
Trop ni trop peu de chair et d'embonpoint.
A cet objet qui n'eût eu l'âme émue ?
Qui n'eût aimé ? qui n'eût des désirs ?
Un philosophe, un marbre, une statue,
Auraient senti comme nous ces plaisirs.
Elle commence à parler la première,
Et fait si bien que Renaud s'enhardit.
Il ne savait comme entrer en matière ;
Mais pour l'aider la Marchande lui dit :
« Vous rappelez en moi la souvenance
D'un qui s'est vu mon unique souci ;
Plus je vous vois, plus je crois voir aussi
L'air et le port, les yeux, la remembrance
De mon époux : que Dieu lui fasse paix !
Voilà sa bouche, et voilà tous ses traits. »
Renaud reprit : « Ce m'est beaucoup de gloire.
Mais vous, Madame, à qui ressemblez-vous ?
A nul objet ; et je n'ai point de mémoire
D'en avoir vu qui m'ait semblé si doux.
Nulle beauté n'approche de la vôtre.
Or, me voici d'un mal chu dans un autre :
Je transissais ; je brûle maintenant.
Lequel vaut mieux ? » La belle, l'arrêtant,
S'humilia, pour être contredite :
C'est une adresse, à mon sens, non petite.
Renaud poursuit, louant par le menu

Tout ce qu'il voit, tout ce qu'il n'a point vu,
Et qu'il verrait volontiers, si la belle
Plus que de droit ne se montrait cruelle.
« Pour vous louer comme vous méritez,
Ajouta-t-il, et marquer les beautés
Dont j'ai la vue avec le cœur frappée
(Car près de vous l'un et l'autre s'ensuit),
Il faut un siècle, et je n'ai qu'une nuit,
Qui pourrait être encor mieux occupée. »
Elle sourit ; il n'en fallut pas plus.
Renaud laissa les discours superflus :
Le temps est cher en amour comme en guerre.
Homme mortel ne s'est vu sur la terre
De plus heureux ; car nul point n'y manquait.
On résista tout autant qu'il fallait,
Ni plus ni moins, ainsi que chaque belle
Sait pratiquer, pucelle ou non pucelle.
Au demeurant je n'ai pas entrepris
De raconter tout ce qu'il obtint d'elle ;
Menu détail, baisers donnés et pris ;
La petite oie, enfin ce qu'on appelle
En bon français les préludes d'amour ;
Car l'un et l'autre y savaient plus d'un tour.
Au souvenir de l'état misérable
Où s'était vu le pauvre voyageur,
On lui faisait toujours quelque faveur.
« Voilà, disait la Veuve charitable,
Pour le chemin, voici pour les Brigands,

Puis pour la peur, puis pour le mauvais temps : »
Tant que le tout pièce à pièce s'efface.
Qui ne voudrait se racquitter ainsi ?
Conclusion, que Renaud sur la place
Obtint le don d'amoureuse merci.
Les doux propos recommencent ensuite,
Puis les baisers, et puis la noix confite.
On se coucha. La Dame, ne voulant
Qu'il s'allât mettre au lit de sa Servante,
Le mit au sien ; ce fut fait prudemment,
En femme sage, en personne galante.
Je n'ai pas su ce qu'étant dans le lit
Ils avaient fait ; mais comme avec l'habit
On met à part certain reste de honte,
Apparemment le meilleur de ce conte
Entre deux draps pour Renaud se passa.
Là, plus à plein il se récompensa
Du mal souffert, de la perte arrivée.
De quoi s'étant la Veuve bien trouvée,
Il fut prié de la venir revoir,
Mais en secret, car il fallait pourvoir
Au Gouverneur. La belle, non contente
De ces faveurs, étala son argent.
Renaud n'en prit qu'une somme bastante
Pour regagner son logis promptement.
Il s'en va droit à cette hôtellerie
Où son Valet était encore au lit.
Renaud le rosse et puis change d'habit,

Ayant trouvé sa valise garnie.
Pour le combler, son bon destin voulut
Qu'on attrapât les quidams ce jour même.
Incontinent chez le Juge il courut.
Il faut user de diligence extrême
En pareil cas ; car le Greffe tient bon,
Quand une fois il est saisi des choses :
C'est promptement la caverne au lion ;
Rien n'en revient : là les mains ne sont closes
Pour recevoir ; mais pour rendre, trop bien :
Fin celui-là qui n'y laisse du sien.

Le procès fait, une belle potence
A trois côtés fut mise en plein marché :
L'un des quidams harangua l'assistance
Au nom de tous ; et le trio branché
Mourut contrit, et fort bien confessé.
Après cela, doutez de la puissance
Des oraisons. Ces gens gais et joyeux
Sont sur le point de partir leur chevance,
Lorsqu'on les vient prier d'une autre danse.
En contr'échange, un pauvre malheureux
S'en va périr selon toute apparence,
Quand sous la main lui tombe une beauté
Dont un prélat se serait contenté.
Il recouvra son argent, son bagage,
Et son cheval, et tout son équipage ;
Et grâce à Dieu et Monsieur Saint Julien,

Eut une nuit qui ne lui coûta rien.

LE VILLAGEOIS QUI CHERCHE SON VEAU

Conte tiré des Cent Nouvelles nouvelles.

Un villageois ayant perdu son veau,
L'alla chercher dans la forêt prochaine.
Il se plaça sur l'arbre le plus beau,
Pour mieux entendre, et pour voir dans la plaine.
Vient une dame avec un jouvenceau.
Le lieu leur plaît, l'eau leur vient à la bouche ;
Et le galant qui sur l'herbe la couche,
Crie, en voyant je ne sais quels appas :
« O dieux ! que vois-je ! et que ne vois-je pas ! »
Sans dire quoi ; car c'était lettres closes.
Lors le manant les arrêtant tout coi :
« Homme de bien, qui voyez tant de choses,
Voyez-vous point mon veau ? dites-le-moi. »

Inv. et Des. par L...

L'ANNEAU D'HANS CARVEL

Conte tiré de Rabelais.

Hans Carvel prit sur ses vieux ans
Femme jeune en toute manière :
Il prit aussi soucis cuisants ;
Car l'un sans l'autre ne va guère.
Babeau (c'est la jeune femelle),
Fille du bailli Concordat,
Fut du bon poil, ardente et belle,
Et propre à l'amoureux combat.
Carvel, craignant de sa nature
Le Cocuage et les railleurs,
Alléguait à la créature
Et la Légende et l'Écriture
Et tous les livres les meilleurs ;
Blâmait les visites secrètes ;
Frondait l'attirail des coquettes,
Et contre un monde de recettes
Et de moyens de plaire aux yeux
Invectivait tout de son mieux.
A tous ces discours la galande
Ne s'arrêtait aucunement,
Et de sermons n'était friande,
A moins qu'ils fussent d'un amant.

Cela faisait que le bon Sire
Ne savait tantôt plus qu'y dire :
Eût voulu souvent être mort.
Il eut pourtant dans son martyre
Quelques moments de réconfort :
L'histoire en est très véritable.
Une nuit qu'ayant tenu table,
Et bu force bon vin nouveau,
Carvel ronflait près de Babeau,
Il lui fut avis que le Diable
Lui mettait au doigt un anneau ;
Qu'il lui disait : « Je sais la peine
Qui te tourmente et qui te gêne,
Carvel, j'ai pitié de ton cas :
Tiens cette bague, et ne la lâches ;
Car, tandis qu'au doigt tu l'auras,
Ce que tu crains point ne seras,
Point ne seras sans que le saches.
— Trop ne puis vous remercier,
Dit Carvel ; la faveur est grande :
Monsieur Satan, Dieu vous le rende.
Grand merci, Monsieur l'aumônier !
Là-dessus, achevant son somme,
Et les yeux encore aggravés,
Il se trouva que le bon homme
Avait le doigt où vous savez.

L'ERMITE

Nouvelle tirée de Boccace.

Dame Vénus et Dame Hypocrisie
Font quelquefois ensemble de bons coups ;
Tout homme est homme, et les Moines sur tous :
Ce que j'en dis, ce n'est point par envie.
Avez-vous sœur, fille ou femme jolie,
Gardez le froc ! c'est un maître Gonin ;
Vous en tenez, s'il tombe sous la main
Belle qui soit quelque peu simple et neuve.
Pour vous montrer que je ne parle en vain,
Lisez ceci, je ne veux autre preuve.

Un jeune Ermite était tenu pour Saint ;
On lui gardait place dans la Légende.
L'homme de Dieu d'une corde était ceint,
Pleine de nœuds, mais sous sa houppelande
Logeait le cœur d'un dangereux paillard.
Un chapelet pendait à sa ceinture,
Long d'une brasse, et gros outre mesure ;
Une clochette était de l'autre part.
Au demeurant, il faisait le cafard ;
Se renfermait, voyant une femelle,
Dedans sa coque, et baissait la prunelle :

Vous n'auriez dit qu'il eût mangé le lard.

Un Bourg était dedans son voisinage,
Et dans ce Bourg une Veuve fort sage,
Qui demeurait tout à l'extrémité.
Elle n'avait pour tout bien qu'une fille,
Jeune, ingénue, agréable et gentille ;
Pucelle encor, mais, à la vérité,
Moins par vertu que par simplicité ;
Peu d'entregent, beaucoup d'honnêteté ;
D'autre dot point, d'amants pas davantage.
Du temps d'Adam, qu'on naissait tout vêtu,
Je pense bien que la belle en eût eu,
Car avec rien on montait un ménage :
Il ne fallait matelas ni linceul ;
Même le lit n'était pas nécessaire.
Ce temps n'est plus. Hymen, qui marchait seul,
Mène à présent à sa suite un Notaire.

L'Anachorète, en quêtant par le Bourg,
Vit cette fille, et dit sous son capuce :
« Voici de quoi ! si tu sais quelque tour,
Il te le faut employer, frère Luce. »
Pas n'y manqua : voici comme il s'y prit.
Elle logeait, comme j'ai déjà dit,
Tout près des champs, dans une maisonnette
Dont la cloison par notre Anachorète
Etant percée aisément et sans bruit,

Le compagnon, par une belle nuit,
(Belle, non pas, le vent et la tempête
Favorisaient le dessein du galant),
Une nuit donc, dans le pertuis mettant
Un long cornet, tout du haut de la tête
Il leur cria : « Femmes, écoutez-moi. »
A cette voix, toutes pleines d'effroi,
Si blottissant, l'une et l'autre est en transe.
Il continue, et corne à toute outrance :
« Réveillez-vous, créatures de Dieu,
Toi, femme veuve, et toi, fille pucelle ;
Allez trouver mon serviteur fidèle
L'Ermite Luce, et partez de ce lieu
Demain matin, sans le dire à personne ;
Car c'est ainsi que le Ciel vous l'ordonne.
Ne craignez point, je conduirai vos pas ;
Luce est bénin. Toi, Veuve, tu feras
Que ta fille il ait la compagnie ;
Car d'eux doit naître un Pape, dont la vie
Réformera tout le peuple chrétien. »
La chose fut tellement prononcée,
Que dans le lit l'une et l'autre enfoncée
Ne laissa pas de l'entendre fort bien.
La peur les tint un quart d'heure en silence.
La fille enfin met le nez hors les draps,
Et puis tirant sa mère par le bras,
Lui dit d'un ton tout rempli d'innocence :
« Mon Dieu ! maman, y faudra-t-il aller ?

Ma compagnie ? hélas ! qu'en veut-il faire ?
Je ne sais pas comment il faut parler ;
Ma cousine Anne est bien mieux son affaire,
Et retiendrait bien mieux tous ses sermons.
— Sotte, tais-toi, lui repartit la mère,
C'est bien cela ! va, va, pour ces leçons
Il n'est pas besoin de tout l'esprit du monde :
Dès la première, ou bien dès la seconde,
Ta cousine Anne en saura moins que toi.
— Oui ? dit la fille ; eh ! mon Dieu ! menez-
                                    [moi :
Partons ! bientôt nous reviendrons au gîte.
— Tout doux, reprit la mère en souriant,
Il ne faut pas que nous allions si vite ;
Car que sait-on ? le Diable est bien méchant
Et bien trompeur. Si c'était lui, ma fille,
Qui fût venu pour nous tendre des lacs ?
As-tu pris garde ? il parlait d'un ton cas,
Comme je crois que parle la famille
De Lucifer. Le fait mérite bien
Que, sans courir, ni précipiter rien,
Nous nous gardions de nous laisser surprendre.
Si la frayeur t'avait fait mal entendre...
Pour moi, j'avais l'esprit tout éperdu.
— Non, non, maman, j'ai fort bien entendu,
Dit la fillette. — Or bien, reprit la mère,
Puisque ainsi va, mettons-nous en prière. »
Le lendemain, tout le jour se passa

A raisonner, et par-ci, et par-là,
Sur cette voix, et sur cette rencontre.
La nuit venue, arrive le corneur ;
Il leur cria d'un ton à faire peur :
« Femme incrédule, et qui vas à l'encontre
Des volontés de Dieu, ton Créateur,
Ne tarde plus, va-t'en trouver l'Ermite,
Ou tu mourras. » La fillette reprit :
« Eh bien, maman ! l'avais-je pas bien dit ?
Mon Dieu ! partons ; allons rendre visite
A l'homme saint, je crains tant votre mort
Que j'y courrais, et tout de mon plus fort,
S'il le fallait. — Allons donc, » dit la mère.
La belle mit son corset des bons jours,
Son demi-ceint, ses pendants de velours
Sans se douter de ce qu'elle allait faire :
Jeune fillette a toujours soin de plaire.
Notre cagot s'était mis aux aguets,
Et, par un trou qu'il avait fait exprès
A sa cellule, il voulait que ces femmes
Le pussent voir, comme un brave soldat,
Le fouet en main, toujours en un état
De pénitence, et de tirer des flammes
Quelque défunt puni pour ses méfaits ;
Faisant si bien, en frappant tout auprès,
Qu'on crut ouïr cinquante disciplines.
Il n'ouvrit pas à nos deux pèlerines
Du premier coup ; et pendant un moment

Chacune put l'entrevoir s'escrimant
Du saint outil. Enfin la porte s'ouvre ;
Mais ce ne fut d'un bon *miserere*.
Le papelard contrefait l'étonné.
Tout en tremblant la Veuve lui découvre,
Non sans rougir, le cas comme il était.
A six pas d'eux, la fillette attendait
Le résultat, qui fut que notre Ermite
Les renvoya, fit le bon hypocrite.
« Je crains, dit-il, les ruses du Malin ;
Dispensez-moi ; le sexe féminin
Ne doit avoir en ma cellule entrée.
Jamais de moi Saint Père ne naîtra. »
La Veuve dit, toute déconfortée :
« Jamais de vous ! et pourquoi ne fera ? »
Elle ne put en tirer autre chose.
Et s'en allant la fillette disait :
« Hélas ! maman, nos péchés en sont cause. »

La nuit revient, et l'une et l'autre était
Au premier somme, alors que l'hypocrite
Et son cornet font bruire la maison.
Il leur cria, toujours du même ton :
« Retournez voir Luce le saint Ermite ;
Je l'ai changé ; retournez dès demain. »
Les voilà donc derechef en chemin.
Pour ne tirer plus en long cette histoire,
Il les reçut. La mère s'en alla,

Seule, s'entend ; la fille demeura.
Tout doucement il vous l'apprivoisa ;
Lui prit d'abord son joli bras d'ivoire ;
Puis s'approcha, puis en vint au baiser.
Puis aux beautés que l'on cache à la vue,
Puis le galant vous la mit toute nue,
Comme s'il eût voulu la baptiser.
O papelards, qu'on se trompe à vos mines !
Tant lui donna de retour de matines,
Que maux de cœur chassés Dieu sait comment.
En fin finale, une certaine enflure
La contraignit d'allonger sa ceinture,
Mais en cachette, et sans en avertir
Le forge-pape encore moins la mère ;
Elle craignait qu'on ne la fit partir :
Le jeu d'amour commençait à lui plaire.
Vous me direz : D'où lui vint tant d'esprit ?
D'où ? de ce jeu ; c'est l'arbre de science.
Sept mois entiers la galante attendit ;
Elle allégua son peu d'expérience.

Dès que la mère eut indice certain
De sa grossesse, elle lui fit soudain
Trousser bagage, et remercia l'hôte.
Lui de sa part rendit grâce au Seigneur,
Qui soulageait son pauvre serviteur.
Puis, au départ, il leur dit que sans faute,
Moyennant Dieu, l'enfant viendrait à bien.

« Gardez pourtant, Dame, de faire rien
Qui puisse nuire à votre géniture.
Ayez grand soin de cette créature ;
Car tout bonheur vous en arrivera ;
Vous régnerez, serez la Signora ;
Ferez monter aux grandeurs tous les vôtres,
Princes les uns, et grands Seigneurs les autres,
Vos cousins ducs, cardinaux vos neveux ;
Places, châteaux, tant pour vous que pour eux,
Ne manqueront en aucune manière,
Non plus que l'eau qui coule en la rivière. »
Leur ayant fait cette prédiction,
Il leur donna sa bénédiction.
La Signora, de retour chez sa mère,
S'entretenait jour et nuit du Saint-Père,
Préparait tout, lui faisait des béguins ;
Au demeurant prenait tous les matins
La couple d'œufs ; attendait en liesse
Ce qui viendrait d'une telle grossesse.
Mais ce qui vint détruisit les châteaux,
Fit avorter les mitres, les chapeaux,
Et les grandeurs de toute la famille :
La Signora mit au monde une fille.

MAZET DE LAMPORECHIO

Nouvelle tirée de Boccace.

Le voile n'est le rempart le plus sûr
Contre l'amour, ni le moins accessible :
Un bon mari, mieux que grille ni mur,
Y pourvoira, si pourvoir est possible.
C'est à mon sens, une erreur trop visible
A des parents, pour ne dire autrement,
De présumer, après qu'une personne
Bon gré, mal gré, s'est mise en un couvent,
Que Dieu prendra ce qu'ainsi l'on lui donne :
Abus, abus ! je tiens que le Malin
N'a revenu plus clair et plus certain
(Sauf toutefois l'assistance divine).
Encore un coup, ne faut qu'on s'imagine
Que d'être pure et nette de péché
Soit privilège à la guimpe attaché.
Nenni da, non ; je prétends qu'au contraire
Filles du Monde ont toujours plus de peur
Que l'on ne donne atteinte à leur honneur ;
La raison est qu'elles en ont affaire.

Moins d'ennemis attaquent leur pudeur :
Les autres n'ont pour un seul adversaire.
Tentation, fille d'Oisiveté,
Ne manque pas d'agir de son côté :
Puis le Désir, enfant de la Contrainte.
« Ma fille est Nonne, *ergo* c'est une Sainte. »
Mal raisonné. Des quatre parts les trois
En ont regret et se mordent les doigts ;
Font souvent pis ; au moins l'ai-je ouï dire,
Car, pour ce point, je parle sans savoir.
Boccace en fait certain conte pour rire,
Que j'ai rimé comme vous allez voir.

Un bon Vieillard en un Couvent de filles
Autrefois fut, labourait le jardin.
Elles étaient toutes assez gentilles,
Et volontiers jasaient dès le matin.
Tant ne songeaient au service divin
Qu'à soi montrer ès parloirs aguimpées
Bien blanchement, comme droites poupées,
Prêtes chacune à tenir coup aux gens.
Et n'était bruit qu'il se trouvât léans
Fille qui n'eût de quoi rendre le change
Se renvoyant l'une ou l'autre l'éteuf.
Huit Sœurs étaient, et l'Abbesse sont neuf,
Si mal d'accord que c'était chose étrange.
De la beauté, la plupart en avaient ;
De la jeunese, elles en avaient toutes.

En cettui lieu beaux Pères fréquentaient,
Comme on peut croire ; et tant bien supputaient
Qu'il ne manquait à tomber sur leurs routes.
Le bon Vieillard, jardinier dessus dit,
Près de ces sœurs perdait presque l'esprit.
A leur caprice il ne pouvait suffire :
Toutes voulaient au Vieillard commander,
Dont ne pouvant entre elles s'accorder,
Il souffrait plus que l'on ne saurait dire.
Force lui fut de quitter la maison :
Il en sortit de la même façon
Qu'était entré là-dedans le pauvre homme,
Sans croix ne pile et n'ayant rien en somme
Qu'un viel habit. Certain jeune garçon
De Lamporech, si j'ai bonne mémoire,
Dit au Vieillard un beau jour, après boire,
Et raisonnant sur le fait des Nonnains,
Qu'il passerait bien volontiers sa vie
Près de ces Sœurs, et qu'i avait envie
De leur offrir son travail et ses mains,
Sans demander récompense ni gages.
Le compagnon ne visait à l'argent :
Trop bien croyait, ces Sœurs étant peu sages,
Qu'il en pourrait croquer une en passant,
Et puis une autre, et puis toute la troupe.
Nuto lui dit (c'est le nom du Vieillard) :
« Crois-moi, Mazet, mets-toi quelque autre part ;
J'aimerais mieux être sans pain ni soupe

Que d'employer en ce lieu mon travail.
Les Nonnes sont un étrange bétail :
Qui n'a tâté de cette marchandise
Ne sait encor ce que c'est que tourment.
Je te le dis, laisse là ce Couvent ;
Car d'espérer les servir à leur guise,
C'est un abus : l'une voudra du mou :
L'autre du dur ; par quoi je te tiens fou,
D'autant plus fou que ces filles sont sottes.
Tu n'auras pas œuvre faite, entre nous ;
L'une voudra que tu plantes des choux,
L'autre voudra que ce soit des carottes. »
Mazet reprit : « Ce n'est pas là le point.
Vois-tu, Nuto, je ne suis qu'une bête ;
Mais dans ce lieu tu ne me verras point
Un mois entier sans qu'on m'y fasse fête.
La raison est que je n'ai que vingt ans,
Et, comme toi, je n'ai pas fait mon temps.
Je leur suis propre, et ne demande en somme
Que d'être admis. » Dit alors le bonhomme :
« Au factotum tu n'as qu'à t'adresser ;
Allons-nous-en de ce pas lui parler.
— Allons, dit l'autre... Il me vient une chose
Dedans l'esprit ; je ferai le muet
Et l'idiot. — Je pense qu'en effet,
Reprit Nuto, cela peut être cause
Que le pater avec le factotum
N'auront de toi ni crainte ni soupçon. »

La chose alla comme il l'avait prévue.
Voilà Mazet, à qui pour bienvenue
L'on fait bêcher la moitié du jardin.
Il contrefait le sot et le badin,
Et cependant laboure comme un Sire.
Autour de lui les Nonnes allaient rire.
Un certain jour, le compagnon dormant,
Ou bien feignant de dormir, il n'importe
(Boccace dit qu'il en faisait semblant),
Deux des Nonnains le voyant de la sorte
Seul au jardin, car, sur le haut du jour,
Nulle des Sœurs ne faisait long séjour
Hors le logis, le tout crainte du hâle ;
De ces deux donc l'une, approchant Mazet,
Dit à sa Sœur : « Dedans ce cabinet
Menons ce sot. » Mazet était beau mâle,
Et la galande à le considérer
Avait pris goût ; pourquoi, sans différer,
Amour lui fit proposer cette affaire.
L'autre reprit : « Là-dedans ? et quoi faire ?
— Quoi ? dit la Sœur ; je ne sais, l'on verra ;
Ce que l'on fait alors qu'on en est là :
Ne dit-on pas qu'il se fait quelque chose ?
— Jésus ! reprit l'autre Sœur, se signant,
Que dis-tu là ? notre règle défend
De tels pensers. S'il nous fait un enfant ?
Si l'on nous voit ? tu t'en vas être cause
De quelque mal. — On ne nous verra point,

Dit la première, et, quant à l'autre.point,
C'est s'alarmer avant que le coup vienne :
Usons du temps, sans nous tant mettre en peine,
Et sans prévoir les choses si loin.
Nul n'est ici ; nous avons tout à point :
L'heure, et le lieu, si touffu que la vue
N'y eput passer ; et puis sur l'avenue
Je suis d'avis qu'une fasse le guet,
Tandis que l'autre étant avec Mazet
A son bel aise aura lieu de s'instruire :
Il est muet, et n'en pourra rien dire.
— Soit fait, dit l'autre ; il faut à ton désir
Acquiescer, et te faire plaisir.
Je passerai, si tu veux, la première
Pour t'obliger : au moins à ton loisir
Tu t'ébattras puis après de manière
Qu'il ne sera besoin d'y retourner.
Ce que j'en dis n'est que pour t'obliger.
— Je le vois bien, dit l'autre plus sincère :
Tu ne voudrais sans cela commencer
Assurément, et tu serais honteuse ? »
Disant ces mots, elle éveilla Mazet,
Qui se laissa mener au cabinet,
Tant y resta cette Sœur scrupuleuse,
Qu'à la fin l'autre, allant la dégager,
De faction la fut faire changer.
Notre muet fait nouvelle partie :
Il s'en tira, non si gaillardement ;

Cette Sœur fut beaucoup plus mal lotie ;
Le pauvre gars acheva simplement
Trois fois le jeu, puis après il fit chasse.

Les deux Nonnains n'oublièrent la trace
Du cabinet non plus que du jardin ;
Il ne fallait leur montrer le chemin.
Mazet pourtant se ménagea de sorte
Qu'à Sœur Agnès, quelques jours ensuivant,
Il fit apprendre une semblable note
En un pressoir, tout au bout du Couvent.
Sœur Angélique et Sœur Claude suivirent.
L'une au dortoir, l'autre dans un cellier ;
Tant qu'à la fin la cave et le grenier
Du fait des Sœurs maintes choses apprirent.
Point n'en resta que le Sire Mazet
Ne régalât au moins mal qu'il pouvait.
L'Abbesse aussi voulut entrer en danse :
Elle eut son droit, double et triple pitance ;
De quoi les Sœurs jeûnèrent très longtemps.
Mazet n'avait faute de restaurants ;
Mais restaurants ne sont pas grande affaire
A tant d'emploi. Tant pressèrent le hère,
Qu'avec l'Abbesse, un jour venant au choc,
« J'ai toujours ouï, ce dit-il, qu'un bon coq
N'en a que sept ; au moins qu'on ne me laisse
Toutes les neuf. — Miracle ! dit l'Abbesse ;
Venez, mes sœurs ; nos jeûnes ont tant fait

Que Mazet parle. » A l'entour du muet,
Non plus muet, toutes huit accoururent,
Tinrent chapitre, et sur l'heure conclurent
Qu'à l'avenir Mazet serait choyé
Pour le plus sûr ; car qu'il fût renvoyé,
Cela rendait la chose manifeste.
Le compagnon, bien nourri, bien payé,
Fit ce qu'il put, d'autres firent le reste.
Il les engagea de petits Mazillons,
Desquels on fit de petits Moinillons :
Ces Moinillons devinrent bientôt Pères,
Comme les Sœurs devinrent bientôt Mères,
A leur regret, pleines d'humilité ;
Mais jamais nom ne fut mieux mérité.

———

LA MANDRAGORE

Nouvelle tirée de Machiavel

Au présent Conte on verra la sottise
D'un Florentin. Il avait femme prise,

Honnête et sage, autant qu'il est besoin,
Jeune pourtant, du reste toute belle :
Et n'eût-on cru de jouissance telle
Dans le pays, ni même encor plus loin.
Chacun l'aimait, chacun la jugeait digne
D'un autre époux ; car, quant à celui-ci,
Qu'on appelait Nicia Calfucci,
Ce fut un sot en son temps très insigne.
Bien le montra lorsque, bon gré mal gré,
Il résolut d'être père appelé ;
Crut qu'il ferait beaucoup pour sa patrie
S'il la pouvait orner de Calfuccis :
Sainte ni saint n'était en Paradis
Qui de ses vœux n'eût la tête étourdie ;
Tous ne savaient où mettre ses présents.
Il consultait matrones, charlatans,
Diseurs de mots, experts sur cette affaire :
Le tout en vain ; car il ne put tant faire
Que d'être père. Il était buté là,
Quand un jeune homme, après avoir en France
Étudié, s'en revint à Florence,
Aussi leurré qu'aucun de par-delà ;
Propre, galant, cherchant partout fortune,
Bien fait de corps, bien voulu de chacune.
Il sut dans peu la carte du pays ;
Connut les bons et les méchants maris,
Et, de quel bois se chauffaient leurs femelles ;
Quels surveillants ils avaient mis près d'elles,

Les *si*, les *car*, enfin tous les détours ;
Comment gagner les confidents d'amours,
Et la nourrice, et le confesseur même,
Jusques au chien : tout y fait quand on aime ;
Tout tend aux fins, dont un seul iota
N'étant omis, d'abord le personnage
Jette son plomb sur messer Nicia
Pour lui donner l'ordre de cocuage.
Hardi dessein ! L'épouse de léans,
A vrai dire, reevait bien les gens ;
Mais c'était tout ; aucun de ses amants
Ne s'en pouvait promettre davantage.
Celui-ci seul, Callimaque nommé,
Dès qu'il parut, fut très fort à son gré.
Le galant donc près de la forteresse
Assied son camp, vous investit Lucrèce
Qui ne manqua de faire la tigresse
A l'ordinaire, et l'envoya jouer.
Il ne savait à quel Saint se vouer,
Quand le mari, par sa sottise extrême,
Lui fit juger qu'il n'était stratagème,
Panneau n'était, tant étrange semblât,
Où le pauvre homme à la fin ne donnât
De tout son cœur, et ne s'en affublât.
L'amant et lui, comme étant gens d'étude,
Avaient entre eux lié quelque habitude ;
Car Nice était docteur en droit canon :
Mieux eût valu l'être en autre science,

Et qu'il n'eût pris si grande confiance
En Callimaque. Un jour, au compagnon
Il se plaignit de se voir sans lignée.
A qui la faute ? Il était vert-galant,
Lucrèce, jeune, et drue, et bien taillée,
« Lorsque j'étais à Paris, dit l'amant,
Un curieux y passa d'aventure.
Je l'allai voir : il m'apprit cent secrets,
Entre autres un pour avoir géniture ;
Et n'était chose à son compte plus sûre ;
Le Grand Mogol l'avait avec succès
Depuis deux ans éprouvé sur sa femme :
Mainte Princesse, et mainte et mainte Dame,
En avaient fait aussi d'heureux essais.
Il disait vrai ; j'en ai vue des effets.
Cette recette est une médecine
Faite du jus de certaine racine,
Ayant pour nom Mandragore ; et ce jus
Pris par la femme opère beaucoup plus
Que ne fit onc nulle ombre monacale
D'aucun couvent de jeunes frères plein :
Dans dix mois d'hui je vous fais père enfin,
Sans demander un plus long intervalle,
Et touchez là : dans dix mois, et devant
Nous porterons au baptême l'enfant.
— Dites-vous vrai ? repartit messer Nice :
Vous me rendrez un merveilleux office.
— Vrai ? je l'ai vu : faut-il répéter tant ?

Inv. et Dess. par Eisen

Vous moquez-vous d'en douter seulement ?
Par votre foi ! le Mogol est-il homme
Que l'on osât de la sorte affronter ?
Ce curieux en toucha telle somme
Qu'il n'eut sujet de s'en mécontenter. »
Nice reprit : « Voilà chose admirable,
Et qui doit être à Lucrèce agréable.
Quand lui verrai-je un poupon sur le sein ?
Notre féal, vous serez le parrain ;
C'est la raison ; dès hui je vous en prie.
— Tout doux, reprit alors notre galant ;
Ne soyez pas si prompt, je vous supplie.
Vous allez vite ; il faut auparavant
Vous dire tout. Un mal est dans l'affaire ;
Mais ici-bas put-on jamais tant faire
Que de trouver un bien pur et sans mal ?
Ce jus doué de vertu tant insigne
Porte d'ailleurs qualité très maligne :
Presque toujours il se trouve fatal
A celui-là qui le premier caresse
La patiente ; et souvent on en meurt. »
Nice reprit aussitôt : « Serviteur !
Plus de votre herbe ; et laissons-là Lucrèce
Telle qu'elle est : bien grand merci du soin.
Que servira, moi mort, si je suis père ?
Pourvoyez-vous de quelque autre compère :
C'est trop de peine : il n'en est pas besoin. »
L'amant lui dit : « Quel esprit est le vôtre !

Toujours il va d'un excès dans un autre.
Le grand désir de vous voir un enfant
Vous transportait naguère d'allégresse ;
Et vous voilà, tant vous avez de presse,
Découragé sans attendre un moment.
Oyez le reste ; et sachez que Nature
A mis remède à tout, fors à la mort.
Qu'est-il de faire, afin que l'aventure
Nous réussisse, et qu'elle aille à bon port ?
Il nous faudra choisir quelque jeune homme
D'entre le peuple, un pauvre malheureux,
Qui vous précède au combat amoureux,
Tente la voie, attire et prenne en somme
Tout le venin : puis, le danger ôté,
Il conviendra que de votre côté
Vous agissiez sans tarder davantage ;
Car soyez sûr d'être alors garanti.
Il nous faut faire *in anima vili*
Ce premier pas, et prendre un personnage
Lourd et de peu, mais qui ne soit pourtant
Mal fait de corps, ni par trop dégoûtant,
Ni d'un toucher si rude et si sauvage
Qu'à votre femme un supplice ce soit.
Nous savons bien que madame Lucrèce,
Accoutumée à la délicatesse
De Nicia, trop de peine en aurait :
Même il se peut qu'en venant à la chose
Jamais son cœur n'y voudrait consentir.

Or ai-je dit un jeune homme, et pour cause ;
Car plus sera d'âge pour bien agir,
Moins laissera de venin, sans nul doute ;
Je vous promets qu'il n'en laissera goutte. »

Nice d'abord eut peine à digérer
L'expédient ; allégua le danger,
Et l'infamie : il en serait en peine :
Le magistrat pourrait le rechercher
Sur le soupçon d'une mort si soudaine.
Empoisonner un de ses citadins !
Lucrèce était échappée aux blondins,
On l'allait mettre entre les bras d'un rustre !
« Je suis d'avis qu'on prenne un homme illustre,
Dit Callimaque, ou quelqu'un qui bientôt
En mille endroits cornera le mystère.
Sottise et peur contiendront ce pitaud :
Au pis aller, l'argent le fera taire.
Votre moitié n'ayant lieu de s'y plaire,
Et le coquin même n'y songeant pas,
Vous ne tombez proprement dans le cas
De cocuage. Il n'est pas dit encore
Qu'un tel paillard ne résiste au poison ;
Et ce nous est une double raison
De le choisir tel que la Mandragore
Consume en vain sur lui tout son venin :
Car quand je dis qu'on meurt, je n'entends dire
Assurément. Il vous faudra demain

Faire choisir sur la brune le Sire,
Et dès ce soir donner la potion :
J'en ai chez moi de la confection.
Gardez-vous bien au reste, Messer Nice,
D'aller paraître en aucune façon.
Ligurio choisira le garçon ;
C'est là son fait, laissez-lui cet office.
Vous vous pouvez fier à ce valet
Comme à vous-même ; il est sage et discret.
J'oublie encor que, pour plus d'assurance,
On bandera les yeux à ce paillard ;
Il ne saura qui, quoi, n'en quelle part,
N'en quel logis, ni si dedans Florence,
Ou bien dehors, on vous l'aura mené. »
Par Nicia le tout fut approuvé.
Restait, sans plus, d'y disposer sa femme.
De prime face elle crut qu'on riait ;
Puis se fâcha ; puis jura sur son âme
Que mille fois plutôt on la tuerait.
Que dirait-on si le bruit en courait ?
Outre l'offence et péché trop énorme,
Calfuce et Dieu savaient que de tout temps
Elle avait craint ces devoirs complaisants,
Qu'elle endurait seulement pour la forme.
Puis il viendrait quelque mâtin difforme
L'incommoder, la mettre sur les dents !
« Suis-je de taille à souffrir toutes gens ?
Quoi ! recevoir un pitaud dans ma couche !

Puis-je y songer qu'avecque du dédain ?
Et, par Saint Jean, ni pitaud, ni blondin,
Ni roi, ni roc, ne feront qu'autre touche
Que Nicia, jamais onc à ma peau. »

Lucrèce étant de la sorte arrêtée,
On eut recours à frère Timothée.
Il la prêcha, mais si bien et si beau,
Qu'elle donna les mains par pénitence.
On l'assura de plus qu'on choisirait
Quelque garçon d'honnête corpulence,
Non trop rustaud, et qui ne lui ferait
Mal ni dégoût. La potion fut prise.
Le lendemain notre amant se déguise,
Et s'enfarine en vrai garçon meunier ;
Un faux menton, barbe d'étrange guise :
Mieux ne pouvait se métamorphoser :
Ligurio qui de la faciende
Et du complot avait toujours été,
Trouve l'amant tout tel qu'il le demande,
Et, ne doutant qu'on n'y fût attrapé,
Sur le minuit le mène à Messer Nice,
Les yeux bandés, le poil teint, et si bien
Que notre époux ne reconnut en rien
Le compagnon. Dans le lit il se glisse
En grand silence : en grand silence aussi
La patiente attend sa destinée,
Bien blanchement, et, ce soir ! atournée,

Voire ce soir ! atournée ! et pour qui ?
Pour qui ? j'entends : n'est-ce pas que la Dame
Pour un Meunier prenait trop de souci ?
Vous vous trompez ; le sexe en use ainsi.
Meuniers ou Rois, il veut plaire à toute âme.
C'est double honneur, ce semble, en une femme,
Quand son mérite échauffe un esprit lourd,
Et fait aimer les cœurs nés sans amour.
Le travesti changea de personnage ;
Sitôt qu'il eut Dame de tel corsage
A ses côtés, et qu'il fut dans le lit ;
Plus de Meunier ; la galande sentit
Auprès de soi la peau d'un honnête homme ;
Et ne croyez qu'on employât au somme
De tels moments. Elle disait tout bas :
« Qu'est ceci donc ? ce compagnon n'est pas
Tel que j'ai cru ; le drôle a la peau fine :
C'est grand dommage ; il ne mérite, hélas !
Un tel destin : j'ai regret qu'au trépas
Chaque moment de plaisir l'achemine. »
Tandis, l'époux, enrôlé tout de bon,
De sa moitié plaignait bien fort la peine ;
Ce fut avec une fierté de Reine
Qu'elle donna la première façon
De cocuage ; et, pour le décoron,
Point ne voulut y joindre ses caresses.
A ce garçon la perle des Lucrèces
Prendrait du goût ! Quand le premier venin

Fut emporté, notre amant prit la main
De sa maîtresse ; et de baisers de flamme ;
La parcourant : « Pardon, dit-il, Madame ;
Ne vous fâchez du tour qu'on vous a fait ;
C'est Callimaque ; approuvez son martyre :
Vous ne sauriez, ce coup, vous en dédire ;
Votre rigueur n'est plus d'aucun effet.
S'il est fatal toutefois que j'expire,
J'en suis content : vous avez dans vos mains
Un moyen sûr de me priver de vie,
Et le plaisir, bien mieux qu'aucuns venins,
M'achèvera ; tout le reste est folie. »

Lucrèce avait jusque-là résisté,
Non par défaut de bonne volonté,
Ni que l'amant ne plût fort à la belle ;
Mais la pudeur et la simplicité
L'avaient rendue ingrate en dépit d'elle.
Sans dire mot, sans oser respirer,
Pleine de honte et d'amour tout ensemble,
Elle se met aussitôt à pleurer :
« A son amant peut-elle se montrer ?
Après cela qu'en pourra-t-il penser ?
Dit-elle en soi ; et qu'est-ce qu'il lui semble ?
J'ai bien manqué de courage et d'esprit. »
Incontinent un excès de dépit
Saisit son cœur, et fait que la pauvrette
Tourne la tête, et vers le coin du lit

Se va cacher, pour dernière retraite.
Elle y voulut tenir bon, mais en vain ;
Ne lui restant que ce peu de terrain,
La place fut incontinent rendue.
Le vainqueur l'eut à sa discrétion ;
Il en usa selon sa passion,
Et plus ne fut de larme répandue.
Honte cessa ; scrupule autant en fit.
Heureux sont ceux qu'on trompe à leur profit !
L'aurore vint trop tôt pour Callimaque ;
Trop tôt encor pour l'objet de ses vœux.
« Il faut, dit-il, beaucoup plus d'une attaque
Contre un venin tenu si dangereux. »
Les jours suivants notre couple amoureux
Y sut pourvoir : l'époux ne tarda guères
Qu'il n'eût atteint tous ses autres confrères.
Pour ce coup-là fallut se séparer.

L'amant courut chez soi se recoucher.
A peine au lit il s'était mis encore,
Que notre époux, joyeux et triomphant,
Le va trouver, et lui conte comment
S'était passé le jus de Mandragore.
« D'abord, dit-il, j'allai tout doucement
Auprès du lit écouter si le Sire
S'approcherait, et s'il en voudrait dire :
Puis je priai notre épouse tout bas
Qu'elle lui fît quelque peu de caresse,

Et ne craignît de gâter ses appas ;
C'était au plus une nuit d'embarras.
« Et ne pensez, ce lui dis-je, Lucrèce,
« Ni l'un ni l'autre en ceci me tromper ;
« Je saurai tout : Nice se peut vanter
« D'être homme à qui l'on en donne à garder.
« Vous savez bien qu'il y va de ma vie.
« N'allez donc point faire la renchérie.
« Montrez par là que vous savez aimer
« Votre mari plus qu'on ne croit encore :
« C'est un beau champ. Que si cette pécore
« Fait le honteux, envoyez sans tarder
« M'en avertir : car je m'en vais coucher :
« Et n'y manquez : nous y mettrons bon ordre. »
Besoin n'en eux : tout fut bien jusqu'au bout.
Savez-vous bien que ce rustre y prit goût ?
Le drôle avait tantôt peine à démordre :
J'en ai pitié ; je le plains, après tout.
N'y songeons plus ; qu'il meure, et qu'on
                                        [l'enterre :
Et quant à vous, venez nous voir souvent.
Nargue de ceux qui me faisaient la guerre ;
Dans neuf mois d'hui, je leur livre un enfant. »

LES RÉMOIS

Il n'est cité que je préfère à Reims :
C'est l'ornement et l'honneur de la France ;
Car, sans compter l'Ampoule et les bons vins,
Charmants objets y sont en abondance.
Par ce point-là je n'entends, quant à moi,
Tours ni portaux, mais gentilles Galloises,
Ayant trouvé telle de nos Rémoises
Friande assez pour la bouche d'un Roi.

Une avait pris un Peintre en mariage,
Homme estimé dans sa profession ;
Il en vivait : que faut-il davantage ?
C'était assez pour sa condition.
Chacun trouvait sa femme fort heureuse :
Le drôle était, grâce à certain talent,
Très bon époux, encor meilleur galant
De son travail mainte dame amoureuse
L'allait trouver ; et le tout à deux fins :
C'était le bruit, à ce que dit l'histoire :
Moi qui ne suis en cela des plus fins,
Je m'en rapporte à ce qu'il en faut croire.
Dès que le Sire avait donzelle en main,
Il en riait avecque son épouse.
Les droits d'hymen allant toujours leur train,

Besoin n'était qu'elle fît la jalouse.
Même elle eût pu le payer de ses tours,
Et comme lui voyager en amours ;
Sauf d'en user avec plus de prudence,
Ne lui faisant la même confidence.

Entre les gens qu'elle sut attirer,
Deux siens voisins se laissèrent leurrer
A l'entretien libre et gai de la Dame ;
Car c'était bien la plus trompeuse femme
Qu'en ce point-là l'on eût su rencontrer ;
Sage surtout, mais aimant fort à rire,
Elle ne manque incontinent de dire
A son mari l'amour des deux Bourgeois ;
Tous deux gens sots, tous deux gens à sornettes ;
Lui raconta mot pour mot leurs fleurettes,
Pleurs et soupirs, gémissements gaulois.
Ils avaient lu, ou plutôt ouï dire,
Que d'ordinaire en amour on soupire ;
Ils tâchaient donc d'en faire leur devoir,
Que bien, que mal, et selon leur pouvoir.
A frais commun, se conduisait l'affaire :
Ils ne devaient nulle chose se taire,
Le premier d'eux qu'on favoriserait,
De son bonheur part à l'autre ferait.

Femmes, voilà souvent comme on vous traite.
Le seul plaisir est ce que l'on souhaite ;

Amour est mort ; le pauvre compagnon
Fut enterré sur les bords du Lignon ;
Nous n'en avons ici ni vent ni voie.
Vous y servez de jouet et de proie
A jeunes gens indiscrets, scélérats :
C'est bien raison qu'au double on le leur rende :
Le beau premier qui sera dans vos lacs,
Plumez-le-moi, je vous le recommande.
La Dame donc pour tromper ses voisins,
Leur dit un jour : « Vous boirez de nos vins
Ce soir chez nous. Mon mari s'en va faire
Un tour aux champs ; et le bon de l'affaire,
C'est qu'il ne doit au gîte revenir.
Nous nous pourrons à l'aise entretenir.
— « Bon, dirent-ils, nous viendrons sur la
                                [brune. »
Or, les voilà compagnons de fortune.
La nuit venue, ils vont au rendez-vous.
Eux introduits, croyant ville gagnée,
Un bruit survint ; la fête fut troublée ;
On frappe à l'huis. Le logis aux verrous
Était fermé : la femme à la fenêtre
Court en disant : « Celui-là frappe en maître.
Serait-ce point par malheur mon époux ?
Oui, cachez-vous, dit-elle ; c'est lui-même.
Quelque accident, ou bien quelque soupçon,
Le font venir coucher à la maison. »
Nos deux galants, dans ce péril extrême,

Se jettent vite en certain cabinet :
Car s'en aller, comment auraient-ils fait ?
Ils n'avaient pas le pied hors de la chambre,
Que l'époux entre, et voit au feu le membre
Accompagné de maint et maint pigeon ;
L'un au hâtier, les autres au chaudron.
« Oh ! oh ! dit-il, voilà bonne cuisine !
Qui traitez-vous ? — Alis, notre voisine,
Reprit l'épouse, et Simonette aussi.
Loué soit Dieu qui vous ramène ici !
La compagnie en sera plus complète.
Madame Alis, madma Simonette,
N'y perdront rien. Il faut les avertir
Que tout est prêt, qu'elles n'ont qu'à venir :
J'y cours moi-même. » Alors la créature
Les va prier. Or, c'étaient les moitiés
De nos galants et chercheurs d'aventure,
Qui, fort chagrins de se voir enfermés,
Ne laissaient pas de louer leur hôtesse
De s'être ainsi tirée avec adresse
De cet apprêt. Avec elle, à l'instant,
Leurs deux moitiés entrent tout en chantant.
On les salue, on les baise, on les loue
De leur beauté, de leur ajustement ;
On les contemple, on patine, on se joue.
Cela ne plut aux maris nullement.
Du cabinet la porte à demi close
Leur laissant voir le tout distinctement,

Ils ne prenaient aucun goût à la chose :
Mais passe encor pour ce commencement.
Le souper mis presqu'au même moment,
Le peintre prit par la main les deux femmes,
Les fit asseoir, entre elles se plaça.
« Je bois, dit-il, à la santé des Dames. »
Et de trinquer : passe encor pour cela.
On fit raison : le vin ne dura guère.
L'hôtesse, étant alors sans chambrière,
Court à la cave, et, de peur des esprits,
Mène avec soi Madame Simonette.
Le peintre reste avec Madame Alis,
Provinciale assez belle, et bien faite,
Et s'en piquant, et qui pour le pays
Se pouvait dire honnêtement coquette.

Le compagnon, vous la tenant seulette,
La conduisit de fleurette en fleurette
Jusqu'au toucher, et puis un peu plus loin ;
Puis, tout à coup, levant la collerette,
Prit un baiser dont l'époux fut témoin.
Jusque-là passe : époux, quand ils sont sages,
Ne prennent garde à ces menus suffrages,
Et d'en tenir registre c'est abus.
Bien est-il vrai qu'en rencontre pareille
Simples baisers font craindre le surplus ;
Car Satan lors vient frapper sur l'oreille
De tel qui dort, et fait tant qu'il s'éveille.

L'époux vit donc que, tandis qu'une main
Se promenait sur la gorge à son aise,
L'autre prenait tout un autre chemin.
Ce fut alors, dame ! ne vous déplaise,
Que, le courroux lui montant au cerveau,
Il s'en allit, enfonçant son chapeau,
Mettre l'alarme en tout le voisinage,
Battre sa femme, et dire au Peintre rage,
Et témoigner qu'il n'avait ls bras gourds.
« Gardez-vous bien de faire une sottise,
Lui dit tout bas son compagnon d'amours ;
Tenez-vous coi ; le bruit en nulle guise
N'est bon ici, d'autant plus qu'en vos lacs
Vous êtes pris : ne vous montrez donc pas ;
C'est le moyen d'étouffer cette affaire.
Il est écrit qu'à nul il ne faut faire
Ce qu'on ne veut à soi-même être fait.
Nous ne devons quitter ce cabinet
Que bien à point, et tantôt, quand cet homme,
Étant au lit, prendra son premier somme.
Selon mon sens, c'est le meilleur parti.
A tard viendrait aussi bien la querelle.
N'êtes-vous pas occu plus qu'à demi ?
Madame Alis au fait a consenti :
Cela suffit ; le reste est bagatelle. »
L'époux goûta quelque peu ces raisons.
Sa femme fit quelque peu de façons,
N'ayant le temps d'en faire davantage.

Et puis ? Et puis, comme personne sage,
Elle remit sa coiffure en état.
On n'eût jamais soupçonné ce ménage,
Sans qu'il restait un certain incarnat
Dessus son teint ; mais c'était peu de chose :
Dame Fleurette en pouvait être cause.
L'une pourtant des tireuses de vin
De lui sourire au retour ne fit faute :
Ce fut la Peintre. On se remit en train ;
On releva grillades et festin :
On but encore à la santé de l'hôte
Et de l'hôtesse, et de celle des trois
Qui, la première, aurait quelque aventure.
Le vin manqua pour la seconde fois.
L'hôtesse, adroite et fine créature,
Soutient toujours qu'il revient des Esprits
Chez les voisins. Ainsi Madame Alis
Servit d'escorte. Entendez que la Dame
Pour l'autre emploi inclinait en son âme :
Mais on l'emmène, et, par ce moyen-là,
De faction Simonette changea.
Celle-ci fait d'abord plus la sévère,
Veur suivre l'autre, ou feint le vouloir faire ;
Mais, se sentant par le Peintre tirer,
Elle demeure, étant trop ménagère
Pour se laisser son habit déchirer.
L'époux, voyant quel train prenait l'affaire,
Voulut sortir. L'autre lui dit : « Tout doux !

Nous ne voulons sur vous nul avantage.
C'est bien raison que Messer Cocuage
Sur son état vous couche ainsi que nous :
Sommes-nous pas compagnons de fortune ?
Puisque le Peintre en a caressé l'une,
L'autre doit suivre. Il faut, bon gré, mal gré,
Qu'elle entre en danse ; et, s'il est nécessaire,
Je m'offrirai de lui tenir le pied :
Vouliez ou non, elle aura son affaire. »
Elle l'eut donc : notre Peintre y pourvut
Tout de son mieux : aussi le valait-elle.
Cette dernière eut ce qu'il lui fallut ;
On en donna le loisir à la belle.
Quand le vin fut de retour, on conclut
Qu'il ne fallait s'attabler davantage.
Il était tard, et le Peintre avait fait
Pour ce jour-là suffisamment d'ouvrage.
On dit bonsoir. Le drôle satisfait
Se met au lit : nos gens sortent de cage.
L'hôtesse alla tirer du cabinet
Les regardants, honteux, mal contents d'elle,
Cocus de plus. Le pis de leur méchef
Fut qu'aucun d'eux ne put venir à chef
De son dessein, ni rendre à la Donzelle
Ce qu'elle avait à leurs femmes prêté :
Par conséquent, c'est fait ; j'ai tout conté.

LA COURTISANE AMOUREUSE

Le jeune Amour, bien qu'il ait la façon
D'un Dieu qui n'est encor qu'à sa leçon,
Fut de tout temps grand faiseur de miracles :
En gens coquets il change les Catons ;
Par lui les sots deviennent des oracles ;
Par lui les loups deviennent des moutons.
Il fait si bien que l'on n'est plus le même.
Témoin Hercule, et témoin Polyphême,
Mangeurs de gens : l'un, sur un roc assis,
Chantait aux vents ses amoureux soucis,
Et, pour charmer sa nymphe joliette,
Taillait sa barbe, et se mirait dans l'eau :
L'autre changea sa massue en fuseau
Pour le plaisir d'une jeune fillette.
J'en dirais cent : Boccace en rapporte un,
Dont j'ai trouvé l'exemple peu commun :
C'est de Chimon, jeune homme tout sauvage,
Bien fait de corps, mais ours quant à l'esprit.
Amour le lèche, et tant qu'il le polit.
Chimon devint un galant personnage.
Qui fit cela ? deux beaux yeux seulement.
Pour les avoir aperçus un moment,
Encore à peine, et voilés par le somme,
Chimon aima, puis devint honnête homme.

Inv. et Dess. par Eisen.

Ce n'est le point dont il s'agit ici.

Je veux conter comme une de ces femmes
Qui font plaisir aux enfants sans souci
Put en son cœur loger d'honnêtes flammes.
Elle était fière, et bizarre surtout :
On ne savait comme en venir à bout.
Rome, c'était le lieu de son négoce :
Mettre à ses pieds la mître avec la crosse,
C'était trop peu ; les simples Monseigneurs
N'étaient d'un rang digne de ses faveurs.
Il lui fallait un homme du Conclave,
Et des premiers, et qui fût son esclave ;
Et même encore il y profitait peu,
A moins que d'être un Cardinal neveu.
Le Pape enfin, s'il se fût piqué d'elle,
N'aurait été trop bon pour la donzelle.
De son orgueil ses habits se sentaient ;
Force brillants sur sa robe éclataient,
La chamarrure avec la broderie.
Lui voyant faire ainsi la renchérie,
Amour se mit en tête d'abaisser
Ce cœur si haut ; et pour un gentilhomme,
Jeune, bien fait, et des mieux mis de Rome,
Jusques au vif il voulut la blesser.

L'adolescent avait pour nom Camille ;
Elle, Constance. Et, bien qu'il fût d'humeur

Douce, traitable, à se prendre facile,
Constance n'eut sitôt l'amour au cœur,
Que la voilà craintive devenue.
Elle n'osa déclarer ses désirs
D'autre façon qu'avecque des soupirs.
Auparavant, pudeur ni retenue
Ne l'arrêtaient ; mais tout fut bien changé.
Comme on n'eût cru qu'Amour se fût logé
En cœur si fier, Camille n'y prit garde.
Incessamment Constance le regarde ;
Et puis soupirs, et puis regards nouveaux :
Toujours rêveuse au milieu des cadeaux :
Sa beauté même y perdit quelque chose,
Bientôt le lis l'emporta sur la rose.

Avint qu'un soir Camille régala
Des jeunes gens ; il eut aussi des femmes :
Constance en fut. La chose se passa
Joyeusement ; car peu d'entre ces dames
Étaient d'humeur à tenir des propos
De sainteté ni de philosophie ;
Constance, seule, était sourde aux bons mots,
Laissait railler toute la compagnie.
Le souper fait, chacun se retira.
Tout dès l'abord Constance s'éclipsa,
S'allant cacher en certaine ruelle.
Nul n'y prit garde ; et l'on crut que chez elle,
Indisposée, ou de mauvaise humeur,

Ou pour affaire, elle était retournée.
La compagnie étant donc retirée,
Camille dit à ses gens, par bonheur,
Qu'on le laissât, et qu'il voulait écrire.
Le voilà seul, et comme le désire
Celle qui l'aime, et qui ne sait comment
Ni l'aborder, ni par quel compliment
Elle pourra lui déclarer sa flamme.
Tremblante enfin, et par nécessité,
Elle s'en vient. Qui fut bien étonné ?
Ce fut Camille. « Eh quoi ! dit-il, Madame,
Vous surprenez ainsi vos bons amis ? »
Il la fit seoir. Et puis s'étant remis :
« Qui vous croyait, reprit-il, demeurée ?
Et qui vous a cette cache montrée ?
— L'Amour », dit-elle. A ce seul mot sans plus
Elle rougit ; chose que ne font guère
Celles qui sont Prêtresses de Vénus :
Le vermillon leur vient d'autre manière.
Camille avait déjà quelque soupçon
Que l'on l'aimait ; il n'était si novice
Qu'il ne connût ses gens à la façon :
Pour en avoir un plus certain indice,
Et s'égayer, et voir si ce cœur fier
Jusques au bout pourrait s'humilier,
Il fit le froid. Notre amante en soupire ;
La violence enfin de son martyre
La fait parler. Elle commence ainsi :

« Je ne sais pas ce que vous allez dire
De voir Constance oser venir ici
Vous déclarer sa passion extrême.
Je ne saurais y penser sans rougir ;
Car du métier de Nymphe me couvrir,
On n'en est plus dès le moment qu'on aime.
Puis, quelle excuse ? Hélas ! si le passé
Dans votre esprit pouvait être effacé !
Du moins, Camille, excusez ma franchise :
Je vois fort bien que, quoi que je vous dise,
Je vous déplais. Mon zèle me nuira.
Mais, nuise ou non, Constance vous adore :
Méprisez-la, chassez-la, battez-la ;
Si vous pouvez, faites-lui pis encore ;
Elle est à vous. » Alors le jouvenceau :
« Critiquer gens m'est, dit-il, fort nouveau ;
Ce n'est mon fait ; et, toutefois, Madame,
Je vous dirai tout net que ce discours
Me surprend fort, et que vous n'êtes femme
Qui dût ainsi prévenir nos amours.
Outre le sexe, et quelque bienséance
Qu'il faut garder, vous vous êtes fait tort.
A quel propos toute cette éloquence ?
Votre beauté m'eût gagné sans effort,
Et de son chef. Je vous le dis encor,
Je n'aime point qu'on me fasse d'avance. »
Ce propos fut à la pauvre Constance
Un coup de foudre. Elle reprit pourtant :

« J'ai mérité ce mauvais traitement.
Mais ose-t-on vous dire sa pensée ?
Mon procédé ne me nuirait pas tant,
Si ma beauté n'était point effacée.
C'est compliment, ce que vous m'avez dit ;
J'en suis certaine, et lis dans votre esprit :
Mon peu d'appas n'a rien qui vous engage.
D'où me vient-il ? je m'en rapporte à vous.
N'est-il pas vrai que naguère, entre nous,
A mes attraits chacun rendait hommage ?
Ils sont éteints, ces dons si précieux :
L'amour que j'ai m'a causé ce dommage ;
Je ne suis plus assez belle à vos yeux :
Si je l'étais, je serais assez sage.
    — Nous parlerons tantôt de ce point-là,
Dit le galant : il est tard, et voilà
Minuit qui sonne ; il faut que je me couche. »

Constance crut qu'elle aurait la moitié
D'un certain lit que d'un œil de pitié
Elle voyait : mais d'en ouvrir la bouche,
Elle n'osa, de crainte de refus.
Le compagnon, feignant d'être confus,
Se tut longtemps ; puis dit : « Comment ferai-je ?
Je ne puis tout seul déshabiller.
    — Eh bien ! Monsieur, dit-elle, appellerai-je ?
    — Non, reprit-il, gardez-vous d'appeler ;
Je ne veux pas qu'en ce lieu l'on vous voie,

Ni qu'en ma chambre une fille de joie
Passe la nuit, au su de tous mes gens.
— Cela suffit, Monsieur, repartit-elle.
Pour éviter ces inconvénients,
Je me pourrais cacher en la ruelle :
Mais faisons mieux, et ne laissons venir
Personne ici ; l'amoureuse Constance
Veut aujourd'hui de laquais vous servir ;
Accordez-lui pour toute récompense
Cet honneur-là. » Le jeune homme y consent.
Elle s'approche ; elle le déboutonne ;
Touchant sans plus à l'habit, et n'osant
Du bout du doigt toucher à la personne.
Ce ne fut tout : elle le déchaussa.
Quoi ! de sa main ! quoi ! Constance elle-même ?
Qui fut-ce donc ? Est-ce trop que cela ?
Je voudrais bien déchausser ce que j'aime.
Le compagnon dans le lit se plaça,
Sans la prier d'être de la partie.
Constance crut dans le commencement
Qu'il la voulait éprouver seulement ;
Mais tout cela passait la raillerie.
Pour en venir au point plus important :
« Il fait, dit-elle, un temps froid comme glace ;
Où me coucher ?

CAMILLE

Partout où vous voudrez.

CONSTANCE

Quoi ! sur ce siège ?

CAMILLE

    Eh bien non ; vous viendrez
Dedans mon lit.

CONSTANCE

    Délacez-moi, de grâce.

CAMILLE

Je ne saurais ; il fait froid ; je suis nu :
Délacez-vous. » Notre amante ayant vu,
Près du chevet, un poignard dans sa gaine,
Le prend, le tire, et coupe ses habits,
Corps piqué d'or, garnitures de prix,
Ajustements de princesse et de reine :
Ce que les gens, en deux mois, à grand'peine,
Avaient brodé périt en un moment ;
Sans regretter ni plaindre aucunement
Ce que le sexe aime plus que sa vie.
Femmes de France, en feriez-vous autant ?
Je crois que non ; j'en suis sûr ; et partant
Cela fut beau sans doute en Italie.

La pauvre amante approche en tapinois,
Croyant tout fait, et que pour cette fois

Aucun bizarre et nouveau stratagème
Ne viendrait plus son aise reculer.
Camille dit : « C'est trop dissimuler ;
Femme qui vient se produire elle-même
N'aura jamais de place à mes côtés :
Si bon vous semble, allez vous mettre aux pieds. »
Ce fut bien là qu'une douleur extrême
Saisit la belle ; et si lors, par hasard,
Elle avait eu dans ses mains le poignard,
C'en était fait ; elle eût de part en part
Percé son cœur. Toutefois l'espérance
Ne mourut pas encor dans son esprit :
Camille était trop connu de Constance ;
Et que ce fût tout de bon qu'il eût dit
Chose si dure, et pleine d'insolence,
Lui qui s'était jusque-là comporté
En homme doux, civil et sans fierté,
Cela semblait contre toute apparence.
Elle va donc en travers se placer
Aux pieds du Sire, et d'abord les lui baise,
Mais point trop fort, de peur de le blesser.
On peut juger si Camille était aise ;
Quelle victoire ! Avoir mis à ce point
Une beauté si superbe et si fière !
Une beauté !... je ne la décris point,
Il me faudrait une semaine entière :
On ne pouvait reprocher seulement
Que la pâleur à cet objet charmant,

Pâleur encor dont la cause était telle
Qu'elle donnait du lustre à notre belle.

Camille donc s'étend, et, sur son sein
Pour qui l'ivoire aurait eu de l'envie,
Pose ses pieds, et sans cérémonie,
Il s'accommode et se fait un coussin ;
Puis feint qu'il cède aux charmes de Morphée.
Par les sanglots notre amante étouffée
Lâche la bonde aux pleurs ; cette fois-là
Ce fut la fin. Camille l'appela
D'un ton de voix qui plut fort à la belle.
« Je suis content, dit-il, de votre amour :
Venez, venez, Constance ; c'est mon tour. »
Elle se glisse. Et lui, s'approchant d'elle :
« M'avez-vous cru si dur et si brutal,
Que d'avoir fait tout de bon le sévère ?
Dit-il d'abord ; vous me connaissez mal :
Je vous voulais donner lieu de me plaire.
Or bien, je sais le fond de votre cœur ;
Je suis content, satisfait, plein de joie,
Comblé d'amour : et que votre rigueur,
Si bon lui semble, à son tour se déploie ;
Elle le peut ; usez-en librement.
Je me déclare aujourd'hui votre amant,
Et votre époux ; et ne sais nulle Dame,
De quelque rang et beauté que ce soit,
Qui vous valût pour maîtresse et pour femme ;

Car le passé rappeler ne se doit
Entre nous deux. Une chose ai-je à dire :
C'est qu'en secret il nous faut marier.
Il n'est besoin de vous spécifier
Pour quel sujet : cela vous doit suffire.
Même il est mieux de cette façon-là ;
Un tel hymen à des amours ressemble.
On est époux et galant tout ensemble :
L'histoire dit que le drôle ajouta :
« Voulez-vous pas, en attendant le prêtre,
A votre amant vous fier aujourd'hui ?
Vous le pouvez, je vous réponds de lui ;
Son cœur n'est pas d'un perfide et d'un traître. »
A tout cela Constance ne dit rien :
C'était tout dire ; il le reconnut bien,
N'étant novice en semblables affaires.
Quant au surplus, ce sont de tels mystères
Qu'il n'est besoin d'en faire le récit.

Voilà comment Constance réussit.
Or, faites-en, Nymphes, votre profit.
Amour en a dans son Académie,
Si l'on voulait venir à l'examen,
Que j'aimerais, pour un pareil hymen,
Mieux que mainte autre à qui l'on se marie.
Femme qui n'a filé toute sa vie
Tâche à passer bien des choses sans bruit ;
Témoin Constance, et tout ce qui s'ensuit.

Noviciat d'épreuves assez dures :
Elle en reçut abondamment le fruit.
Nonnes je sais qui voudraient, chaque nuit,
En faire un tel, à toutes aventures.
Ce que, possible, on ne croira pas vrai,
C'est que Camille, en caressant la belle,
Des dons d'Amour lui fit goûter l'essai.
L'essai ? je faux : Constance en était-elle
Aux éléments ? Oui, Constance en était
Aux éléments. Ce que la belle avait
Pris et donné de plaisirs en sa vie,
Compter pour rien jusqu'alors se devait,
Pourquoi cela ? Quiconque aime le die.

NICAISE

Un apprenti marchand était,
Qu'avec droit Nicaise on nommait,
Garçon très neuf hors sa boutique
Et quelque peu d'arithmétique ;
Garçon novice dans les tours

Qui se pratiquent en amours.
Bons bourgeois, du temps de nos pères,
S'avisaient tard d'être bons frères ;
Ils n'apprenaient cette leçon
Qu'ayant de la barbe au menton.
Ceux d'aujourd'hui, sans qu'on les flatte,
Ont soin de s'y rendre savants
Aussi tôt que les autres gens.
Le jouvenceau de vieille date,
Possible, un peu moins avancé,
Par les degrés n'avait passé.
Quoi qu'il en soit, le pauvre sire
En très beau chemin demeura,
Se trouvant court par celui-là,
C'est par l'esprit que je veux dire.

Une belle pourtant l'aima,
C'était la fille de son Maître,
Fille aimable autant qu'on peut l'être,
Et ne tournant autour du pot,
Soit par humeur franche et sincère,
Soit qu'il fût force d'ainsi faire,
Étant tombée aux mains d'un sot.
Quelqu'un de trop de hardiesse
Ira la taxer ; et moi non :
Tels procédés ont leur raison.
Lorsque l'on aime une déesse,
Elle fait ces avances-là :

Notre belle savait cela.
Son esprit, ses traits, sa richesse,
Engageaient beaucoup de jeunesse
A sa recherche ; heureux serait
Celui d'entre eux qui cueillerait
En nom d'hymen, certaine chose
Qu'à meilleur titre elle promit
Au jouvenceau ci-dessus dit :
Certain Dieu parfois en dispose,
Amour nommé communément.
Il plut à la belle d'élire
Pour ce point l'apprenti marchand.
Bien est vrai, car il faut tout dire,
Qu'il était très bien fait de corps,
Beau, jeune et frais ; ce sont trésors
Que ne méprise aucune dame,
Tant soi son esprit précieux.
Pour une qu'Amour prend par l'âme,
Il en prend mille par les yeux.

Celle-ci donc, des plus galantes,
Par mille choses engageantes,
Tâchait d'encourager le gars,
N'était chiche de ses regards,
Le pinçait, lui venait sourire,
Sur les yeux lui mettait la main,
Sur le pied lui marhait enfin.
A ce langage il ne sut dire

Autre chose que des soupirs,
Interprètes de ses désirs.
Tant fut, à ce que dit l'histoire,
De part et d'autre soupiré,
Que, leur feu dûment déclaré,
Les jeunes gens, comme on peut croire,
Ne s'épargnèrent ni serments,
Ni d'autres points bien plus charmants,
Comme baisers à grosse usure ;
Le tout sans compte et sans mesure.
Calculateur que fût l'amant,
Brouiller fallait incessamment ;
La chose était tant infinie,
Qu'il y faisait toujours abus.
Somme toute, il n'y manquait plus
Qu'une seule cérémonie.
Bon fait aux filles l'épargner.
Ce ne fut pas sans témoigner
Bien du regret, bien de l'envie.
« Par vous, disait la belle amie
Je me la veux faire enseigner,
Ou ne la savoir de ma vie.
Je la saurai, je vous promets ;
Tenez-vous certain désormais
De m'avoir pour votre apprentie.
Je ne puis pour vous que ce point ;
Je suis franche : n'attendez point
Que par un langage ordinaire,

Je vous promette de me faire
Religieuse, à moins qu'un jour
L'hymen ne suive notre amour.
Cet hymen serait bien mon compte,
N'en doutez point ; mais le moyen ?
Vous m'aimez trop pour vouloir rien
Qui me pût causer de la honte.
Tels et tels m'ont fait demander ;
Mon père est prêt de m'accorder :
Moi, je vous permets d'espérer
Qu'à qui que ce soit qu'on m'engage,
Soit Conseiller, soit Président,
Soit veille ou jour du mariage,
Je serai vôtre auparavant,
Et vous aurez mon pucelage. »

Le garçon la remercia
Comme il put. A huit jours de là,
Il s'offre un parti d'importance.
La belle dit à son ami :
« Tenons-nous-en à celui-ci ;
Car il est homme, que je pense,
A passer la chose au gros sas. »
La belle en étant sur ce cas,
On la promet ; on la commence :
Le jour des noces se tient prêt.
Entendez ceci, s'il vous plaît.
(Je pense voir votre pensée

Sur ce mot-là de commencée.)
C'était alors sans point d'abus
Fille promise et rien de plus.
Huit jours donnés à la fiancée,
Comme elle appréhendait encor
Quelque rupture en cet accord,
Elle diffère le négoce,
Jusqu'au propre jour de la noce,
De peur de certain accident
Qui les fillettes va perdant.
On mène au moutier cependant
Notre galande encor pucelle :
Le *oui* fut dit à la chandelle.
L'époux voulut avec la belle
S'en aller coucher au retour.
Elle demande encor ce jour,
Et ne l'obtient qu'avecque peine ;
Il fallut pourtant y passer.
Comme l'aurore était prochaine,
L'épouse, au lieu de se coucher,
S'habille. On eût dit une Reine.
Rien ne manquait aux vêtements,
Perles, joyaux, et diamants :
Son épousé la faisait Dame.
Son ami, pour la faire femme,
Prend heure avec elle au matin :
Ils devaient aller au jardin
Dans un bois propre à telle affaire ;

Une compagne y devait faire
Le guet autour de nos amants,
Compagne instruite du mystère.
La belle s'y rend la première,
Sous le prétexte d'aller faire
Un bouquet, dit-elle à ses gens.

Nicaise, après quelques moments,
La va trouver ; et le bon sire,
Voyant le lieu, se met à dire :
« Qu'il fait ici d'humidité !
Foin ! votre hait sera gâté ;
Il est beau, ce serait dommage :
Souffrez, sans tarder davantage,
Que j'aille quérir un tapis.
— Eh ! mon Dieu ! laissons les habits,
Dit la belle toute piquée ;
Je dirai que je suis tombée.
Pour la perte, n'y songez point :
Quand on a temps si fort à point,
Il en faut user ; et périssent
Tous les vêtements du pays !
Que plutôt tous les beaux habits
Soient gâtés, et qu'ils se salissent,
Que d'aller ainsi consumer
Un quart d'heure ! un quart d'heure est cher.
Tandis que tous les gens agissent
Pour ma noce, il ne tient qu'à vous

D'employer des moments si doux.
Ce que je dis ne me sied guère ;
Mais je vous chéris, et vous veux
Rendre honnête homme, si je peux.
— En vérité, dit l'amoureux,
Conserver étoffe si chère
Ne serait point mal fait à nous.
Je cours ; c'est fait ; je suis à vous :
Deux minutes feront l'affaire. »
Là-dessus il part, sans laisser
Le temps de lui rien répliquer.

Sa sottise guérit la dame ;
Un tel dédain lui vint en l'âme,
Qu'elle reprit dès ce moment
Son cœur, que trop indignement
Elle avait placé. « Quelle honte !
Prince des sots, dit-elle en soi,
Va, je n'ai nul regret de toi ;
Tout autre eût été mieux mon compte :
Mon bon Ange a considéré
Que tu n'avais pas mérité
Une faveur si précieuse :
Je ne veux plus être amoureuse
Que de mon mari ; j'en fais vœu ;
Et de peur qu'un reste de feu
A le trahir ne me rengage,
Je vais, sans tarder davantage,

Inv. et Dess. par Eisen

Lui porter un bien qu'il aurait
Quand Nicaise en son lieu serait. »
A ces mots, la pauvre épousée
Sort du bois, fort scandalisée.
L'autre revient, et son tapis :
Mais ce n'est plus comme jadis.
Amants, la bonne heure ne sonne
A toutes les heures du jour.
J'ai lu dans l'Alphabet d'Amour
Qu'un galant près d'une personne
N'a toujours le temps comme il veut.
Qu'il le prenne donc comme il peut.
Tous délais y font du dommage :
Nicaise en est un témoignage.
Fort essoufflé d'avoir couru,
Et joyeux de telle prouesse,
Il s'en revient, bien résolu
D'employer tapis et maîtresse.
Mais quoi ! la dame au bel habit,
Mordant ses lèvres de dépit,
Retournait voir la compagnie,
Et, de sa flamme bien guérie,
Possible allait dans ce moment,
Pour se venger de son amant,
Porter à son mari la chose
Qui lui causait ce dépit-là.
Quelle chose ? c'est celle-là
Que fille dit toujours qu'elle a.

Je le crois ; mais d'en mettre jà
Mon doigt au feu, ma foi ! je n'ose ;
Ce que je sais, c'est qu'en tel cas
Fille qui ment ne pèche pas.

Grâce à Nicaise, notre belle,
Ayant sa fleur en dépit d'elle,
S'en retournait tout en grondant,
Quand Nicaise, la rencontrant :
« A quoi tient, dit-il, à la Dame,
Que vous ne m'ayez attendu ?
Sur ce tapis bien étendu,
Vous seriez en peu d'heure femme.
Retournons donc sans consulter ;
Venez cesser d'être pucelle,
Puisque je puis, sans rien gâter,
Vous témoigner quel est mon zèle.
— Non pas cela, reprit la belle ;
Mon pucelage dit qu'il faut
Remettre l'affaire à tantôt.
J'aime votre santé, Nicaise,
Et vous conseille auparavant
De reprendre un peu votre vent.
Or, respirez tout à votre aise.
Vous êtes apprenti marchand,
Faites-vous apprenti galand ;
Vous n'y serez pas sitôt maître.
A mon égard, je ne puis être

Votre maîtresse en ce métier.
Sire Nicaise, il vous faut prendre
Quelque Servante du quartier.
Vous savez des étoffes vendre,
Et leur prix en perfection ;
Mais ce que vaut l'occasion,
Vous l'ignorez ; allez l'apprendre. »

COMMENT L'ESPRIT VIENT AUX FILLES

Il est un jeu divertissant sur tous,
Jeu dont l'ardeur souvent se renouvelle :
Il divertit et la laide et la belle ;
Soit jour, soit nuit, à toute heure il est doux :
Or, devinez comment ce jeu s'appelle ?
Le beau du jeu n'est connu de l'époux ;
C'est chez l'amant que ce plaisir excelle :
De regardants, pour y juger des coups,
Il n'en faut point ; jamais on n'y querelle :
Or, devinez comment ce jeu s'appelle ?
Qu'importe-t-il ? Sans s'arrêter au nom,

Ni badiner là-dessus davantage,
Je vais encor vous en dire un usage :
Il fait venir l'esprit et la raison.
Nous le voyons en mainte bestiole.
Avant que Lise allât en cette école,
Lise n'était qu'un misérable oison :
Coudre et filer, c'était son exercice,
Non pas le sien, mais celui de ses doigts.
Car que l'esprit eût part à cet office,
Ne le croyez : il n'était nuls emplois
Où Lise pût avoir l'âme occupée ;
Lise songeait autant que sa poupée.
Cent fois le jour sa mère lui disait :
« Va-t'en chercher de l'esprit, malheureuse !
La pauvre fille aussitôt s'en allait
Chez les voisins, affligée et honteuse,
Leur demandant où se vendait l'esprit.
On en riait ; à la fin l'on lui dit :
« Allez trouver père Bonaventure,
Car il en a bonne provision.
Incontinent la jeune créature
S'en va le voir, non sans confusion ;
Elle craignait que ce ne fût dommage
De détourner ainsi tel personnage.
« Me voudrait-il faire de tels présents,
A moi qui n'ai que quatorze ou quinze ans ?
Vaux-je cela ? » disait en soi la belle.
Son innocence augmentait ses appas.

Amour n'avait à son croc de pucelle
Dont il crût faire un aussi bon repas.

« Mon Révérend, dit-elle au béat homme,
Je viens vous voir ; des personnes m'ont dit
Qu'en ce couvent on vendait de l'esprit :
Votre plaisir serait-il qu'à crédit
J'en pusse avoir ? non pas pour grosse somme :
A gros achat mon trésor ne suffit ;
Je reviendrai, s'il m'en faut davantage ;
Et cependant prenez ceci pour gage. »
A ce discours, je ne sais quel anneau,
Qu'elle tirait de son doigt avec peine,
Ne venant point, le Père dit : « Tout beau !
Nous pourvoirons à ce qui vous amène,
Sans exiger nul salaire de vous :
Il est marchand et marchande, entre nous ;
A l'une on vend ce qu'à l'autre l'on donne.
Entrez ici, suivez-moi hardiment ;
Nul ne nous voit, aucun ne nous entend ;
Tous sont au chœur ; le Portier est personne
Entièrement à ma dévotion,
Et ces murs ont de la discrétion. »

Elle le suit ; ils vont à sa cellule.
Mon Révérend la jette sur un lit,
Veut la baiser. La pauvrette recule
Un peu la tête ; et l'innocente dit :

« Quoi ! c'est ainsi qu'on donne de l'esprit !
— Et vraiment oui ! » repart sa Révérence ;
Puis il lui met la main sur le teton.
« Encore ainsi ! — Vraiment, oui ! Comment
                             [donc ? »
La belle prend le tout en patience.
Il suit sa pointe, et d'encor en encor,
Toujours l'esprit s'insinue et s'avance,
Tant et si bien, qu'il arrive à bon port.
Lise riait du succès de la chose.
Bonaventure, à six moments de là,
Donne l'esprit une seconde dose.
Ce ne fut tout, une autre succéda ;
La charité du beau Père était grande.
« Eh bien ! dit-il, que vous semble du jeu ?
— A nous venir, l'esprit tarde bien peu, »
Reprit la belle. Et puis elle demande :
« Mais s'il s'en va ? — S'il s'en va, nous verrons ;
D'autres secrets se mettent en usage.
— N'en cherchez point, dit Lise, davantage ;
De celui-ci nous nous contenterons.
— Soit fait, dit-il ; nous recommencerons,
Au pis aller, tant et tant qu'il suffise. »
Le pis aller sembla le mieux à Lise.
Le secret même encor se répéta
Par le Pater : il aimait cette danse.
Lise lui fait une humble révérence,
Et s'en retourne en songeant à cela.

Lise songer ! Quoi ! déjà Lise songe !
Elle fait plus, elle cherche un mensonge,
Se doutant bien qu'on lui demanderait,
Sans y manquer, d'où ce retard venait.
Deux jous après, sa compagne Nanette
S'en vient la voir : pendant leur entretien
Lise rêvait. Nanette comprit bien,
Comme elle était clairvoyante et finette,
Que Lise alors ne rêvait pas pour rien.
Elle fait tant, tourne tant son amie,
Que celle-ci lui déclare le tout ;
L'autre n'était à l'ouïr endormie.
Sans rien cacher, Lise de bout en bout,
De point en point, lui conte le mystère,
Dimensions de l'esprit du beau Père
Et les *encore*, enfin tout le Phœbé.

« Mais vous, dit-elle, apprenez-nous, de grâce,
Quand et par qui l'esprit vous fut donné. »
Anne reprit : « Puisqu'il faut que je fasse
Un libre aveu, c'est votre frère Alain
Qui m'a donné de l'esprit un matin.
— Mon frère Alain ? Alain ! s'écria Lise,
Alain mon frère ! ah ! je suis bien surprise ;
Il n'en a point ; comme en donnerait-il ?
— Sotte, dit l'autre, hélas ! tu n'en sais guère :
Apprends de moi que pour pareille affaire
Il n'est besoin que l'on soit si subtil.

Ne me crois-tu ? sache-le de ta mère ;
Elle est experte au fait dont il s'agit :
— Vivent les sots pour donner de l'esprit ! »
Lise s'en tint à ce seul témoignage,
Et ne crut pas devoir parler de rien.
Vous voyez donc que je disais fort bien
Quand je disais que ce jeu-là rend sage.

L'ABBESSE MALADE

L'exemple sert, l'exemple nuit aussi.
Lequel des deux doit l'emporter ici ?
Ce n'est mon fait : l'un dira que l'Abbesse
En usa bien, l'autre au contraire mal,
Selon les gens. Bien ou mal, je ne laisse
D'avoir mon compte, et montre en général,
Par ce que fit tout un troupeau de Nonnes,
Que brebis sont la plupart des personnes :
Qu'il en passe une, il en passera cent ;
Tant sur les gens est l'exemple puissant !
Je le répète, et dis, vaille que vaille,

Le monde n'est que franche moutonnaille.
Du premier coup ne croyez que l'on aille
A ses périls le passage sonder :
On est longtemps à s'entre-regarder ;
Les plus hardis ont-ils tenté l'affaire,
Le reste suit, et fait ce qu'il voit faire.
Qu'un seul mouton se jette en la rivière,
Vous ne verrez nulle âme moutonnière
Rester au bord ; tous se noieront à tas.

Maître François en conte un plaisant cas.
Ami lecteur, ne te déplaira pas
Si, surseoyant ma principale histoire,
Je te remets cette chose en mémoire.

Panurge allait l'Oracle consulter ;
Il navigeait, ayant dans la cervelle
Je ne sais quoi qui vint l'inquiéter.
Dindenaut passe et « médaille » l'appelle
« De vrai cocu ». Dindenaut dans sa nef
Menait moutons. « Vendez-m'en un ? » dit
                                    [l'autre.
« Voire, reprit Dindenaut ; l'ami nôtre,
Penseriez-vous qu'on pût venir à chef
D'assez priser ni vendre telle aumaille ? »
Panurge dit : « Notre ami, coûte et vaille,
Vendez-m'en un pour or ou pour argent. »
Un fut vendu : Panurge incontinent

Le jette en mer et les autres de suivre.
Au Diable l'un, à ce que dit le livre,
Qui demeura. Dindenaut au collet
Prend un bélier, et le bélier l'entraîne.
Adieu mon homme : il va boire au godet.

Or, revenons : ce prologue me mène
Un peu bien loin. J'ai posé dès l'abord
Que tout exemple est de force très grande,
Et ne me suis écarté par trop fort
En rapportant la moutonnière bande ;
Car notre histoire est d'ouailles encor.
Une passa, puis une autre, et puis une,
Tant qu'à passer s'entre-pressant chacune
On vit enfin celle qui les gardait
Passer aussi : c'est en gros tout le Conte :
Voici comment en détail on le conte :
Certaine Abbesse un certain mal avait,
Pâles couleurs nommé parmi les filles ;
Mal dangereux, et qui des plus gentilles
Détruit l'éclat, fait languir les attraits.
Notre malade avait la face blême
Tout justement comme un Saint de Carême ;
Bonne d'ailleurs, et gente, à cela près.
La Faculté, sur ce point consultée,
Après avoir la chose examinée,
Dit que bientôt Madame tomberait
En fièvre lente, et puis qu'elle mourrait,

Force sera que cette humeur la mange,
A moins que de... (l'à moins est bien étrange),
A moins enfin qu'elle n'ait à souhait
Compagnie d'homme. Hippocrate ne fait
Choix de ses mots, et tant tourner ne sait.
« Jésus ! reprit toute scandalisée
Madame Abbesse : Eh ! que dites-vous là ?
Fi ! — Nous disons, repartit à cela
La Faculté, que, pour chose assurée
Vous en mourrez, à moins d'un bon galant :
Bon le faut-il, c'est un point important ;
Et, si bon n'est, deux en prendrez, Madame. »
Ce fut bien pis : non pas que dans son âme
Ce bon ne fût par elle souhaité ;
Mais le moyen que sa Communauté
Lui vit sans peine approuver telle chose ?
Honte souvent est de dommage cause.
Sœur Agnès dit : « Madae, croyez-les ;
Un tel remède est chose bien mauvaise,
S'il a le goût méchant à beaucoup près
Comme la mort. Vous faites cent secrets,
Faut-il qu'un seul vous choque et vous déplaise ?
— Vous en parlez, Agnès, bien à votre aise,
Reprit l'Abbesse ; or çà, par votre Dieu,
Le feriez-vous ? mettez-vous en mon lieu.
— Oui-dà, Madame ; et dis bien davantage :
Votre santé m'est chère jusque-là
Que, s'il fallait pour vous souffrir cela,

Je ne voudrais que dans ce témoignage
D'affection pas une de céans
Me devançât. » Mille remercîments
A Sœur Agnès donnés par son Abbesse.
La Faculté dit adieu là-dessus,
Et protesta de ne revenir plus.
Tout le Couvent se trouvait en tristesse,
Quand Sœur Agnès, qui n'était de ce lieu
La moins sensée, au reste bonne lame,
Dit à ses Sœurs : « Tout ce qui tient Madame
Est seulement belle honte de Dieu :
Par charité n'en est-il point quelqu'une
Pour lui montrer l'exemple et le chemin ? »
Cet avis fut approuvé de chacune ;
On l'applaudit, il court de main en main.
Pas une n'est qui montre en ce dessein
De la froideur, soit Nonne, soit Nonnette,
Mère prieure, ancienne, ou discrète.
Le billet trotte ; on fait venir des gens
De toute guise, et des noirs, et des blancs,
Et des tannés. L'escadron, dit l'histoire,
Ne fut petit, ni, comme l'on peut croire,
Lent à montrer de sa part le chemin.
Ils ne cédaient à pas une Nonnain
Dans le désir de faire que Madame
Ne fût honteuse, ou bien n'eût dans son âme
Tel récipé, possible, à contre-cœur.
De ses brebis à peine la première

A fait le saut, qu'il suit une autre Sœur :
Une troisième entre dans la carrière ;
Nulle ne veut demeurer en arrière.
Presse se met, pour n'être la dernière
Qui ferait voir son zèle et sa ferveur
A Mère Abbesse. Il n'est aucune ouaille
Qui ne s'y jette ; ainsi que les moutons
De Dindenaut, dont tantôt nous parlions,
S'allaient jeter chez la gent porte-écaille.
Que dirai plus ? Enfin l'impression
Qu'avait l'Abbesse encontre ce remède,
Sage rendue, à tant d'exmples cède.
Un jouvenceau fait l'opération
Sur la malade. Elle redevient rose,
Œillet, aurore, et si quelque autre chose
De plus riant se peut imaginer.

O doux remède ! ô remède à donner !
Remède ami de mainte créature,
Ami des gens, ami de la nature,
Ami de tout, point d'honneur excepté.
Point d'honneur est une autre maladie :
Dans ses écrits Madame Faculté
N'en parle point. Que de maux en la vie !

LES TROQUEURS

Le changement de mets réjouit l'homme :
Quand je dis l'homme, entendez qu'en ceci
La femme doit être comprise aussi :
Et ne sais pas comme il ne vient de Rome
Permission de troquer en hymen,
Non si souvent qu'on en aurait envie,
Mais tout au moins une fois en sa vie
Peut-être un jour nous l'obtiendrons. Amen,
Ainsi soit-il ! Semblable indult en France
Viendrait fort bien, j'en réponds ; car nos gens
Sont grands troqueurs : Dieu nous créa
                            [changeants.
Près de Rouen, pays de sapience,
Deux Villageois avaient chacun chez soi
Forte femelle et d'assez bon aloi
Pour telles gens qui n'y raffinent guère.
Chacun sait bien qu'il n'est pas nécessaire
Qu'Amour les traite ainsi que des Prélats.
Avint pourtant que, tous deux étant las
De leurs moitiés, leur voisin le Notaire
Un jour de fête avec eux chopinait.
Un des manants lui dit : « Sire Oudinet,
J'ai dans l'esprit une plaisant affaire.
Vous avez fait sans doute en votre temps

Plusieurs contrats de diverse nature ;
Ne peut-on point en faire un où les gens
Troquent de femme ainsi que de monture ?
Notre Pasteur a bien changé de Cure :
La femme est-elle un cas si différent ?
Et pargué non ; car Messire Grégoire
Disait toujours, si j'ai bonne mémoire :
« Mes brebis sont ma femme. » Cependant
Il a changé : changeons aussi, compère.
— Très volontiers, reprit l'autre manant :
Mais tu sais bien que notre ménagère
Est la plus belle : or çà, sire Oudinet,
Sera-ce trop s'il donne son mulet
Pour le retour ? — Mon mulet ? — eh !
                              [parguenne,
Dit le premier des villageois susdits,
Chacune vaut en ce monde son prix ;
La mienne ira but à but pour la tienne :
On ne regarde aux femmes de si près.
Point de retour, vois-tu, compère Étienne.
Mon mulet, c'est... c'est le roi des mulets.
Tu ne devrais me demander mon âne
Tant seulement : troc pour troc, touche là. »
Sire Oudinet, raisonnant sur cela :
Dit : « Il est vrai que Tiennette a sur Jeanne
De l'avantage, à ce qu'il semble aux gens ;
Mais le meilleur de la bête, à mon sens,
N'est ce qu'on voit : femmes ont maintes choses

Que je préfère, et qui sont lettres closes ;
Femmes aussi trompent assez souvent ;
Jà ne les faut éplucher trop avant.
Or, sus, voisins, faisons les choses nettes.
Vous ne voulez chat en poche donner,
Ni l'un ni l'autre, allons donc confronter
Vos deux moitiés comme Dieu les a faites.
L'expédient ne fut goûté de tous.
Trop bien voilà Messieurs les deux époux
Qui sur ce point triomphent de s'étendre ;
« Tiennette n'a ni suros ni malandre, »
Dit le second. « Jeanne, dit le premier,
A le corps net comme un petit denier ;
Ma foi, c'est bâme. — Et Tiennette est ambroise,
Dit son époux ; telle je la maintien. »
L'autre reprit : « Compère, tiens-toi bien ;
Tu ne connais Jeanne ma villageoise ;
Je t'avertis qu'à ce jeu... m'entends-tu ? »
L'autre Manant jura : « Par la vertu,
Tiennette et moi nous n'avons qu'une noise,
C'est qui des deux y sait de meilleurs tours ;
Tu m'en diras quelques mots dans deux jours.
A toi, compère ! » Et de prendre la tasse,
Et de trinquer. « Allons, sire Oudinet,
A Jeanne ; top. Puis à Tiennette ; mâsse ! »
Somme qu'enfin la soute du mulet
Fut accordée, et voilà marché fait.
Notre Notaire assura l'un et l'autre

Que tels traités allaient leur grand chemin.
Sire Oudinet était un bon apôtre,
Qui se fit bien payer son parchemin.
Par qui payer ? par Jeanne et par Tiennette :
Il ne voulut rien prendre des maris.

Les villageois furent tous deux d'avis
Que pour un temps la chose fût secrète ;
Mais il en vint au Curé quelque vent.
Il prit aussi son droit, je n'en assure,
Et n'y étais ; mais la vérité pure
Est que Curés y manquent peu souvent.
Le Clerc, non plus, ne fit du sien remise :
Rien ne se perd entre les gens d'Église.
Les permuteurs ne pouvaient bonnement
Exécuter un pareil changement
Dans ce village, à moins que de scandale :
Ainsi bientôt l'un et l'autre détale,
Et va planter le piquet en un lieu
Où tout fut bien d'abord, moyennant Dieu.
C'était plaisir que de les voir ensemble.
Les femmes même, à l'envi des maris,
S'entre-disaient en leurs menus devis :
« Bon fait troquer, commère ; à ton avis ?
Si nous troquions de Valet ? que t'en semble ? »
Ce dernier troc, s'il se fit, fut secret.
L'autre d'abord eut un très bon effet ;
Le premier mois très bien ils s'en trouvèrent :

Mais à la fin nos gens se dégoûtèrent.
Compère Étienne, ainsi qu'on peut penser,
Fut le premier des deux à se lasser,
Pleurant Tiennette : il y perdait sans doute.
Compère Gille eut regret à sa soute.
Il ne voulut retroquer toutefois.
Qu'en advint-il ? Un jour, parmi les bois,
Étienne vit toute fine seulette,
Près d'un ruisseau sa défunte Tiennette,
Qui, par hasard, dormait sous la coudrette.
Il s'approcha, l'éveillant en sursaut.
Elle du troc ne se souvint pour l'heure,
Dont le galant, sans plus longue demeure,
En vint au point. Bref, ils firent le saut.
Le Conte dit qu'il la trouva meilleure
Qu'au premier jour. Pourquoi cela ? Pourquoi ?
Belle demande ! En l'amoureuse loi,
Pain qu'on dérobe et qu'on mange en cachette
Vaut mieux que pain qu'on cuit et qu'on achète :
Je m'en rapporte aux plus savants que moi.
Il faut pourtant que la chose soit vraie,
Et qu'après tout Hyménée et l'Amour
Ne soient pas gens à cuire à même four,
Témoin l'ébat qu'on prit sous la coudraie.
On y fit chère ; il ne s'y servit plat
Où Maître Amour, cuisinier délicat,
Et plus savant que n'est Maître Hyménée,
N'eût mis la main. Tiennette retournée,

Compère Étienne, homme neuf en ce fait,
Dit à part soi : « Gille a quelque secret ;
J'ai trouvé Tiennette plus jolie
Qu'elle ne fut onc en ce jour de sa vie.
Reprenons-la, faisons tour de Normand ;
Dédisons-nous ; usons du privilège. »

Voilà l'exploit qui trotte incontinent,
Aux fins de voir le troc et changement
Déclaré nul, et cassé nettement.
Gille, assigné, de son mieux se défend.
Un Promoteur intervient pour le siège
Épiscopal, et vendique le cas.
Grand bruit partout, ainsi que d'ordinaire ;
Le Parlement évoque à soi l'affaire.
Sire Oudinet, le faiseur de contrats,
Est amené ; l'on l'entend sur la chose.
Voilà l'état où l'on dit qu'es la cause ;
Car c'est un fait arrivé depuis peu.
Pauvre ignorant que le compère Étienne !
Contre ses fins, cet homme, en premier lieu,
Va de droit fil ; car s'il prit à ce jeu
Quelque plaisir, c'est qu'alors la chrétienne
N'était à lui : le bon sens voulait donc
Que, pour toujours, il la laissât à Gille,
Sauf la coudraie, où Tiennette, dit-on,
Allait souvent en chantant sa chanson :
L'y rencontrer était chose facile ;

Et supposé que facile ne fût,
Fallait qu'alors son plaisir d'autant crût.
Mais allez-moi prêcher cette doctrine
A des manants : ceux-ci pourtant avaient
Fait un bon tour, et très bien s'en trouvaient,
Sans le dédit ; c'était pièce assez fine
Pour en devoir l'exemple à d'autres gens.
J'ai grand regret de n'en avoir les gants.

———————

LE CAS DE CONSCIENCE

Les gens du Pays des Fables
Donnent ordinairement
Noms et titres agréables
Assez libéralement ;
Cela ne leur coûte guère :
Tout leur est Nymphe ou Bergère,
Et Déesse bien souvent.
Horace n'y faisait faute :
Si la servante de l'hôte
Au lit de notre homme allait,

C'était aussitôt Ilie ;
C'était la Nymphe Égérie ;
C'était tout ce qu'on voulait.
Dieu, par sa bonté profonde,
Un beau jour mit dans le Monde
Apollon son serviteur,
Et l'y mit justement comme
Adam le nomenclateur,
Lui disant : « Te voilà ; nomme ! »
Suivant cette antique loi,
Nous sommes parrains du Roi.
De ce privilège insigne,
Moi, faiseur de vers indigne,
Je pourrais user aussi
Dans les Contes que voici ;
Et s'il me plaisait de dire,
Au lieu d'Anne, Sylvanire,
Et, pour Messire Thomas,
Le grand Druide Adamas,
Me mettrait-on à l'amende ?
Non ; mais tout considéré,
Le présent Conte demande
Qu'on dise Anne et le Curé.

Anne, puisqu'ainsi va, passait dans son village
　　Pour la perle et le parangon.
　　Étant un jour près d'un rivage,
　　Elle vit un jeune garçon

   Se baigner nu : la fillette était drue,
Honnête toutefois : l'objet plut à sa vue.
Nuls défauts ne pouvaient être au gars reprochés ;
Puis, dès auparavant aimé de la bergère,
Quand il en aurait eu, l'Amour les eût cachés ;
Jamais tailleur n'en sut, mieux que lui, la manière.
Anne ne craignait rien : des saules la couvraient
   Comme eût fait une jalousie ;
Çà et là ses regards en liberté couraient
    Où les portait leur fantaisie ;
Çà et là, c'est-à-dire aux différents attraits
    Du garçon au corps jeune et frais,
Blanc, poli, bien formé, de taille haute et drète,
   Digne enfin des regards d'Annette.
    D'abord une honte secrète
    La fit quatre pas reculer ;
    L'Amour, huit autres avancer :
Le scrupule survint, et pensa tout gâter.
    Anne avait bonne conscience ;
Mais comment s'abstenir ? Est-il quelque défense
    Qui l'emporte sur le désir,
Quand le hasard fait naître un sujet de plaisir ?
La belle à celui-ci fit quelque résistance ;
    A la fin, ne comprenant pas
    Comme on peut pécher de cent pas,
Elle s'assit sur l'herbe, et, très fort attentive,
    Annette la contemplative

Regarda de son mieux. Quelqu'un n'a-t-il point
[vu
     Comme on dessine sur nature ?
     On vous campe une créature,
Une Ève, ou quelque Adam, j'entends un objet
[nu ;
Puis force gens, assis comme notre bergère,
Font un crayon conforme à cet original.
Au fond de sa mémoire Anne en sut fort bien
[faire
     Un qui ne ressemblait pas mal.
Elle y serait encor, si guillot (c'est le sire)
Ne fût sorti de l'eau. La belle se retire
A propos ; l'ennemi n'était plus qu'à vingt pas,
Plus fort qu'à l'ordinaire ; et c'eût été grand cas
     Qu'après de semblables idées
     Amour en fût demeuré là :
     Il comptait pour siennes déjà
     Les faveurs qu'Anne avait gardées.
Qui ne s'y fût trompé ? Plus je songe à cela,
Moins je le puis comprendre. Anne, la scrupuleuse,
N'osa, quoi qu'il en soit, le garçon régaler,
Ne laissant pas pourtant de récapituler
Les points qui la rendaient encor toute honteuse.

Pâques vint, et ce fut un nouvel embarras.
Anne, faisant passer ses péchés en revue,
Comme un passe-volant mit en un coin ce cas :

Mais la chose fut aperçue.
Le curé, Messire Thomas,
Sut relever le fait ; et, comme l'on peut croire,
En confesseur exact il fit conter l'histoire,
Et circonstancier le tout fort amplement
Pour en connaître l'importance,
Puis faire aucunement cadrer la pénitence ;
Chose où ne doit errer un confesseur prudent.
Celui-ci malmena la belle :
« Être dans ses regards à tel point sensuelle !
C'est, dit-il, un très grand péché ;
Autant vaut l'avoir vu que l'avoir touché. »

Cependant la peine imposée
Fut à souffrir assez aisée ;
Je n'en parlerai point : seulement on saura
Que Messieurs les Curés, en tous ces cantons-là,
Ainsi qu'au nôtre, avaient des dévots et dévotes,
Qui, pour l'examen de leurs fautes,
Leur payaient un tribut, qui plus, qui moins,
[selon
Que le compte à rendre était long.
Du tribut de cet an, Anne étant soucieuse,
Arrive que Guillot pêche un brochet fort grand :
Tout aussitôt le jeune amant
Le donne à sa maîtresse ; elle, toute joyeuse,
Le va porter du même pas
Au curé Messire Thomas.

Il reçoit le présent, il l'admire ; et le drôle
      D'un petit coup sur l'épaule
      La fillette régala,
      Lui sourit, lui dit : « Voilà
      Mon fait, joignant à cela
      D'autres petites affaires. »
C'était jour de Calende, et nombre de confrères
Devaient dîner chez lui. « Voulez-vous doublement
      M'obliger ? dit-il à la belle :
Accommodez chez vous ce poisson promptement,
      Puis l'apportez incontinent :
      Ma servante est un peu nouvelle. »

Anne court ; et voilà les Prêtres arrivés.
Grand bruit, grande cohue : en cave on se
                         [transporte.
      Aucuns des vins sont approuvés ;
      Chacun en raisonne à sa sorte.
      On met sur table, et le doyen
Prend place, en saluant toute la compagnie.
Raconter leurs propos serait chose infinie ;
      Puis le lecteur s'en doute bien.
On permuta cent fois, sans permuter pas une ;
Santés, Dieu sait combien ! chacun à sa chacune
But en faisant de l'œil : nul scandale. On servit
Potages, menus mets, et même jusqu'au fruit,
Sans que le brochet vînt ; tout le dîner s'achève

Sans brochet, pas un brin. Guillot, sachant ce
                                                    [don,
L'avait fait rétracter pour plus d'une raison.
Légère de brochet la troupe enfin se lève.

Qui fut bien étonné ? qu'on le juge. Il alla
        Dire ceci, dire cela
        A Madame Anne, le jour même,
L'appela cent fois sotte ; et dans sa rage extrême,
Lui pensa reprocher l'aventure du bain :
« Traiter votre Curé, dit-il, comme un coquin !
Pour qui nous prenez-vous ? Pasteurs, sont-ce
                                                    [canailles ? »
        Alors, par droit de représailles,
        Anne dit au Prêtre outragé :
« Autant vaut l'avoir vu que de l'avoir mangé. »

_____

LE DIABLE DE PAPEFIGUIÈRE

Maître François dit que Papimanie
Est un pays où les gens sont heureux ;

Le vrai dormir ne fut fait que pour eux :
Nous n'en avons ici que la copie,
Et, par saint Jean ! si Dieu me prête vie,
Je le verrai ce pays où l'on dort.
On y fait plus, on n'y fait nulle chose :
C'est un emploi que je recherche encor.
Ajoutez-y quelque petite dose
D'amour honnête, et puis me voilà fort.
Tout au rebours, il est une province
Où les gens sont haïs, maudits de Dieu :
On les connaît à leur visage mince ;
Le long dormir est exclu de ce lieu.
Partant, lecteurs, si quelqu'un se présente
A vos regards, ayant face riante,
Couleur vermeille, et visage replet,
Taille non pas de quelque maigrelet,
Dire pourrez, sans que l'on vous condamne :
« Cettui me semble, à le voir, Papimane. »
Si, d'autre part, celui que vous verrez
N'a l'œil riant, le corps rond, le teint frais,
Sans hésiter, qualifiez cet homme
Papefiguier. Papefigue se nomme
L'île et province où les gens autrefois
Firent la figue au portrait du Saint-Père.
Punis en sont, rien chez eux ne prospère :
Ainsi nous l'a conté Maître François.
L'île fut lors donnée en apanage
A Lucifer ; c'est sa maison des champs.

On voit courir par tout cet héritage
Ses commensaux, rudes à pauvres gens,
Peuple ayant queue, ayant cornes et griffes,
Si maints tableaux ne sont point apocryphes.

Avint un jour qu'un de ces beaux Messieurs
Vit un Manant rusé, des plus trompeurs,
Verser un champ dans l'île dessus dite.
Bien paraissait la terre être maudite,
Car le Manant avec peine et sueur
La retournait, et faisait son labeur.
Survient un Diable à titre de Seigneur ;
Ce Diable était des gens de l'Évangile,
Simple, ignorant, à tromper très facile,
Bon gentilhomme, et qui, dans son courroux,
N'avait encor tonné que sur les choux ;
Plus ne savait apporter de dommage.
« Vilain, dit-il, vaquer à nul ouvrage
N'est mon talent ; je suis un Diable issu
De noble race, et qui n'a jamais su
Se tourmenter ainsi que font les autres.
Tu sais, vilain, que tous ces champs sont nôtres ;
Ils sont à nous dévolus par l'édit
Qui mit jadis cette île en interdit.
Vous y vivez dessous notre police :
Partant, Vilain, je puis avec justice
M'attribuer tout le fruit de ce champ ;
Mais je suis bon, et veux que dans un an

Nous partagions sans noise et sans querelle.
Quel grain veux-tu répandre dans ces lieux ? »
Le Manant dit : « Monseigneur, pour le mieux,
Je crois qu'il faut les couvrir de touselle,
Car c'est un grain qui vient fort aisément.
— Je ne connais ce grain-là nullement, »
Dit le Lutin. « Comment dis-tu ?... Touselle ?...
Mémoire n'ai d'aucun grain qui s'appelle
De cette sorte : or, emplis-en ce lieu :
Touselle soit : touselle, de par Dieu !
J'en suis content. Fais donc vite, et travaille ;
Manant, travaille ; et travaille, Vilain :
Travailler est le fait de la canaille.
Ne t'attends pas que je t'aide un seul brin,
Ni que par moi ton labeur se consomme :
Je t'ai jà dit que j'étais Gentilhomme,
Né pour chômer, et pour ne rien savoir.
Voici comment ira notre partage :
Deux lots seront, dont l'un, c'est à savoir
Ce qui hors terre et dessus l'héritage
Aura poussé, demeurera pour toi ;
L'autre dans terre est réservé pour moi. »

L'août arrivé, la touselle est sciée,
Et tout d'un temps sa racine arrachée,
Pour satisfaire au lot du Diableteau.
Il y croyait la semence attachée,
Et que l'épi, non plus que le tuyau,

N'était qu'une herbe inutile et séchée :
Le laboureur vous la serra très bien.
L'autre au marché porta son chaume vendre.
On le hua, pas un n'en offrit rien :
Le pauvre Diable était prêt à se pendre.
Il s'en alla chez son copartageant :
Le drôle avait la touselle vendue,
Pour le plus sûr, en gerbe, et non battue,
Ne manquant pas de bien cacher l'argent.
Bien le cacha ; le Diable en fut la dupe.
« Coquin, dit-il, tu m'as joué d'un tour ;
C'est ton métier ; je suis Diable de Cour,
Qui, comme vous, à tromper ne m'occupe.
Quel grain veux-tu semer pour l'an prochain ?
Le manant dit : « Je crois qu'au lieu de grain,
Planter me faut ou navets ou carottes :
Vous en aurez, Monseigneur, pleines hottes,
Si mieux n'aimez raves dans la saison.
— Raves, navets, carottes, tout est bon,
Dit le Lutin : mon lot sera hors terre ;
Le tien dedans. Je ne veux point de guerre
Avecque toi, si tu ne m'y contrains.
Je vais tenter quelques jeunes Nonnains. »
L'auteur ne dit ce que firent les Nonnes.
Le temps venu de recueillir encor,
Le Manant prend raves belles et bonnes ;
Feuilles sans plus tombent pour tout trésor
Au Diableteau, qui, l'épaule chargée,

Court au marché. Grande fut la risée ;
Chacun lui dit son mot cette fois-là :
« Monsieur le Diable, où croît cette denrée ?
Où mettrez-vous ce qu'on en donnera ? »
Plein de courroux, et vide de pécune,
Léger d'argent, et chargé de rancune,
Il va trouver le Manant qui riait
Avec sa femme et se solaciait.
« Ah ! par la mort ! par le sang ! par la tête !
Dit le Démon, il le paiera parbieu !
Vous voici donc, Phlipot, la bonne bête !
Çà, çà, galons-le en enfant de bon lieu.
Mais il vaut mieux remettre la partie ;
J'ai sur les bras une Dame jolie
A qui je dois faire franchir le pas :
Elle le veut, et puis ne le veut pas.
L'époux n'aura dedans la Confrérie
Sitôt un pied, qu'à vous je reviendrai,
Maître Phlipot, et tant vous galerai
Que ne jouerez ces tours de votre vie.
A coups de griffes il faut que nous voyions
Lequel aura de nous deux belle amie,
Et jouira du fruit de ces sillons.
Prendre pourrais d'autorité suprême
Touselle et grain, champ et rave, enfin tout ;
Mais je les veux avoir par le bon bout.
N'espérez plus user de stratagème.
Dans huit jours d'hui je suis à vous, Phlipot ;

Et touchez-là, ceci sera mon arme. »
Le Villageois, étourdi du vacarme,
Au Farfadet ne put répondre un mot.
Perrette en rit : c'était sa ménagère ;
Bonne galande en toutes les façons,
Et qui sut plus que garder les moutons,
Tant qu'elle fut en âge de bergère.
Elle lui dit : « Phlipot, ne pleure point ;
Je veux d'ici renvoyer de tout point
Ce Diableteau : c'est un jeune Novice
Qui n'a rien vu ; je t'en tirerai hors :
Mon petit doigt saurait plus de malice,
Si je voulais, que n'en sait tout son corps. »

Le jour venu, Phlipot, qui n'était brave,
Se va cacher, non point dans une cave ;
Trop bien va-t-il se plonger tout entier
Dans un profond et large bénitier.
Aucun Démon n'eût su par où le prendre,
Tant fut subtil ; car d'étoles, dit-on,
Il s'affubla le chef pour s'en défendre,
S'étant plongé dans l'eau jusqu'au menton.
Or, le laissons, il n'en viendra pas faute.
Tout le Clergé chante autour, à voix haute :
Vade retro. Perrette cependant
Est au logis, le Lutin attendant.
Le Lutin vient : Perrette échevelée
Sort et se plaint de Phlipot, en criant :

Ah ! le bourreau ! le traître ! le méchant !
Il m'a perdue ; il m'a tout affolée !
Au nom de Dieu, Monseigneur, sauvez-vous ;
A coups de griffe, il m'a dit en courroux
Qu'il se devait contre Votre Excellence
Battre tantôt, et battre à toute outrance.
Pour s'éprouver, le perfide m'a fait
Cette balafre. » A ces mots, au Follet
Elle fait voir... Et quoi ? Chose terrible.
Le Diable en eut une peur tant horriblè,
Qu'il se signa, pensa presque tomber ;
Onc n'avait vu, ne lu, ni ouï conter
Que coups de griffe eussent semblable forme.
Bref, aussitôt qu'il aperçut l'énorme
Solution de continuité,
Il demeura si fort épouvanté,
Qu'il prit la fuite, et laissa là Perrette.
Tous les voisins chômèrent la défaite
De ce Démon : le Clergé ne fut pas
Des plus tardifs à prendre part au cas.

FÉRONDE OU LE PURGATOIRE

Vers le Levant, le Vieil de la Montagne
Se rendit craint par un moyen nouveau :
Craint n'était-il pour l'immense campagne
Qu'il possédât, ni pour aucun monceau
D'or ou d'argent, mais parce qu'au cerveau
De ses sujets il imprimait des choses
Qui de maint fait courageux étaient causes.
Il choisissait entre eux les plus hardis,
Et leur faisait donner du Paradis
Un avant goût à leurs sens perceptible,
Du Paradis de son Législateur.
Rien n'en a dit ce Prophète menteur
Qui ne devînt très croyable et sensible
A ces gens-là. Comment s'y prenait-on ?
On les faisait boire tous de façon
Qu'ils s'enivraient, perdaient sens et raison.
En cet état, privés de connaissance,
On les portait en d'agréables lieux.
Ombrages frais, jardins délicieux,
Là se trouvaient tendrons en abondance,
Plus que maillés, et beaux par excellence ;

Chaque réduit en avait à couper.
Si se venaient joliment attrouper.
Près de ces gens, qui, leur boisson cuvée,
Et se croyaient habitants devenus
Des champs heureux qu'assigne à ses élus
Le faux Mahom. Lors de faire accointance,
Turcs d'approcher, tendrons d'entrer en danse,
Au gazouillis des ruisseaux de ces bois,
Au son des luths accompagnant les voix
Des rossignols : il n'est plaisir au monde
Qu'on ne goûtât dedans ce Paradis.
Les gens trouvaient en son charmant pourpris
Les meilleurs vins de la machine ronde,
Dont ne manquaient encor de s'enivrer,
Et de leur sens perdre l'entier usage.
On les faisait aussitôt reporter
Au premier lieu. De tout ce tripotage
Qu'arrivait-il ? Ils croyaient fermement
Que quelques jours de semblables délices
Les attendaient, pourvu que, hardiment,
Sans redouter la mort ni les supplices,
Ils fissent chose agréable à Mahom,
Servant leur Prince en toute occasion.
Par ce moyen leur Prince pouvait dire
Qu'il avait gens à sa dévotion,
Déterminés, et qu'il n'était Empire
Plus redouté que le sien ici-bas.
Or, ai-je été prolixe sur ce cas

Pour confirmer l'histoire de Féronde.
Féronde était un sot de par le monde,
Riche Manant, ayant soin du tracas,
Dîmes et cens, revenus et ménage
D'un Abbé blanc. J'en sais de ce plumage
Qui valent bien les noirs à mon avis,
En fait que d'être aux maris secourables,
Quand forte tâche ils ont en leur logis,
Si qu'il y faut Moines et gens capables.
Au lendemain celui-ci ne songeait,
Et tout son fait dès la veille mangeait,
Sans rien garder, non plus qu'un droit Apôtre ;
N'ayant autre œuvre, autre emploi, penser autre,
Que de chercher où gisaient les bons vins,
Les bons morceaux, et les bonnes commères,
Sans oublier les gaillardes Nonnains,
Dont il faisait peu de part à ses Frères.

Féronde avait un joli chaperon
Dans son logis, femme sienne : et dit-on
Que parentelle était entre la Dame
Et notre Abbé ; car son prédécesseur,
Oncle et parrain, dont Dieu veuille avoir l'âme,
En était père, et la donna pour femme
A ce manant, qui tint à grand honneur
De l'épouser. Chacun sait que de race
Communément fille bâtarde chasse.
Celle-ci donc ne fit mentir le mot.

Si n'était l'époux homme si sot
Qu'il n'en eût doute, et ne vît en l'affaire
Un peu plus clair qu'il n'était nécessaire.
Sa femme allait toujours chez le Prélat,
Et prétextait ses allées et venues
Des soins divers de cet économat.
Elle alléguait mille affaires menues ;
C'était un compte, ou c'était un achat ;
C'était un rien, tant peu plaignait sa peine ;
Bref, il n'était nul jour en la semaine,
Nulle heure au jour qu'on ne vît en ce lieu
La Receveuse. Alors le Père en Dieu
Ne manquait pas d'écarter tout son monde.
Mais le mari, qui se doutait du tour,
Rompait les chiens, ne manquant au retour
D'imposer mains sur Madame Féronde
Onc il ne fut un moins commode époux.
Esprits ruraux volontiers sont jaloux,
Et sur ce point à chausser difficiles,
N'étant pas fait aux coutumes des villes.
Monsieur l'Abbé trouvait cela bien dur,
Comme prélat qu'il était, partant homme
Fuyant la peine, aimant le plaisir pur,
Ainsi que fait tout bon suppôt de Rome.
Ce n'est mon goût : je ne veux de plein saut
Prendre la ville, aimant mieux l'escalade ;
En amour dà, non en guerre : il ne faut
Prendre ceci pour guerrière bravade,

Ni m'enrôler là-dessus malgré moi.
Que l'autre usage ait la raison pour soi,
Je m'en rapporte, et reviens à l'histoire
Du Receveur qu'on mit en Purgatoire
Pour le guérir, et voici comme quoi.

Par le moyen d'une poudre endormante,
L'Abbé le plonge en un très long sommeil.
On le croit mort ; on l'enterre ; l'on chante.
Il est surpris de voir, à son réveil,
Autour de lui gens d'étrange manière ;
Car il était au large dans sa bière,
Et se pouvait lever de ce tombeau
Qui conduisait en un profond caveau.
D'abord la peur se saisit de notre homme.
« Qu'est-ce cela ? songe-t-il ? est-il mort ?
Serait-ce point quelque espèce de sort ? »
Puis il demande aux gens comme on les nomme,
Ce qu'il font là, d'où vient que dans ce lieu
L'on le retient ; et qu'a-t-il fait à Dieu ?
L'un d'eux lui dit : « Console-toi, Féronde ;
Tu te verras citoyen du haut monde
Dans mille ans d'hui, complets et bien comptés ;
Auparavant il faut d'aucuns péchés
Te nettoyer en ce saint Purgatoire :
Ton âme un jour plus blanche que l'ivoire
En sortira. » L'Ange consolateur
Donne, à ces mots, au pauvre Receveur

Huit ou dix coups de forte discipline,
En lui disant : « C'est ton humeur mutine,
Et trop jalouse, et déplaisante à Dieu,
Qui te retient pour ille ans en ce lieu. »
Le Receveur, s'étant frotté l'épaule,
Fait un soupir : « Mille ans ! c'est bien du
                                    [temps ! »
Vous noterez que l'Ange était un drôle,
Un Frère Jean, Novice de léans
Ses compagnons jouaient chacun un rôle
Pareil au sien dessous un feint habit.
Le Receveur requiert pardon, et dit :
« Las ! si jamais je rentre dans la vie,
Jamais soupçon, ombrage et jalousie,
Ne rentreront dans mon maudit esprit :
Pourrais-je point obtenir cette grâce ? »
On la lui fait espérer, non sitôt ;
Force est qu'un an dans ce séjour se passe ;
Là cependant il aura ce qu'il faut
Pour sustenter son corps, rien davantage,
Quelque grabat, du pain pour tout potage,
Vingt coups de fouet chaque jour, si l'Abbé,
Comme prélat rempli de charité,
N'obtient du Ciel qu'au moins on lui remette,
Non le total des coups, mais quelque quart,
Voire moitié, voire la plus grand'part :
Douter ne faut qu'il ne s'en entremette,
A ce sujet disant mainte oraison.

L'Ange, en après, lui fait un long sermon :
« A tort, dit-il, tu conçus du soupçon ;
Les gens d'Église ont-ils de ces pensées ?
Un Abbé blanc ! c'est trop d'ombrage avoir :
Il n'écherrait que dix coups pour un noir.
Défais-toi donc de tes erreurs passées. »
Il s'y résout. Qu'eût-il fait ? Cependant
Sire Prélat et madame Féronde
Ne laissent perdre un seul petit moment.
Le mari dit : — « Que fait ma femme au monde ?
— Ce qu'elle y fait ? Tout bien. Notre Prélat
L'a consolée ; et ton économat
S'en va son train toujours à l'ordinaire.
— Dans le couvent toujours a-t-elle affaire ?
— Où donc ? Il faut qu'ayant seule à présent
Le faix entier sur soi, la pauvre femme
Bon gré, mal gré, léans aille souvent,
Et plus encor que pendant ton vivant. »
Un tel discours ne plaisait point à l'âme.
Ame j'ai cru le devoir appeler,
Ses pourvoyeurs ne le faisant manger
Ainsi qu'un corps. Un mois à cette épreuve
Se passe entier, lui jeûnant, et l'Abbé
Multipliant œuvres de charité,
Et mettant peine à consoler la veuve.
Tenez pour sûr qu'il y fit de son mieux.
Son soin ne fut longtemps infructueux ;
Pas ne semait en une terre ingrate.

Pater abbas, avec juste sujet,
Appréhenda d'être père en effet.
Comme il n'est bon que telle chose éclate,
Et que le fait ne puisse être nié,
Tant et tant fut par sa Paternité
Dit d'oraisons, qu'on vit du Purgatoire
L'âme sortir, légère et n'ayant pas
Once de chair. Un si merveilleux cas
Surprit les gens. Beaucoup ne voulaient croire
Ce qu'ils voyaient. L'Abbé passa pour saint.
L'époux pour sien le fruit posthume tint,
Sans autrement de calcul oser faire.
Double miracle était en cette affaire,
Et la grossesse, et le retour du mort.
On en chanta *Te Deum* à renfort.
Stérilité régnait en mariage
Pendant cet an, et même au voisinage
De l'abbaye, encor bien que léans
On se vouât pour obtenir enfants.
A tant laissons l'Économe et sa femme ;
Et ne soit dit que nous autres époux
Nous méritions ce qu'on fit à cette âme
Pour la guérir de ses soupçons jaloux

LE PSAUTIER

Nonnes, souffrez pour la dernière fois
Qu'en ce recueil, malgré moi, je vous place.
De vos bons tours les contes ne sont froids ;
Leur aventure a ne sais quelle grâce
Qui n'était ailleurs ; ils emportent les voix.
Encore un donc, et puis c'en seront au moins
                                        [quatre.
Comptons-les bien : Mazet le compagnon ;
L'Abbesse ayant besoin d'un bon garçon
Pour la guérir d'un mal opiniâtre ;
Ce conte-ci, qui n'est le moins fripon ;
Quant à Sœur Jeanne ayant fait un poupon,
Je ne tiens pas qu'il la faille rabattre.
Les voilà tous : quatre c'est compte rond.
Vous me direz : « C'est une étrange affaire
Que nous ayons tant de part en ceci ! »
Que voulez-vous ? je n'y saurais que faire :
Ce n'est pas moi qui le souhaite ainsi.
Si vous teniez toujours votre bréviaire,
Vous n'auriez rien à démêler ici ;
Mais ce n'est pas votre plus grand souci.
Passons donc vite à la présente histoire.

Dans un Couvent de Nonnes fréquentait

Un jouvenceau, friand, comme on peut croire,
De ces oiseaux. Telle pourtant prenait
Goût à le voir, et des yeux le couvait,
Lui souriait, faisait la complaisante,
Et se disait sa très humble servante,
Qui, pour cela, d'un seul point n'avançait.
Le conte dit que léans il n'était
Vieille ni jeune à qui le personnage
Ne fît songer quelque chose à part soi ;
Soupirs trottaient : bien voyait le pourquoi
Sans qu'il s'en mît en peine davantage.
Sœur Isabeau, seule, pour son usage
Eut le galant : elle le méritait,
Douce d'humeur, gentille de corsage,
Et n'en étant qu'à son apprentissage,
Belle de plus. Ainsi l'on l'enviait
Pour deux raisons : son amant et ses charmes.
Dans ses amours chacune l'épiait :
Nul bien sans mal, nul plaisir sans alarmes.

Tant et si bien l'épièrent les Sœurs,
Qu'une nuit sombre et propre à ces douceurs
Dont on confie aux ombres le mystère,
En sa cellule on ouït certains mots,
Certaine voix, enfin certains propos
Qui n'étaient pas sans doute en son bréviaire.
« C'est le galant, ce dit-on ; il est pris. »
Et de courir ; l'alarme est aux esprits ;

L'essaim frémit ; sentinelle se pose.
On va conter en triomphe la chose
A Mère Abbesse ; et heurtant à grands coups
On lui cria : « Madame, levez-vous ;
Sœur Isabelle a dans sa chambre un homme. »
Vous noterez que Madame n'était
En oraison, ni ne prenait son somme ;
Trop bien alors dans son lit elle avait
Messire Jean, Curé du voisinage.
Pour ne donner aux Sœurs aucun ombrage,
Elle se lève en hâte, étourdiment,
Cherche son voile ; et, malheureusement,
Dessous sa main tombe du personnage
Le haut-de-chausse, assez bien ressemblant,
Pendant la nuit, quand on n'est éclairée,
A certain voile aux Nonnes familier,
Nommé pour lors entre elles leur *psautier*.
La voilà donc de grègues affublée.
Ayant sur soi ce nouveau couvre-chef,
Et s'étant fait raconter de rechef
Tout le cactus, elle dit irritée :
« Voyez un peu la petite effrontée,
Fille du Diable, et qui nous gâtera
Notre Couvent ! Si Dieu plaît, ne fera :
S'il plaît à Dieu, bon ordre s'y mettra :
Vous la verrez tantôt bien chapitrée. »

Chapitre donc, puisque Chapitre y a,

Fut assemblé. Mère Abbesse, entourée
De son Sénat, fit venir Isabeau,
Qui s'arrosait de pleurs tout le visage,
Se souvenant qu'un maudit jouvenceau
Venait d'en faire un différent usage.
« Quoi ! dit l'Abbesse, un homme dans ce lieu !
Un tel scandale en la maison de Dieu !
N'êtes-vous point morte de honte encore ;
Qui vous a fait recevoir parmi nous
Cette voierie ? Isabeau, savez-vous
(Car désormais qu'ici l'on vous honore
Du nom de Sœur, ne le prétendez pas),
Savez-vous, dis-je, à quoi, dans un tel cas,
Notre Institut condamne une méchante ?
Vous l'apprendrez devant qu'il soit demain.
Parlez, parlez ! » Lors la pauvre Nonnain,
Qui, jusque-là, confuse et repentante,
N'osait branler, et la vue abaissait,
Le haut-de-chausse, à quoi toute la bande,
Par un effet d'émotion trop grande,
N'avait pris garde ; ainsi qu'on voit souvent.
Ce fut hasard qu'Isabelle à l'instant
S'en aperçût. Aussitôt la pauvrette
Reprend courage, et dit tout doucement :
« Votre psautier a ne sais quoi qui pend ;
Raccommodez-le. » Or, c'était l'aiguillette :
Assez souvent pour bouton l'on s'en sert.
D'ailleurs, ce voile avait beaucoup de l'air

D'un haut-de-chaussé ; et la jeune Nonnette,
Ayant l'idée encore fraîche des deux,
Ne s'y méprit : non pas que le Messire
Eût chausse faite ainsi qu'un amoureux,
Mais à peu près ; cela devait suffire.
L'Abbesse dit : « Elle ose encore rire !
Quelle insolence ! Un péché si honteux
Ne la rend pas plus humble et plus soumise !
Veut-elle point que l'on la canonise ?
Laissez mon voile, esprit de Lucifer ;
Songez, songez, petit tison d'Enfer,
Comme on pourra raccommoder votre âme. »
Pas ne finit mère Abbesse sa gamme
Sans sermonner et tempêter beaucoup.
Sœur Isabeau lui dit encore un coup :
« Raccommodez votre psautier, Madame. »
Tout le troupeau se met à regarder :
Jeunes de rires, et vieilles de gronder.
La voix manquant à notre sermonneuse,
Qui, de son troc bien fâchée et honteuse,
N'eut pas le mot à dire en ce moment,
L'essaim fit voir par son bourdonnement
Combien roulaient de diverses pensées
Dans les esprits. Enfin l'Abbesse dit :
« Devant qu'on eût tant de voix ramassées,
Il serait tard ; que chacune en son lit
S'aille remettre. A demain toute chose. »

Le lendemain ne fut tenu, pour cause,
Aucun Chapitre ; et le jour ensuivant
Tout aussi peu. Les sages du Couvent
Furent d'avis que l'on se devait taire ;
Car trop d'éclat eût pu nuire au troupeau.
On n'en voulait à la pauvre Isabeau
Que par envie : ainsi, n'ayant pu faire
Qu'elle lâchât aux autres le morceau,
Chaque Nonnain, faute de jouvenceau,
Songe à pourvoir d'ailleurs à son affaire.
Les vieux amis reviennent de plus beau.
Par préciput à notre belle on laisse
Le jeune fils, le Pasteur à l'Abbesse ;
Et l'union alla jusques au point
Qu'on en prêtait à qui n'en avait point.

LE ROI CANDAULE

ET LE MAITRE EN DROIT

Force gens ont été l'instrument de leur mal :

Candaule en est un témoignage.
Ce roi fut en sottise un très grand personnage ;
    Il fit pour Gygès son vassal
Une galanterie imprudente et peu sage.
« Vous voyez, lui dit-il, le visage charmant
Et les traits délicats dont la Reine est pourvue ;
Je vous jure ma foi que l'accompagnement
Est d'un tout autre prix, et passe infiniment ;
    Ce n'est rien qui ne l'a vue
        Toute nue.
Je vous la veux montrer, sans qu'elle en sache
                                    [rien,
    Car j'en sais un très bon moyen ;
Mais à condition... vous m'entendez fort bien
        Sans que j'en dise davantage :
        Gygès, il vous faut être sage ;
        Point de ridicule désir :
        Je ne prendrais pas de plaisir
Aux vœux impertinents qu'une amour sotte et
                                    [vaine
        Vous ferait faire pour la Reine.
Proposez-vous de voir tout ce corps si charmant
        Comme un beau marbre seulement.
Je veux que vous disiez que l'art, que la pensée,
Que même le souhait ne peut aller plus loin.
        Dedans le bain je l'ai laissée :
Vous êtes connaisseur ; venez être témoin
        De ma félicité suprême. »

Ils vont :Gygès admire. Admirer, c'est trop peu :
     Son étonnement est extrême.
     Ce doux objet joua son jeu.
Gygès en fut ému, quelque effort qu'il pût faire.
     Il aurait voulu se taire,
Et ne point témoigner ce qu'il avait senti ;
Mais son silence eût fait soupçonner du mystère :
L'exagération fut le meilleur parti.
     Il s'en tint donc pour averti ;
Et, sans faire le fin, le froid ni le modeste,
Chaque point, chaque article eut son fait, fut loué.
« Dieux ! disait-il au Roi, quelle félicité !
Le beau corps ! le beau cuir ! ô ciel ! et tout le
                              [reste. »
     De ce gaillard entretien
     La Reine n'entendit rien ;
     Elle l'eût pris pour outrage :
     Car, en ce siècle ignorant,
     Le beau sexe était sauvage.
     Il ne l'est plus maintenant,
     Et des louanges pareilles
     De nos Dames d'à présent
     N'écorchent point les oreilles.
Notre examinateur soupirait dans sa peau ;
L'émotion croissait, tant tout lui semblait beau.
Le Prince, s'en doutant, l'emmena ; mais son âme
     Emporta cent traits de flamme :
     Chaque endroit lança le sien.

Hélas ! fuir n'y sert de rien ;
Tourments d'amour font si bien
Qu'ils sont toujours de la suite.

Près du Prince, Gygès eut assez de conduite :
Mais de sa passion la Reine s'aperçut.
   Elle sut
L'origine du mal : le Roi, prétendant rire,
  S'avisa de lui tout dire.
   Ignorant ! savait-il point
   Qu'une Reine, sur ce point,
   N'ose entendre raillerie ?
   Et, supposé qu'en son cœur
   Cela lui plaise, elle rie ;
   Il lui faut, pour son honneur,
   Contrefaire la Furie.
   Celle-ci le fut vraiment,
   Et réserva dans soi-même
   De quelque vengeance extrême
   Le désir très véhément.
   Je voudrais pour un moment,
   Lecteur, que tu fusses femme ;
   Tu ne saurais autrement
   Concevoir jusqu'où la Dame
   Porta son secret dépit.
   Un mortel eut le crédit
   De voir de si belles choses,
   A tous mortels lettres closes !

Tels dons étaient pour des Dieux,
Pour des Rois, voulais-je dire ;
L'un et l'autre y vient de cire,
Je ne sais quel est le mieux.
Ces pensers incitaient la Reine à la vengeance.
Honte, dépit, courroux, son cœur employa tout :
Amour même, dit-on, fut de l'intelligence :
De quoi ne vient-il point à bout ?
Gygès était bien fait ; on l'excusa sans peine :
Sur le montreur d'appas tomba toute la haine.
Il était mari, c'est son mal ;
Et les gens de ce caractère
Ne sauraient en aucune affaire
Commettre de péché qui ne soit capital.
Qu'est-il besoin d'user d'un plus ample prologue ?
Voilà le roi haï, voilà Gygès aimé ;
Voilà tout fait et tout formé
Un époux du grand catalogue,
Dignité peu briguée, et qui fleurit pourtant.
La sottise du Prince était d'un tel mérite
Qu'il fut fait *in petto* confrère de Vulcan ;
De là jusqu'au bonnet la distance est petite.
Cela n'était que bien ; mais la Parque maudite
Fut aussi de l'intrigue, et, sans perdre de temps,
Le pauvre Roi par nos amants
Fut député vers le Cocyte ;
On le fit trop boire d'un coup ;
Quelquefois, hélas ! c'est beaucoup.

Bientôt un certain breuvage
Lui fit voir le noir rivage,
Tandis qu'aux yeux de Gygès
S'étalaient de blancs objets :
Car, fût-ce amour, fût-ce rage,
Bientôt la Reine le mit
Sur le trône et dans son lit.

Mon dessein n'était pas d'étendre cette histoire,
On la savait assez. Mais je me sais bon gré,
      Car l'exemple a très bien cadré ;
Mon texte y va tout droit : même j'ai peine à
                        [croire
Que le Docteur en Lois, dont je vais discourir,
Puisse mieux que Candaule à mon but concourir.
Rome, pour ce coup-ci, me fournira la scène ;
Rome, non celle-là que les mœurs du vieux temps
Rendaient triste, sévère, incommode aux galants,
      Et de sottes femelles pleine ;
Mais Rome d'aujourd'hui, séjour charmant et
                       [beau,
      Où l'on suit train plus nouveau.
      Le plaisir est la seule affaire
      Dont se piquent ses habitants :
      Qui n'aurait que vingt ou trente ans,
      Ce serait un voyage à faire.

Rome donc eut naguère un Maître dans cet art

Qui du Tien et du Mien tire son origine ;
Homme qui, hors de là, faisait le goguenard :
      Tout passait par son étamine ;
      Aux dépens du tiers et du quart
Il se divertissait. Avint que le Légiste,
Parmi ses Écoliers, dont il avait toujours
      Longue liste,
Eut un Français, moins propre à faire en Droit
                     [un cours
      Qu'en amours.
Le Docteur, un beau jour, le voyant sombre et
                     [triste,
Lui dit : « Notre féal, Nous voilà de relais,
Car vous avez la mine, étant hors de l'École,
      De ne lire jamais
        Bartole.
Que ne vous poussez-vous ? Un Français être ainsi
      Sans intrigue et sans amourettes !
Vous avez des talents ; nous avons des coquettes,
      Non pas pour une, Dieu merci. »
L'Étudiant reprit : « Je suis nouveau dans Rome ;
Et puis, hors les beautés qui font plaisir aux gens
        Pour la somme,
      Je ne vois pas que les galants
      Trouvent ici beaucoup à faire.
      Toute maison est monastère ;
Double porte, verrous, une matrone austère,
Un mari, des Argus. Qu'irai-je, à votre avis,

Inv. et Des. par Eisen.

Chercher en de pareils logis ?
Prendre la lune aux dents serait moins difficile.
— Ha ! ha ! la lune aux dents ! repartit le
                                        [Docteur ;
Vous nous faites beaucoup d'honneur.
J'ai pitié des gens neufs comme vous. Notre Ville
Ne vous est pas connue, en tant que je puis voir.
Vous croyez donc qu'il faille avoir
Beaucoup de peine à Rome en fait que
                                    [d'aventures ?
Sachez que nous avons ici des créatures
Qui feront leurs maris cocus
Sur la moustache des Argus :
La chose est chez nous très commune.
Témoignez seulement que vous cherchez fortune ;
Placez-vous dans l'Église auprès du bénitier ;
Présentez sur le doigt aux Dames l'eau sacrée ;
C'est d'amourettes les prier.
Si l'air du suppliant à quelque Dame agrée,
Celle-là, sachant son métier,
Vous enverra faire un message.
Vous serez déterré, logeassiez-vous en lieu
Qui ne fût connu que de Dieu :
Une vieille viendra, qui, faite au badinage,
Vous saura ménager un secret entretien ;
Ne vous embarrassez de rien.

De rien, c'est un peu trop ; j'excepte quelque
                                     [chose :
Il est bon de vous dire en passant, notre ami,
Qu'à Rome il faut agir en galant et demi.
En France on peut conter des fleurettes, l'on
                                     [cause ;
Ici tous les moments sont chers et précieux :
Romaines vont au but. » L'autre reprit : « Tant
                                     [mieux.

      Sans être Gascon, je puis dire
      Que je suis un merveilleux sire. »
      Peut-être ne l'était-il point :
      Tout homme est Gascon sur ce point.

Les avis du Docteur furent bons : le jeune homme
Se campe en une Église où venait tous les jours
      La fleur et l'élite de Rome,
Des Grâces, des Vénus, avec un grand concours
      D'Amours,
C'est-à-dire, en chrétien, beaucoup d'Anges
                                  [femelles ;
Sous leurs voiles brillaient des yeux pleins
                                  [d'étincelles.
Bénitiers, le lieu saint n'était pas sans cela :
Notre homme en choisit un chanceux pour ce
                                  [point-là ;
A chaque objet qui passe adoucit ses prunelles ;
Révérences, le drôle en faisait des plus belles,

Des plus dévotes ; cependant
Il offrait l'eau lustrale. Un Ange, entre les autres,
En prit de bonne grâce. Alors l'Étudiant
Dit en son cœur : « Elle est des nôtres. »
Il retourne au logis : vieille vient ; rendez-vous.
D'en conter le détail vous vous en doutez tous.
Il s'y fit nombre de folies.
La Dame était des plus jolies ;
Le passe-temps fut des plus doux.
Il le conte au Docteur. Discrétion française
Est chose outre nature et d'un trop grand effort :
Dissimuler un tel transport,
Cela sent son humeur bourgeoise.
Du fruit de ses conseils le Docteur s'applaudit,
Rit en jurisconsulte, et des maris se raille.
Pauvres gens qui n'ont pas l'esprit
De garder du loup leur ouaille !
Un berger en a cent ; des hommes ne sauront
Garder la seule qu'ils auront !
Bien lui semblait ce soin chose un peu malaisée,
Mais non pas impossible ; et sans qu'il eût cent
[yeux,
Il défiait grâces aux Cieux,
Sa femme, encor que très rusée.
A ce discours, ami lecteur,
Vous ne croiriez jamais, sans avoir quelque honte.
Que l'héroïne de ce conte
Fût propre femme du Docteur :

Elle l'était pourtant. Le pis fut que mon homme,
En s'informant de tout, et des si, et des cas,
Et comme elle était faite, et quels secrets appas,
  Vit que c'était sa femme en somme.
Un seul point l'arrêtait ; c'était certain talent
Qu'avait en sa moitié trouvé l'Étudiant,
Et que pour le mari n'avait pas la donzelle.
  « A ce signe ce n'est pas elle,
  Disait en soi le pauvre époux ;
  Mais les autres points y sont tous ;
C'est elle. Mais ma femme au logis est rêveuse :
  Et, celle-ci paraît causeuse
  Et d'un agréable entretien ;
  Assurément, c'en est une autre :
  Mais du reste il n'y manque rien ;
Taille, visage, traits, même poil ; c'est la nôtre. »

  Après avoir bien dit tout bas :
  « Ce l'est », et puis : « Ce ne l'est pas »,
Force fut qu'au premier en demeurât le Sire.
  Je laisse à penser son courroux,
  Sa fureur, afin de mieux dire.
« Voius vous êtes donné un second rendez-vous ? »
  Poursuivit-il. « Oui, reprit notre Apôtre ;
Elle et moi n'avons eu garde de l'oublier,
  Nous trouvant trop bien du premier,
  Pour n'en pas ménager un autre,
Très résolus tous deux de ne nous rien devoir.

— La résolution, dit le Docteur, est belle
Je saurais volontiers quelle est cette donzelle. »
L'écolier repartit : « Je ne l'ai pu savoir ;
Mais qu'importe ? il suffit que je sois content
                                        [d'elle.
    Dès à présent je vous réponds
Que l'époux de la Dame a toutes ses façons :
Si quelqu'un manquait, nous la lui donnerons
Demain, en tel endroit, à telle heure, sans faute.
    On doit m'attendre entre deux draps,
Champ de bataille propre à de pareils combats.
Le rendez-vous n'est point dans une chambre
                                        [haute :
    Le logis est propre et paré.
On m'a fait à l'abord traverser un passage
    Où jamais le jour n'est entré ;
Mais, aussitôt après, la vieille du message
M'a conduit en des lieux où loge, en bonne foi,
    Tout ce qu'Amour a de délices.
    On peut s'en rapporter à moi. »
A ce discours jugez quels étaient les supplices
Qu'endurait le Docteur. Il forme le dessein
    De s'en aller le lendemain
Au lieu de l'écolier, et, sous ce personnage,
Convaincre sa moitié, lui faire un vasselage
    Dont il fût à jamais parlé.
    N'en déplaise au nouveau confrère,
    Il n'était pas bien conseillé ;

Mieux valait pour le coup se taire,
Sauf d'apporter en temps et lieu
Remède au cas, moyennant Dieu.
Quand les épouses font un récipiendaire
Au benoît état de cocu,
S'il peut sortir franc, c'est à lui beaucoup faire ;
Mais, quand il est déjà reçu,
Une façon de plus ne fait rien à l'affaire.
Le Docteur raisonna d'autre sorte, et fit tant
Qu'il ne fit rien qui vaille. Il crut qu'en prévenant
Son parrain en cocuage,
Il ferait tour d'homme sage :
Son parrain, cela s'entend
Pourvu que sous ce galant
Il eût fait apprentissage ;
Chose dont à bon droit le lecteur peut douter.

Quoi qu'il en soit, l'époux ne manque pas d'aller
Au logis de l'aventure,
Croyant que l'allée obscure,
Son silence, et le soin de se cacher le nez,
Sans qu'il fût reconnu, le feraient introduire
En ces lieux si fortunés.
Mais, par malheur, la vieille avait pour se conduire
Une lanterne sourde ; et, plus fine cent fois
Que le plus fin Docteur en Lois,
Elle reconnut l'homme, et sans être surprise,
Elle lui dit : « Attendez là ;

Je vais trouver Madame Élise.
Il la faut avertir ; je n'ose sans cela
Vous mener dans sa chambre ; et puis vous devez
[être
En autre habit pour l'aller voir,
C'est-à-dire, en un mot, qu'il n'en faut point
[avoir.
Madame attend au lit. » A ces mots, notre Maître,
Poussé dans quelque bouge, y voit d'abord paraître
Tout un déshabillé, des mules, un peignoir,
Bonnet, robe de chambre, avec chemise d'homme,
Parfums sur la toilette, et des meilleurs de Rome,
Le tout propre, arrangé, de même qu'on eût fait
Si l'on eût attendu le Cardinal Préfet.

Le Docteur se dépouille ; et cette Gouvernante
Revient, et par la main le conduit en des lieux
Où notre homme, privé de l'usage des yeux,
Va d'une façon chancelante.
Après ces détours ténébreux,
La vieille ouvre une porte, et vous pousse le Sire
En un fort mal plaisant endroit,
Quoique ce fût son propre empire :
C'était en l'École de Droit.
En l'École de Droit ? Là même. Le pauvre homme
Honteux, surpris, confus, non sans quelque raison,
Pensa tomber en pâmoison.
Le conte en courut par tout Rome.

Les Écoliers alors attendaient leur Régent ;
Cela seul acheva sa mauvaise fortune.
Grand éclat de risée et grand chuchillement,
      Universel étonnement.
« Est-il fou ? qu'est-ce là ? vient-il de voir
                    [quelqu'une ? »
Ce ne fût pas le tout ; sa femme se plaignit.
Procès. La parenté se joint en cause, et dit
Que du docteur venait tout le mauvais ménage ;
Que cet homme était fou ; que sa femme était
                    [sage.

      On la fit casser le mariage ;
      Et puis la Dame se rendit
      Belle et bonne Religieuse
      A Saint-Croissant en Vavoureuse ;
      Un Prélat lui donna l'habit.

LE DIABLE EN ENFER

Qui craint d'aimer a tort, selon mon sens,
S'il ne fuit pas, dès qu'il voit une belle.

Je vous connais, objets doux et puissants,
Plus ne m'irai brûler à la chandelle.
Une vertu sort de vous, ne sais quelle,
Qui dans le cœur s'introduit par les yeux.
Ce qu'elle y fait, besoin n'est de le dire ;
On meurt d'amour, on languit, on soupire :
Pas ne tiendrait aux gens qu'on ne fît mieux.
A tels périls ne faut qu'on s'abandonne.

J'en vais donner pour preuve une personne
Dont la beauté fit trébucher Rustic.
Il en advint un fort plaisant trafic :
Plaisant fut-il, au péché près, sans faute ;
Car, pour ce point, je l'excepte, et je l'ôte,
Et ne suis pas du goût de celle-là
Qui, buvant frais (ce fut, je pense à Rome)
Disait : « Que n'est-ce un péché que cela ! »
Je la condamne, et veux prouver en somme
Qu'il fait bon craindre encor que l'on soit saint.
Rien n'est plus vrai : si Rustic avait craint,
Il n'aurait pas retenu cette fille,
Qui, jeune et simple, et pourtant très gentille,
Jusques au vif vous l'eut bientôt atteint.

Alibech fut son nom, si j'ai mémoire ;
Fille un peu neuve, à ce que dit l'histoire.
Lisant un jour comme quoi certains Saints,
Pour mieux vaquer à leurs pieux desseins,

Se séquestraient, vivaient comme des Anges,
Qui çà, qui là, portant toujours leurs pas
En lieux cachés, choses qui, bien qu'étranges
Pour Alibech, avaient quelques appas :
« Mon Dieu ! dit-elle, il me prend une envie
D'aller mener une semblable vie. »
Alibech donc s'en va sans dire adieu ;
Mère, ni sœur, nourrice, ni compagne
N'est avertie. Alibech en campagne
Marche toujours, n'arrête en pas un lieu ;
Tant court enfin, qu'elle entre en un bois sombre,
Et dans ce bois elle trouve un vieillard,
Homme possible autrefois plus gaillard,
Mais n'étant lors qu'un squelette et qu'une ombre.
« Père, dit-elle, un mouvement m'a pris :
C'est d'être Sainte, et mériter pour prix
Qu'on me révère, et qu'on chôme ma Fête.
Oh ! quel plaisir j'aurais, si tous les ans,
La palme en main, les rayons sur la tête,
Je recevais des fleurs et des présents !
Votre métier est-il si difficile ?
Je sais déjà jeûner plus d'à demi.
— Abandonnez ce penser inutile,
Dit le vieillard ; je vous parle en ami.
La sainteté n'est chose si commune
Que le jeûner suffise pour l'avoir.
Dieu gard' de mal fille et femme qui jeûne
Sans pour cela guère mieux en valoir !

Il faut encor pratiquer d'autres choses,
D'autres vertus qui me sont lettres closes,
Et qu'un ermite, habitant de ces bois,
Vous apprendra mieux que moi mille fois.
Allez le voir, ne tardez davantage ;
Je ne retiens tels oiseaux dans ma cage. »
Disant ces mots, le vieillard la quitta,
Ferma sa porte et se barricada.
Très sage fut d'agir ainsi, sans doute,
Ne se fiant à vieillesse, ni goutte,
Jeûne, ni haire, enfin à rien qui soit.
Non loin de là, notre Sainte aperçoit
Celui de qui ce bon vieillard parloit,
Homme ayant l'âme en Dieu tout occupée,
Et se faisant tout blanc de son épée.
C'était Rustic, jeune saint très fervent ;
Ces jeunes-là s'y trompent bien souvent.
En peu de mots, l'appétit d'être Sainte
Lui fut d'abord par la belle expliqué ;
Appétit tel qu'Alibech avait crainte
Que quelque jour son fruit n'en fut marqué.
Rustic sourit d'une telle innocence :
« Je n'ai, dit-il, que peu de connaissance
En ce métier ; mais ce peu-là que j'ai
Bien volontiers vous sera partagé ;
Nous vous rendrons la chose familière. »
Maître Rustic eût dû donner congé,
Tout dès l'abord, à semblable écolière.

Il ne le fit ; en voici les effets :
Comme il voulait être des plus parfaits,
Il dit en soi : « Rustic, que sais-tu faire ?
Veiller, prier, jeûner, porter la haire ?
Qu'est-ce cela ? moins que rien, tous le font.
Mais d'être seul auprès de quelque belle,
Sans la toucher, il n'est victoire telle ;
Triomphes grands chez les Anges en sont :
Méritons-les ; retenons cette fille :
Si je résiste à chose si gentille,
J'atteins le comble, et me tire du pair. »
Il la retint, et fut si téméraire,
Qu'outre Satan il défia la chair,
Deux ennemis toujours prêts à mal faire.
Or sont nos Saints logés sous même toit :
Rustic apprête, en un petit endroit,
Un petit lit de jonc pour la Novice ;
Car, de coucher sur la dure d'abord,
Quelle apparence ? elle n'était encor
Accoutumance à si rude exercice.
Quant au souper, elle eut pour tout service
Un peu de fruit, du pain, non pas trop beau.
Faites état que la magnificence
De ce repas ne consista qu'en l'eau,
Claire, d'argent, belle par excellence.
Rustic jeûna ; la fille eut appétit.
Couchés à part, Alibech s'endormit ;
L'ermite non. Une certaine bête,

Diable nommée, un vrai serpent maudit,
N'eut point de paix qu'il ne fût de la fête.
On l'y reçoit. Rustic roule en sa tête
Tantôt sa grâce et sa naïveté,
Et ses façons, et sa manière douce,
L'âge, la taille et surtout l'embonpoint
Et certain sein ne se reposant point,
Allant, venant ; sein qui pousse et repousse
Certain corset, en dépit d'Alibech
Qui tâche en vain de lui clore le bec,
Car toujours parle ; il va, vient, et respire :
C'est son patois ; Dieu sait ce qu'il veut dire.

Le pauvre ermite, ému de passion,
Fit de ce point sa méditation.
Adieu la haire, adieu la discipline.
Et puis voilà de ma dévotion !
Voilà mes Saints ! Celui-ci s'achemine
Vers Alibech, et l'éveille en sursaut :
« Ce n'est bien fait que de dormir sitôt,
Dit le Frater ; il faut au préalable
Qu'on fasse une œuvre à Dieu fort agréable,
Emprisonnant en Enfer le Malin ;
Créé ne fut pour aucune autre fin :
Procédons-y. » Tout à l'heure il se glisse
Dedans le lit. Alibech, sans malice,
N'entendait rien à ce mystère-là ;
Et, ne sachant ni ceci, ni cela,

Moitié forcée, et moitié consentante,
Moitié voulant combattre ce désir,
Moitié n'osant, moitié peine et plaisir,
Elle crut faire acte de repentante ;
Bien humblement rendit grâce au Frater,
Sut ce que c'est que le Diable en Enfer.

Désormais faut qu'Alibech se contente
D'être martyre, en cas que Sainte soit.
Frère Rustic peu de vierges faisait.
Cette leçon ne fut la plus aisée,
Dont Alibech, non encor déniaisée,
Dit : « Il faut bien que le Diable en effet,
Soit une chose étrange et bien mauvaise ;
Il brise tout ; voyez le mal qu'il fait
A sa prison : non pas qu'il m'en déplaise ;
Mais il mérite, en bonne vérité,
D'y retourner. — Soit fait », ce dit le Frère.
Tant s'appliqua Rustic à ce mystère,
Tant prit de soin, tant eut de charité,
Qu'enfin l'Enfer s'accoutumant au Diable,
Eût eu toujours sa présence agréable,
Si l'autre eût pu toujours en faire essai.
Sur quoi la belle : « On dit encor bien vrai,
Qu'il n'est prison si douce que son hôte
En peu de temps ne s'y lasse sans faute. »
Bientôt nos gens ont noise sur ce point.
En vain l'Enfer son prisonnier rappelle ;

Le Diable est sourd, le Diable n'entend point.
L'Enfer s'ennuie, autant en fait la belle ;
Ce grand désir d'être Sainte s'en va.
Rustic voudrait être dépêtré d'elle ;
Elle pourvoit d'elle-même à cela.
Furtivement elle quitte le Sire,
Par le plus court s'en retourne chez soi.
Je suis en soin de ce qu'elle put dire
A ses parents ; c'est ce qu'en bonne foi
Jusqu'à présent je n'ai bien su comprendre.
Apparemment elle leur fit entendre
Que son cœur, mû d'un appétit d'enfant,
L'avait portée à tâcher d'être Sainte :
Ou l'on la crut, ou l'on en fit semblant.
Sa parenté prit pour argent comptant
Un tel motif : non que de quelque atteinte
A son Enfer on n'eût quelque soupçon ;
Mais cette chartre est faite de façon
Qu'on n'y voit goutte, et maint geôlier s'y trompe.
Alibech fut festinée en grand' pompe ;
L'histoire dit que par simplicité
Elle conta la chose à ses compagnes.
« Besoin n'était que Votre Sainteté,
Ce lui dit-on, traversa ces campagnes ;
On vous aurait, sans bouger du logis,
Même leçon, même secret appris.
— Je vous aurais, dit l'une, offert mon frère
— Vous auriez eu, dit l'autre, mon cousin.

Et Néherbal, notre prochain voisin,
N'est pas non plus novice en ce mystère :
Il vous recherche ; acceptez ce parti,
Devant qu'on soit d'un tel cas averti. »
Elle le fit. Néherbal n'était homme
A cela près. On donna telle somme,
Qu'avec les traits de la jeune Alibech
Il prit pour bon un enfer très suspect,
Usant des biens que l'Hymen nous envoie,
A tous époux Dieu doint pareille joie !

———————

LA JUMENT DU COMPÈRE PIERRE

Messire Jean, c'était certain Curé
Qui prêchait peu, sinon sur la vendange ;
Sur ce sujet, sans être préparé,
Il triomphait, vous eussiez dit un Ange.
Encore point était touché de lui,
Non si souvent qu'eût voulu le messire ;
En ce point-là, les enfants d'aujourd'hui
Savent que c'est ; besoin n'ai de le dire.

Messire Jean, tel que je le décris,
Faisait si bien que femmes et maris
Le recherchaient, estimaient sa science ;
Au demeurant, il n'était conscience
Un peu jolie, et bonne à diriger,
Qu'il ne voulût lui-même interroger,
Ne s'en fiant aux soins de son Vicaire.
Messire Jean aurait voulu tout faire,
S'entremettait en zélé Directeur,
Allait partout, disant qu'un bon Pasteur
Ne peut trop bien ses ouailles connaître,
Dont par lui-même instruit en voulait être.
Parmi les gens de lui les mieux venus,
Il fréquentait chez le compère Pierre,
Bon Villageois, à qui pour toute terre,
Pour tout domaine, et pour tous revenus,
Dieu ne donna que ses deux bras tout nus,
Et son louchet, dont, pour tout ustensile,
Pierre faisait subsister sa famille.
Il avait femme et belle et jeune encor,
Ferme surtout ; le hâle avait fait tort
A son visage, et non à sa personne.
Nous autres gens, peut-être aurions voulu
Du délicat ; ce rustic ne m'eût plu ;
Pour des Curés la pâte en était bonne,
Et convenait à semblables amours.
Messire Jean la regardait toujours
Du coin de l'œil, toujours tournait la tête

De son côté, comme un chien qui fait fête
Aux os qu'il voit n'être par trop chétifs.
Que s'il en voit un de belle apparence,
Non décharné, plein encor de substance,
Il tient dessus ses regards attentifs ;
Il s'inquiète, il trépigne, il remue
Oreille et queue ; il a toujours la vue
Dessus cet os, et le ronge des yeux
Vingt fois devant que son palais s'en sente.
Messire Jean tout ainsi se tourmente
A cet objet pour lui délicieux.
La Villageoise était fort innocente,
Et n'entendait aux façons du Pasteur
Mystère aucun : ni son regard flatteur,
Ni ses présents ne touchaient Magdeleine ;
Bouquets de thym et pots de marjolaine
Tombaient à terre : avoir cent menus soins,
C'était parler bas-breton tout au moins.
Il s'avisa d'un plaisant stratagème.

Pierre était lourd, sans esprit : je crois bien
Qu'il ne se fût précipité lui-même ;
Mais, par-delà, de lui demander rien
C'était abus et très grande sottise.
L'autre lui dit : « Compère, mon ami,
Te voilà pauvre et n'ayant à demi
Ce qu'il te faut ; si je t'apprends la guise
Et le moyen d'être un jour plus content

Qu'un petit roi sans te tourmenter tant,
Que me veux-tu donner pour mes étrennes
Pierre répond : « Parbleu, Messire Jean,
Je suis à vous, disposez de mes peines,
Car vous savez que c'est tout mon vaillant
Notre cochon ne vous faudra pourtant ;
Il a mangé plus de son, par mon âme !
Qu'il en tiendrait trois fois dans ce tonneau :
Et d'abondant, la vache à notre femme
Nous a promis qu'elle ferait un veau :
Prenez le tout. — Je ne veux nul salaire,
Dit le Pasteur ; obliger mon compère
Ce m'est assez. Je te dirai comment :
Mon dessein est de rendre Magdeleine
Jument le jour, par art d'enchantement,
Lui redonnant sur le soir forme humaine.
Très grand profit pourra certainement
T'en revenir car ton âne est si lent,
Que du marché l'heure est presque passée
Quand il arrive ; ainsi tu ne vends pas,
Comme tu veux, tes herbes, ta denrée,
Tes choux, tes aulx, enfin tout ton tracas ;
Ta femme, étant jument forte et membrue,
Ira plus vite ; et, sitôt que chez toi
Elle sera du marché revenue,
Sans pain ni soupe, un peu d'herbe menue
Lui suffira. » Pierre dit : « Sur ma foi !
Messire Jean, vous êtes un sage homme.

Voyez que c'est d'avoir étudié !
Vend-on cela ? Si j'avais grosse somme,
Je vous l'aurais parbleu ! bientôt payé. »
Jean poursuivit : « Or ça, je t'apprendrai
Les mots, la guise, et toute la manière
Par où jument, bien faite et poulinière
Auras de jour, belle femme de nuit.
Corps, tête, jambe, et tout ce qui s'ensuit
Lui reviendra : tu n'as qu'à me voir faire.
Tais-toi surtout ; car un mot seulement
Nous gâterait tout notre enchantement ;
Nous ne pourrions revenir au mystère
De notre vie : encore un coup, motus,
Bouche cousue ; ouvre les yeux sans plus :
Toi-même après pratiqueras la chose. »
Pierre promet de se taire, et Jean dit :
« Sus Magdeleine, il se faut, et pour cause,
Dépouiller nue et quitter cet habit.
Dégrafez-moi cet autour des dimanches :
Fort bien. Otez ce corset et ces manches :
Encore mieux. Défaites ce jupon :
Très bien cela. » Quand vint à la chemise,
La pauvre épouse eut en quelque façon
De la pudeur : Etre nue ainsi mise
Aux yeux des gens ! Magdeleine aimait mieux
Demeurer femme, et jurait ses grands Dieux
De ne souffrir une telle vergogne !
Pierre lui dit : « Voilà grande besogne !

Eh bien ! tous deux nous saurons comme quoi
Vous êtes faite : est-ce, par votre foi,
De quoi tant craindre ? Eh là ! là ! Magdeleine,
Vous n'avez pas toujours eu tant de peine
A tout ôter. Comment donc faites-vous
Quand vous cherchez vos puces ? dites-nous.
Messire Jean, es-ce quelqu'un d'étrange ?
Que craignez-vous ? Et quoi ! qu'il ne vous
                                    [mange ?
Çà, dépêchons : c'est par trop marchandé.
Depuis le temps, Monsieur notre Curé
Aurait déjà parfait son entreprise. »
Disant ces mots, il ôte la chemise,
Regarde faire, et ses lunettes prend.
Messire Jean par le nombril commence,
Pose dessus une main, en disant :
« Que ceci soit beau poitrail de jument. »
Puis cette main dans le pays s'avance.
L'autre s'en va transformer ces deux monts
Qu'en nos climats les gens nomment tetons ;
Car, quant à ceux qui sur l'autre hémisphère
Sont étendus, plus vastes en leur tour,
Par révérence on ne les nomme guère.
Messire Jean leur fait aussi sa cour,
Disant toujours, pour la cérémonie :
« Que ceci soit telle ou telle partie,
Ou belle croupe, ou beaux flancs », tout enfin.

Tant de façons mettaient Pierre en chagrin ;
Et ne voyant nul progrès à la chose,
Il priait Dieu pour la métamorphose.
C'était en vain ; car de l'enchantement
Toute la force et l'accomplissement
Gisait à mettre une queue à la bête.
Tel ornement est chose fort honnête :
Jean, ne voulant un tel point oublier,
L'attache donc. Lors Pierre de crier
Si haut qu'on l'eût entendu d'une lieue :
« Messire Jean, je n'y veux point de queue !
Vous l'attachez trop bas, Messire Jean ! »

Pierre à crier ne fut si diligent,
Que bonne part de la cérémonie
Ne fût déjà par le Prêtre accomplie.
A bonne fin le reste aurait été,
Si, non content d'avoir déjà parlé,
Pierre encore n'eût tiré par la soutane
Le Curé Jean qui lui dit : « Foin de toi !
T'avais-je pas recommandé, gros âne,
De ne rien dire, et de demeurer coi ?
Tout est gâté ; ne t'en prends qu'à toi-même. »
Pendant ces mots, l'époux gronde à part soi.
Magdeleine est en un courroux extrême,
Querelle Pierre, et lui dit : « Malheureux !
Tu ne seras qu'un misérable gueux
Toute ta vie ! Et puis viens-t'en me braire,

Viens me conter ta faim et ta douleur !
Voyez un peu ! Monsieur notre Pasteur
Veut de sa grâce à ce traîne-malheur
Montrer de quoi finir notre misère :
Mérite-t-il le bien qu'on lui veut faire ?
Messire Jean, laissons-là cet oison :
Tous les matins, tandis que ce veau lie
Ses choux, ses aulx, ses herbes, son oignon,
Sans l'avertir venez à la maison ;
Vous me rendrez une jument polie. »
Pierre reprit : « Plus de jument, ma mie ;
Je suis content de n'avoir qu'un grison ».

———————

LES LUNETTES

J'avais juré de laisser là les Nonnes :
Car, que toujours on voie en mes écrits
Même sujet et semblables personnes,
Cela pourrait fatiguer les esprits.
Ma muse met guimpe sur le tapis ;
Et puis quoi ? guimpe, et puis guimpe sans cesse ;

Bref, toujours guimpe, et guimpe sous la presse.
C'est un peu trop. Je veux que les Nonnains
Fassent les tours en amour les plus fins ;
Si ne faut-il pour cela qu'on épuise
Tout le sujet. Le moyen ? c'est un fait
Par trop fréquent : je n'aurais jamais fait :
Il n'est Greffier dont la plume y suffise.
Si j'y tâchais, on pourrait soupçonner
Que quelque cas m'y ferait retourner,
Tant sur ce point mes vers font de rechûtes.
Toujours souvient à Robin de ses flûtes.
Or, apportons à cela quelque fin ;
Je le prétends, cette tâche ici faite.

Jadis s'était introduit un blondin
Chez les Nonnains, à titre de fillette.
Il n'avait pas quinze ans que tout ne fût ;
Dont le galant passa pour sœur Colette,
Auparavant que la barbe lui crût.
Cet entre-temps ne fut sans fruit : le Sire
L'employa bien ; Agnès en profita.
Las ! quel profit ? j'eusse mieux fait de dire
Qu'à sœur Agnès malheur en arriva :
Il lui fallut élargir sa ceinture,
Puis mettre au jour petite créature
Qui ressemblait comme deux gouttes d'eau,
Ce dit l'histoire, à la Sœur jouvenceau.
Voilà scandale et bruit dans l'Abbaye :

« D'où cet enfant est-il plu ? comme a-t-on,
Disaient les Sœurs en riant, je vous prie,
Trouvé céans ce petit champignon ?
Si ne s'est-il après tout fait lui-même. »
La Prieure est en un courroux extrême :
Avoir ainsi souillé cette maison !
Bientôt on mit l'accouchée en prison ;
Puis il fallut faire enquête du père.
« Comment est-il entré ? comment sorti !
Les murs sont hauts, antique la tourière,
Double la grille, et le tour très petit.
— Serait-ce point quelque garçon en fille ?
Dit la Prieure, et parmi nos brebis
N'aurions-nous point, sous de trompeurs habits,
Un jeune loup ? Sus, qu'on se déshabille ;
Je veux savoir la vérité du cas. »

Qui fut bien pris ? ce fut la feinte ouaille :
Plus son esprit à songer se travaille,
Moins il espère échapper d'un tel pas.
Nécessité, mère de stratagème,
Lui fit... — eh bien ? — lui fit en ce moment
Lier... — eh quoi ? — Foin ! je suis court moi-
                                        [même ;
Où prendre un mot qui dise honnêtement
Ce que lia le père de l'enfant ?
Comment trouver un détour suffisant
Pour cet endroit ? Vous avez ouï dire

Qu'au temps jadis le genre humain avait
Fenêtre au corps, de sorte qu'on pouvait
Dans le dedans tout à son aise lire :
Chose commode aux Médecins d'alors.
Mais si d'avoir une fenêtre au corps
Ètait utile, une au cœur au contraire
Ne l'était pas, dans les femmes surtout ;
Car le moyen qu'on pût venir à bout
De rien cacher ? Notre commune mère,
Dame Nature, y pourvut sagement
Par deux lacets de pareille mesure.
L'homme et la femme eurent également
De quoi fermer une telle ouverture.
La femme fut lacée un peu trop dru :
Ce fut sa faute ; elle-même en fut cause,
N'étant jamais à son gré trop bien close.
L'homme au rebours ; et le bout du tissu
Rendit en lui la Nature perplexe.
Bref, le lacet à l'un et l'autre sexe
Ne put cadrer, et se trouva, dit-on,
Aux femmes court, aux hommes un peu long.

Il est facile à présent qu'on devine
Ce que lia notre jeune imprudent :
C'est ce surplus, ce reste de machine,
Bout de lacet aux hommes excédant.
D'un brin de fil il l'attacha de sorte
Que tout semblait aussi plat qu'aux Nonnains.

Mais, fil ou soie, il n'est bride assez forte
Pour contenir ce que bientôt je crains
Qui ne s'échappe. Amenez-moi des Saints ;
Amenez-moi, si vous voulez, des Anges ;
Je les tiendrai créatures étranges,
Si vingt Nonnains, telles qu'on les vit lors,
Ne font trouver à leur esprit un corps :
J'entends Nonnains ayant tous les trésors
De ces trois sœurs dont la fille de l'onde
Se fait servir ; chiches et fiers appas
Que le soleil ne voit qu'au Nouveau-Monde
Car celui-ci ne les lui montre pas.

La Prieure a sur son nez des lunettes,
Pour ne juger du cas légèrement.
Tout à l'entour sont debout vingt Nonnettes,
En un habit que vraisemblablement
N'avaient pas fait les tailleurs du Couvent.
Figurez-vous la question qu'au Sire
On donna lors : besoin n'est de le dire.
Touffes de lis, proportions du corps,
Secrets appas, embonpoint et peau fine,
Fermes tetons, et semblables ressorts,
Eurent bientôt fait jouer la machine :
Elle échappa, rompit le fil d'un coup,
Comme un coursier qui romprait son licou,
Et sauta droit au nez de la Prieure,
Faisant voler lunettes tout à l'heure

Jusqu'au plancher. Il s'en fallut bien peu
Que l'on ne vît tomber la lunetière.
Elle ne prit cet accident en jeu.

L'on tint Chapitre, et sur cette matière
Fut raisonné longtemps dans le logis.
Le jeune loup fut aux vieilles brebis
Livré d'abord. Elles vous l'empoignèrent,
A certain arbre en leur cour l'attachèrent,
Ayant le nez devers l'arbre tourné,
Le dos à l'air avec toute la suite.
Et cependant que la troupe maudite
Songe comment il sera guerdonné,
Que l'une va prendre dans les cuisines
Tous les balais, et que l'autre s'en court
A l'arsenal où sont les disciplines,
Qu'une troisième enferme à double tour
Les Sœurs qui sont jeunes et pitoyables,
Bref, que le sort, ami du marjolet,
Écarte ainsi toutes les détestables ;
Vient un Meunier monté sur un mulet,
Garçon carré, garçon couru des filles,
Bon compagnon, et beau joueur de quilles.
« Oh ! oh ! dit-il, qu'est-ce là que je voi ?
Le plaisant Saint ! Jeune homme, je te prie,
Qui t'a mis là ? sont-ce ces Sœurs ? dis-moi :
Avec quelqu'une as-tu fait la folie ?
Te plaisait-elle ? était-elle jolie ?

Car, à te voir, tu me portes, ma foi,
(Plus je regarde et mire ta personne,)
Tout le minois d'un vrai croqueur de Nonne. »
L'autre répond : « Hélas ! c'est le rebours ;
Ces Nonnes m'ont en vain prié d'amours :
Voilà mon mal. Dieu me doint patience !
Car de commettre une si grande offense,
J'en fais scrupule, et fût-ce pour le Roi,
Me donnât-on aussi gros d'or que moi ! »
Le Meunier rit, et sans autre mystère
Vous le délie, et lui dit : « Idiot !
Scrupule, toi qui n'es qu'un pauvre hère !
C'est bien à nous qu'il appartient d'en faire ?
Notre Curé ne serait pas si sot.
Vite, fuis-t'en, m'ayant mis en ta place ;
Car aussi bien tu n'es pas, comme moi,
Franc du collier, et bon pour cet emploi :
Je n'y veux point de quartier ni de grâce.
Viennent ces Sœurs ; toutes, je te répond,
Verront beau jeu, si la corde ne rompt. »

L'autre deux fois ne se le fait redire ;
Il vous l'attache, et puis lui dit adieu.
Large d'épaule, on aurait vu le Sire
Attendre nu les Nonnains en ce lieu.
L'escadron vient, porte en guise de cierges
Gaules et fouets, procession de verges,
Qui fit la ronde à l'entour du Meunier,

Sans lui donner le temps de se montrer,
Sans l'avertir. « Tout beau ! dit-il, Mesdames,
Vous vous trompez ; considérez-moi bien :
Je ne suis pas cet ennemi des femmes,
Ce scrupuleux qui ne vaut rien à rien.
Employez-moi, vous verrez des merveilles :
Si je dis faux, coupez-moi les oreilles.
D'un certain jeu je viendrai bien à bout :
Mais quant au fouet, je n'y vaux rien du tout.
— Qu'entend ce rustre, et que nous veut-il dire ?
S'écria lors une de nos sans-dents ;
Quoi ! tu n'es pas notre faiseur d'enfants ?
Tant pis pour toi, tu paieras pour le Sire :
Nous n'avons pas telles armes en main
Pour demeurer en si beau chemin.
Tiens, tiens, voilà l'ébat que l'on désire. »
A ce discours, fouets de rentrer en jeu,
Verges d'aller, et non pas pour un peu ;
Meunier de dire en langue intelligible,
Crainte de n'être assez bien entendu :
« Mesdames, je... ferai tout mon possible
Pour m'acquitter de ce qui vous est dû. »
Plus il leur tient des discours de la sorte,
Plus la fureur de l'antique cohorte
Se fait sentir. Longtemps il s'en souvint.
Pendant qu'on donne au Maître l'anguillade.
Le mulet fait sur l'herbette gambade.
Ce qu'à la fin l'un et l'autre devint,

Je ne le sais, ni ne m'en mets en peine :
Suffit d'avoir sauvé le jouvenceau.
Pendant un temps, les lecteurs, pour douzaine
De ces Nonnains au corps gent et si beau,
N'auraient voulu, je gage, être en sa peau.

LE CUVIER

Soyez amant, vous serez inventif ;
Tour ni détour, ruse ni stratagème,
Ne vous faudront : le plus jeune apprentif
Est vieux routier, dès le moment qu'il aime :
On ne vit onc que cette passion
Demeurât court faute d'invention ;
Amour fait tant qu'enfin il a son compte.
Certain cuvier, dont on fait certain conte,
En fera foi. Voici ce que j'en sais,
Et qu'un quidam me dit ces jours passés.

Dedans un bourg ou ville de province
(N'importe pas du titre ni du nom)

Inv. et fec. par Eisen

Un Tonnelier et sa femme Nanon
Entretenaient un ménage assez mince.
De l'aller voir Amour n'eut à mépris,
Y conduisant un de ses bons amis,
C'est Cocuage ; il fut de la partie :
Dieux familiers et sans cérémonie,
Se trouvant bien dans toute hôtellerie
Tout est pour eux bon gîte et bon logis,
Sans regarder si c'est Louvre ou cabane.
Un drôle donc caressait Madame Anne.
Ils en étaient sur un point, sur un point...
C'est dire assez de ne le dire point ;
Lorsque l'époux revient tout hors d'haleine
Du cabaret, justement, justement...
C'est dire encor cici bien clairement.
On le maudit ; nos gens sont fort en peine.
Tout ce qu'on put fut de cacher l'amant :
On vous le serre en hâte et promptement
Sous un cuvier dans une cour prochaine.

Tout en entrant l'époux dit : « J'ai vendu
Notre cuvier. — Combien ? dit Madame Anne.
— Quinze beaux francs. — Va, tu n'es qu'un
                                    [gros âne,
Repartit-elle ; et je t'ai d'un écu
Fait aujourd'hui profit par mon adresse,
L'ayant vendu six écus avant toi.
Le Marchand voit s'il est de bon aloi,

Et par-dedans le tâte pièce à pièce,
Examinant si tout est comme il faut,
Si quelque endroit n'a point quelque défaut.
Que ferais-tu, malheureux, sans ta femme ?
Monsieur s'en va chopiner, cependant
Qu'on se tourmente ici le corps et l'âme ;
Il faut agir sans cesse en l'attendant.
Je n'ai goûté jusqu'ici nulle joie :
J'en goûterai désormais, attends-t'y.
Voyez un peu, le galant a bon foie ;
Je suis d'avis qu'on laisse à tel mari
Telle moitié. — Doucement, notre épouse,
Dit le bon homme. Or sus, Monsieur, sortez ;
Çà, que je racle un peu de tous côtés
Votre cuvier, et puis que je l'arrouse ;
Par ce moyen vous verrez s'il tient eau :
Je vous réponds qu'il n'est moins bon que beau. »
Le galant sort, l'époux entre en sa place,
Racle partout, la chandelle à main,
Deçà, delà, sans qu'il se doute brin
De ce qu'Amour en dehors vous lui brasse.
Rien n'en put voir ; et pendant qu'il repasse
Sur chaque endroit, affublé du cuveau,
Les Dieux susdits lui viennent de nouveau
Rendre visite, imposant un ouvrage
A nos amants bien différent du sien.
Il regretta, gratta, frotta si bien,
Que notre couple, ayant repris courage,

Reprit aussi le fil de l'entretien
Qu'avait troublé le galant personnage.
Dire comment le tout se put passer,
Ami lecteur, tu dois m'en dispenser :
Suffit que j'ai très bien prouvé ma thèse.
Ce tour fripon du couple augmentait l'aise ;
Nul d'eux n'était à tels jeux apprentif.
Soyez amant, vous serez inventif.

LA CHOSE IMPOSSIBLE

Un Démon, plus noir que malin,
        Fit un charme si souverain
        Pour l'amant de certaine belle,
Qu'à la fin celui-ci posséda sa cruelle.
Le pact de notre amant et de l'esprit follet,
Ce fut que le premier jouirait à souhait
        De sa charmante inexorable.
« Je te la rends dans peu, dit Satan, favorable ;
Mais par tel si qu'au lieu qu'on obéit au Diable
        Quand il a fait ce plaisir-là,

A tes commandements le diable obéira
Sur l'heure même ; et puis sur la même heure,
Ton serviteur lutin, sans plus longue demeure,
Ira te demander autre commandement
    Que tu lui feras promptement
  Toujours ainsi, sans nul retardement :
    Sinon, ni ton corps ni ton âme
    N'appartiendront plus à ta dame ;
Ils seront à Satan, et Satan en fera
    Tout ce que bon lui semblera. »
    Le galant s'accorde à cela.
    Commander était-ce un mystère ?
    Obéir est bien autre affaire.
    Sur ce penser-là, notre amant
S'en va trouver sa belle, en a contentement,
Goûte des voluptés qui n'ont point de pareilles,
Se trouve très heureux, hormis qu'incessamment
    Le diable étgait à ses oreilles.
    Alors l'amant lui commandait
    Tout ce qui lui venait en tête :
De bâtir des palais, d'exciter la tempête :
En moins d'un tour de main cela s'accomplissait.
    Mainte pistole se glissait
    Dans l'escarcelle de notre homme.
    Il envoyait le diable à Rome ;
Le diable revenait tout chargé de pardons.
    Aucuns voyages n'étaient longs,
    Aucune chose malaisée.

L'amant, à force de rêver
Sur les ordres nouveaux qu'il lui fallait trouver,
    Vit bientôt sa cervelle usée.
  Il s'en plaignit à sa divinité,
Lui dit de bout en bout toute la vérité.
« Quoi ! ce n'est que cela ? lui repartit la Dame :
    Je vous aurai bientôt tiré
    Une telle épine de l'âme.
Quand le Diable viendra, vous lui présenterez
    Ce que je tiens, et lui direz :
— Défrise-moi ceci, fais tant par tes journées
Qu'il devienne tout plat. » Lors elle lui donna
    Je ne sais quoi, qu'elle tira
Du verger de Cypris, labyrinthe des Fées,
Ce qu'un Duc autrefois jugea si précieux
Qu'il voulut l'honorer d'une Chevalerie,
    Illustre et noble confrérie,
    Moins pleine d'hommes que de Dieux.
L'amant dit au Démon : « C'est ligne circulaire
Et courbe que ceci ; je t'ordonne d'en faire
    Ligne droite et sans nuls retours.
    Va-t'en y travailler, et cours. »

    L'esprit s'en va, n'a point de cesse
    Qu'il n'ait mis le fil sous la presse,
Tâche de l'aplatir à grands coups de marteau,
    Fait séjourner au fond de l'eau,
Sans que la ligne fût d'un seul point étendue.

De quelque tour qu'il se servît,
Quelque secret qu'il eût, quelque charme qu'il fît,
C'était temps et peine perdue :
Il ne put mettre à la raison
La toison.
Elle se révoltait contre le vent, la pluie,
La neige, le brouillard : plus Satan y touchait,
Moins l'annelure se lâchait.
« Qu'est ceci ? disait-il ; je ne vis de ma vie
Chose de telle étoffe : il n'est point de Lutin
Qui n'y perdît tout son latin. »
Messire Diable, un beau matin,
S'en va trouver son homme, et lui dit : « Je te
[laisse.
Apprends-moi seulement ce que c'est que cela ;
Je te le rends ; tiens, le voilà.
Je suis *victus*, je le confesse.
— Notre ami monsieur le Luiton,
Dit l'homme, vous perdez un peu trop tôt courage ;
Celui-ci n'est pas seul, et plus d'un compagnon
Vous aurait taillé de l'ouvrage. »

LE TABLEAU

On m'engage à conter d'une manière honnête
    Le sujet d'un de ces tableaux
    Sur lesquels on met des rideaux ;
    Il me faut tirer de ma tête
Nombre de traits nouveaux, piquants, et délicats,
    Qui disent et ne disent pas,
    Et qui soient entendus sans notes
    Des Agnès même les plus sottes.
Ce n'est pas coucher gros ; ces extrêmes Agnès
    Sont oiseaux qu'on ne vit jamais.
Toute Matrone sage, à ce que dit Catulle,
Regarde volontiers le gigantesque don
Fait au fruit de Vénus par la main de Junon :
A ce plaisant objet si quelqu'une recule,
    Cette quelqu'une dissimule.
Ce principe posé, pourquoi plus de scrupule,
Pourquoi moins de licence aux oreilles qu'aux
                  [yeux ?
Puisqu'on le veut ainsi, je ferai de mon mieux.
Nuls traits à découvert n'auront ici de place ;
Tout y sera voilé, mais de gaze, et si bien
    Que je crois qu'on n'en perdra rien.
Qui pense finalement et s'exprime avec grâce
    Fait tout passer, car tout passe :

Je l'ai cent fois éprouvé :
    Quand le mot est bien trouve,
Le sexe, en sa faveur, à la chose pardonne :
Ce n'est plus elle alors, c'est elle encor pourtant ;
    Vous ne faites rougir personne,
    Et tout le monde vous entend.
J'ai besoin aujourd'hui de cet art important.
« Pourquoi ? me dira-t-on, puisque sur ces
                                    [merveilles
Le sexe porte l'œil sans toutes ces façons. »
Je réponds à cela : « Chastes sont ses oreilles,
    Encor que les yeux soient fripons. »
Je veux, quoi qu'il en soit, expliquer à des belles
Cette chaise rompue, et ce rustre tombé.
Muses, venez m'aider ; mais vous êtes pucelles,
Au joli jeu d'amour ne sachant A ni B.
Muses, ne bougez donc : seulement par bonté
Dites au Dieu des vers que dans mon entreprise
    Il est bon qu'il me favorise,
    Et de mes mots fasse le choix,
    Ou je dirai quelque sottise
Qui me fera donner le busque sur les doigts.
C'est assez raisonner ; venons à la peinture :
    Elle contient une aventure
    Arrivée aux pays d'Amours.
    Jadis la ville de Cythère
    Avait en l'un de ses faubourgs
        Un Monastère ;

Vénus en fit un Séminaire :
Il était de Nonnains, et je puis dire ainsi
        Qu'il était de galants aussi.
        En ce lieu hantaient d'ordinaire
Gens de cour, gens de ville, et sacrificateurs,
            Et Docteurs,
Et Bacheliers surtout. Un de ce dernier Ordre
Passait dans la maison pour être des amis.
Propre, toujours rasé, bien disant, et beau fils,
Sur son chapeau luisant, sur son rabat bien mis
        La médisance n'eût su mordre.
        Ce qu'il avait de plus charmant,
C'est que deux des Nonnains alternativement
        En tiraient maint et maint service.
L'une n'avait quitté les atours de Novice
Que depuis quelques mois ; l'autre encor les
                                    [portait.
        La moins jeune à peine comptait
        Un an entier par-dessus seize :
        Age propre à soutenir thèse,
        Thèse d'Amour : le Bachelier
        Leur avait rendu familier
        Chaque point de cette science,
        Et le tout par expérience.

Une assignation pleine d'impatience
Fut un jour par les Sœurs donnée à cet amant ;
Et, pour rendre complet le divertissement,

Bacchus avec Cérès, de qui la compagnie
    Met Vénus en train bien souvent,
Devaient être ce coup de la cérémonie,
Propreté toucha seule aux apprêts du régal,
Elle sut s'en tirer avec beaucoup de grâce :
Tout passa par ses mains, et le vin, et la glace,
    Et les carafes de cristal ;
On s'y serait miré. Flore à l'haleine d'ambre
    Sema de fleurs toute la chambre :
Elle en fit un jardin. Sur le linge, ces fleurs
Formaient des lacs d'Amour, et le chiffre des
                          [Sœurs.
    Leurs cloîtrières Excellences
    Aimaient fort ces magnificences :
C'est un plaisir de nonne. Au reste, leur beauté
Aiguisait l'appétit aussi de son côté.
    Mille secrètes circonstances,
    De leurs corps polis et charmants
    Augmentaient l'ardeur des amants,
    Leur taille était presque semblable ;
Blancheur, délicatesse, embonpoint raisonnable,
Fermeté ; tout charmait, tout était fait au tour ;
    En mille endroits nichait l'Amour,
Sous une guimpe, un voile, et sous un scapulaire,
Sous ceci, sous cela, que voit peu l'œil du jour,
Si celui du galant ne l'appelle au mystère.
    A ces Sœurs l'Enfant de Cythère
    Mille fois le jour s'en venait

Les bras ouverts, et les prenait
L'une après l'autre pour sa mère.

Tel ce couple attendait le Bachelier trop lent ;
Et de lui, tout en l'attendant,
Elles disaient du mal, puis du bien ; puis les belles
Imputaient son retardement
A quelques amitiés nouvelles.
« Qui peut le retenir ? disait l'une ; est-ce Amour ?
Est-ce affaire ; est-ce maladie ?
— Qu'il y revienne de sa vie,
Disait l'autre ; il aura son tour. »

Tandis qu'elles cherchaient là-dessous du mystère,
Passe un Mazet portant à la dépositaire
Certain fardeau peu nécessaire :
Ce n'était qu'un prétexte ; et, selon qu'on m'a
[dit,
Cette dépositaire, ayant grand appétit,
Faisait sa portion des talents de ce rustre,
Tenu, dans tels repas, pour un traiteur illustre.
Le coquin, lourd d'ailleurs, et de très court esprit,
A la cellule se méprit :
Il alla chez les attendantes
Frapper avec ses mains pesantes.
On ouvre ; on est surpris. On le maudit d'abord,
Puis on voit que c'est un trésor.
Les Nonnains s'éclatent de rire.

Toutes deux commencent à dire,
Comme si toutes deux s'étaient donné le mot :
        « Servons-nous de ce maître sot ;
        Il vaut bien l'autre ; que t'en semble ? »
La Professe ajouta : « C'est très bien avisé.
Qu'attendions-nous ici ? Qu'il nous fût débité
De beaux discours ? Non, non, ni rien qui leur
                                        [ressemble.
Ce pitaud doit valoir, pour le point souhaité
        Bachelier et Docteur ensemble. »

Elle en jugeait très bien : la taille du garçon,
        Sa simplicité, sa façon,
Et le peu d'intérêt qu'en tout il semblait prendre,
        Faisaient de lui beaucoup attendre.
C'était l'homme d'Esope : il ne songeait à rien,
        Mais il buvait et mangeait bien ;
        Et si Xanthus l'eût laissé faire,
        Il aurait poussé loin l'affaire.
        Ainsi, bientôt apprivoisé,
        Il se trouva tout disposé
        Pour exécuter sans remise
Les ordres des Nonnains, les servant à leur guise
        Dans son office de Mazet,
Dont il lui fut donné par les Sœurs un brevet.
        Ici la peinture commence :
        Nous voilà parvenus au point.
        Dieu des vers, ne me quitte point :

Inv. et sculp. par Freu

J'ai recours à ton assistance.
Dis-moi pourquoi ce rustre assis,
Sans peine de sa part et très fort à son aise,
Laisse loin de tout aux amoreux soucis
De Sœur Claude et de Sœur Thérèse.
N'auraient-ils pas mieux fait de leur donner la
[chaise !

Il me semble déjà que je vois Apollon
Qui me dit : « Tout beau ! ces matières
A fond ne s'examinent guères. »
J'entends ; et l'Amour est un étrange garçon :
J'ai tort d'ériger un fripon
En Maître de cérémonies.
Dès qu'il entre en une maison,
Règles et lois en sont bannies ;
Sa fantaisie est sa raison.
Le voilà qui rompt tout ; c'est assez sa coutume ;
Ses jeux sont violents. A terre on vit bientôt
Le galant cathédral. Ou soit par le défaut
De la chaise un peu faible, ou soit que du pitaud
Le corps ne fût pas fait de plume,
Ou soit que Sœur Thérèse eût chargé d'action
Son discours véhément et plein d'émotion,
On entendit craquer l'amoureuse tribune :
Le rustre tombe à terre en cette occasion.
Ce premier point eut, par fortune,
Malheureuse conclusion.

Censeurs, n'approchez point d'ici votre œil
[profane.
Vous, gens de bien, voyez comme Sœur Claude
[mit
    Un tel incident à profit.
Thérèse en ce malheur perdit la tramontane :
Claude la débusqua, s'emparant du timon.
    Thérèse, pire qu'un démon,
Tâche à la retirer, et se remettre au trône :
    Mais celle-ci n'est pas personne
    A céder un poste si doux.
    Sœur Claude, prenez garde à vous :
    Thérèse en veut venir aux coups ;
Elle a le poing levé. « Qu'elle ait ! » C'est bien
[répondre.
Quiconque est occupé comme vous, ne sent rien ;
Je ne m'étonne pas que vous sachiez confondre
    Un petit mal dans un grand bien.
    Malgré la colère marquée
    Sur le front de la débusquée,
Claude suit son chemin, le rustre aussi le sien :
    Thérèse est mal contente, et gronde.

Les plaisirs de Vénus sont source de débats ;
    Leur fureur n'a point de seconde :
    J'en prends à témoin les combats
    Qu'on vit sur la terre et sur l'onde,
    Lorsque Pâris à Ménélas

Ota la merveille du monde.
Quoique Bellone ait part ici,
J'y vois peu de corps de cuirasse.
Dame Vénus se couvre ainsi
Quand elle entre en champs clos avec le Dieu de
[Thrace.
Cette armure a beaucoup de grâce.
Belles, vous m'entendez ; je n'en dirai pas plus ;
L'habit de guerre de Vénus
Est plein de choses admirables :
Les Cyclopes aux membres nus
Forgent peu de harnais qui lui soient comparables ;
Celui du preux Achille aurait été plus beau,
Si Vulcain eût dessus gravé notre tableau.

Or, ai-je des Nonnains mis en vers l'aventure,
Mais non avec des traits dignes de l'action ;
Et comme celle-ci déchet dans la peinture,
La peinture déchet dans ma description.
Les mots et les couleurs ne sont choses pareilles ;
Ni les yeux ne sont les oreilles.

J'ai laissé longtemps au filet
Sœur Thérèse la détrônée :
Elle eut son tour ; notre Mazet
Partagea si bien sa journée,
Que chacun fut content. L'histoire finit là :

Du festin pas un mot. Je veux croire, et pour
                                             [cause.
        Que l'on but et que l'on mangea ;
        Ce fut l'intermède et la pause.
Enfin tout alla bien, hormis qu'en bonne foi
L'heure du rendez-vous m'embarrasse. Et
                                       [pourquoi ?
Si l'amant ne vint pas, Sœur Claude et Sœur
                                         [Thérèse
Eurent à tout le moins de quoi se consoler :
S'il vint, elle sut cacher le lourdaud et la chaise ;
L'amant trouva bientôt encore à qui parler.

LE BAT

Un peintre était, qui, jaloux de sa femme,
Allant aux champs, lui peignit un baudet
Sur le nombril, en guise de cachet.
Un sien confrère, amoureux de la Dame,
La va trouver, et l'âne efface net,
Dieu sait comment ; puis un autre en remet

Au même endroit, ainsi que l'on peut croire.
A celui-ci, par faute de mémoire,
Il mit un bât ; l'autre n'en avait point.
L'époux revient, veut s'éclaircir du point :
« Voyez, mon fils, dit la bonne commère,
L'âne est témoin de ma fidélité.
— Diantre soit fait, dit l'époux en colère,
Et du témoin, et de qui l'a bâté ! »

LE FAISEUR D'OREILLES
ET LE RACCOMMODEUR DE MOULES

Conte tiré des Cent Nouvelles nouvelles,
et d'un Conte de Boccace

Sire Guillaume, allant en marchandise,
Laissa sa femme enceinte de six mois,
Simple, jeunette, et d'assez bonne guise,
Nommée Alix, du pays champenois.
Compère André l'allait voir quelquefois :
A quel dessein ? Besoin n'est de le dire,

Et Dieu le sait. C'était un maître Sire ;
Il ne tendait guère en vain ses filets ;
Ce n'était pas autrement sa coutume :
Sage eût été l'oiseau qui de ses rets
Se fût sauvé sans laisser quelque plume.
Alix était fort neuve sur ce point ;
Le trop d'esprit ne l'incommodait point,
De ce défaut on n'accusait la belle ;
Elle ignorait les malices d'Amour ;
La pauvre Dame allait tout devant elle
Et n'y savait ni finesse ni tour.
Son mari donc se trouvant en emplette,
Elle au logis, dans sa chambre seulette,
André survient, qui sans long compliment
La considère et lui dit froidement :
« Je m'ébahis comme au bout du royaume
S'en est allé le compère Guillaume
Sans achever l'enfant que vous portez ;
Car je vois bien qu'il lui manque une oreille ;
Votre couleur me le démontre assez,
En ayant vu mainte épreuve pareille.
— Bonté de Dieu ! reprit-elle aussitôt,
Que dites-vous ? quoi ! d'un enfant monaut
J'accoucherais ? N'y savez-vous remède ?
— Si dà, dit-il, je puis donner aide
En ce besoin, et vous jurerai bien
Qu'autre que vous ne m'en ferait tant faire.
Le mal d'autrui ne me tourmente en rien,

Fors excepté ce qui touche au compère ;
Quand à ce point, je m'y ferais mourir.
Or essayons, sans plus en discourir,
Si je suis maître à forger des oreilles.
— Souvenez-vous de les rendre pareilles,
Reprit la femme. — Allez, n'ayez souci,
Répliqua-t-il ; je prends sur moi ceci. »
Puis le galant montre ce qu'il sait faire.
Tant ne fut nice (encor que nice fût)
Madame Alix, que le jeu ne lui plût.
Philosopher ne faut pour cette affaire.
André vaquait de grande affection
A son travail, faisant ore un tendon,
Ore un repli, puis quelque cartilage,
Et n'y plaignant l'étoffe et la façon.
« Demain, dit-il, nous polirons l'ouvrage,
Pus le mettrons en sa perfection,
Tant et si bien qu'en ayez bonne issue.
— Je vous en suis, dit-elle, bien tenue :
Bon fait avoir ici-bas un ami. »
Le lendemain, pareille heure venue,
Compère André ne fut pas endormi :
Il s'en alla chez la pauvre innocente.
« Je viens, dit-il, toute affaire cessante,
Pour achever l'oreille que savez.
— Et moi, dit-elle, allais par un message
Vous avertir de hâter cet ouvrage :
Montons en haut. » Dès qu'ils furent montés,

On poursuivit la chose encommencée.
Tant fut ouvré, qu'Alix dans la pensée
Sur cette affaire un scrupule se mit ;
Et l'innocente au bon Apôtre dit :
« Si cet enfant avait plusieurs oreilles,
Ce ne serait à vous bien besogné.
— Rien, rien, dit-il ; à cela j'ai soigné :
Jamais ne faux en rencontres pareilles. »
Sur le métier l'oreille était encor,
Quand le mari revient de son voyage ;
Caresse Alix, qui du premier abord :
« Vous aviez fait, dit-elle, un bel ouvrage !
Nous en tenions sans le compère André,
Et notre enfant d'une oreille eût manqué,
Souffrir n'ai pu chose tant indécente ;
Sire André donc, toute affaire cessante,
En a fait une : il ne faut oublier
De l'aller voir, et de l'en remercier ;
De tels amis on a toujours affaire. »
Sire Guillaume, au discours qu'elle fit,
Ne comprenant comme il se pouvait faire
Que son épouse eût eu si peu d'esprit,
Par plusieurs fois lui fit faire un récit
De tout le cas ; puis, outré de colère,
Il prit une arme à côté de son lit,
Voulut tuer la pauvre Champenoise,
Qui prétendait ne l'avoir mérité.
Son innocence et sa naïveté

En quelque sorte apaisèrent la noise.
« Hélas ! Monsieur, dit la belle en pleurant,
En quoi vous puis-je avoir fait du dommage ?
Je n'ai donné vos draps ni votre argent,
Le compte y est ; et quant au demeurant,
André me dit, quand il parfit l'enfant,
Qu'en trouveriez plus que pour votre usage :
Vous pouvez voir ; si je mens, tuez-moi ;
Je m'en rapporte à votre bonne foi. »
L'époux, sortant quelque peu de colère,
Lui répondit : « Or bien, n'en parlons plus ;
On vous l'a dit, vous avez cru bien faire ;
J'en suis d'accord : contester là-dessus
Ne produirait que discours superflus.
Je n'ai qu'un mot : faites demain en sorte
Qu'en ce logis j'attrape le galant :
Ne parlez point de notre différend ;
Soyez secrète, ou bien vous êtes morte.
Il vous le faut avoir adroitement,
Me feindre absent, en un second voyage,
Et lui mander, par lettre ou par message,
Que vous avez à lu dire deux mots.
André viendré ; puis de quelque propos
L'amuserez, sans toucher à l'oreille ;
Car elle est faite ; il n'y manque plus rien. »

Notre innocente exécuta très bien
L'ordre donné. Ce ne fut pas merveille ;

La crainte donne aux bêtes de l'esprit.
André venu, l'époux guère ne tarde,
Monte, et fait bruit. Le compagnon regarde
Où se sauver : nul endroit il ne vit
Qu'une ruelle, en laquelle il se mit.
Le mari frappe : Alix ouvre la porte,
Et de la main fait signe incontinent
Qu'en la ruelle est caché le galant.
Sire Guillaume était armé de sorte
Que quatre Andrés n'auraient pu l'étonner.
Il sort pourtant, et va quérir main-forte,
Ne voulant sans doute assassiner,
Mais quelque oreille au pauvre homme couper,
Peut-être pis, ce qu'on coupe en Turquie,
Pays cruel et plein de barbarie.
C'est ce qu'il dit à sa femme tout bas ;
Puis l'emmena, sans qu'elle osât rien dire,
Ferma très bien la porte sur le Sire.

André se crut sorti d'un mauvais pas,
Et que l'époux ne savait nulle chose.
Sire Guillaume, en rêvant à son cas,
Change d'avis, en soi-même propose
De se venger avecque moins de bruit,
Moins de scandale, et beaucoup plus de fruit.
« Alix, dit-il, allez quérir la femme
De Sire André ; contez-lui votre cas
De bout en bout ; courez, n'y manquez pas

Pour l'amener, vous direz à la dame
Que son mari court un péril très grand :
Que je vous ai parlé d'un châtiment
Qui la regarde, et qu'aux faiseurs d'oreilles
On fait souffrir en rencontres pareilles ;
Chose terrible, et dont le seul penser
Vous fait dresser les cheveux à la tête ;
Que son époux est tout près d'y passer ;
Qu'on n'attend qu'elle afin d'être à la fête ;
Que toutefois, comme elle n'en peut mais,
Elle pourra faire changer la peine.
Amenez-la, courez ; je vous promets
D'oublier tout, moyennant qu'elle vienne. »
Madame Alix, bien joyeuse, s'en fut
Chez Sire André, dont la femme accourut
En diligence et quasi hors d'haleine ;
Puis monta seule, et, ne voyant André,
Crut qu'il était quelque part enfermé.
Comme la Dame était en ces alarmes,
Sire Guillaume, ayant quitté ses armes,
La fait asseoir, et puis commence ainsi :
« L'ingratitude est mère de tout vice.
André m'a fait un notable service ;
Par quoi, devant que vous sortiez d'ici,
Je lui rendrai, si je puis, la pareille.
En mon absence, il a fait une oreille
Au fruit d'Alix ; je veux d'un si bon tour
Me revancher et je pense une chose :

Deleguel. Sc.
Inv. et Des. par Eisen

Tous vos enfants ont le nez un peu court ;
Le moule en est assurément la cause :
Or je les sais des mieux raccommoder.
Mon avis donc est que, sans retarder,
Nous pourvoyions de ce pas à l'affaire. »
Disant ces mots, il vous prend la commère,
Et près d'André la jeta sur le lit,
Moitié raisin, moitié figue, en jouit.
La Dame prit le tout en patience ;
Bénit le Ciel de ce que la vengeance
Tombait sur elle, et non sur Sire André,
Tant elle avait pour lui de charité.
Sire Guillaume était de son côté
Si fort ému, tellement irrité,
Qu'à la pauvrette il ne fit nulle grâce
Du talion, rendant à son époux
Fèves pour pois, et pain blanc pour fouace.

Qu'on dit bien vrai : que se venger est doux !
Très sage fut d'en user de la sorte :
Puisqu'il voulait son honneur réparer,
Il ne pouvait mieux que par cette porte
D'un tel affront, à mon sens, se tirer.
André vit tout, et n'osa murmurer ;
Jugea des coups, mais ce fut sans rien dire,
Et loua Dieu que le mal n'était pire.
Pour une oreille il aurait composé ;
Sortir à moins, c'était pour lui merveilles.

Je dis à moins ; car meiux vaut, tout prisé,
Cornes gagner que perdre ses oreilles.

LE FLEUVE SCAMANDRE

Conte.

Me voilà prêt à conter de plus belle ;
Amour le veut, et rit de mon serment :
Hommes et Dieux, tout est sous sa tutelle,
Tout obéit, tout cède à cet Enfant.
J'ai désormais besoin, en le chantant,
De traits moins forts et déguisant la chose ;
Car, après tout, je ne veux être cause
D'aucun abus ; que plutôt mes écrits
Manquent de sel, et ne soient d'aucun prix !
Si, dans oes vers, j'introduis et je chante
Certain trompeur et certaine innocente,
C'est dans la vue et dans l'intention
Qu'on se méfie en telle occasion.
J'ouvre l'esprit et rends le sexe habile

A se garder de ces pièges divers.
Sotte ignorance en fait trébucher mille,
Comtre une seule à qui nuiraient mes vers.
J'ai lu qu'un Orateur, estimé dans la Grèce,
Des beaux-arts autrefois souveraine maîtresse,
Banni de son pays, voulut voir le séjour
Où subsistaient encor les ruines de Troie ;
Cimon, son camarade, eut sa part de la joie.
Du débris d'Ilion s'était construit un bourg
Noble par ses malheurs ; là, Priam et sa Cour
N'étaient plus que des noms dont le temps fait sa
                                              [proie.
Ilion, ton nom seul a des charmes pour moi ;
Lieu fécond en sujets propres à notre emploi,
Ne verrai-je jamais rien de toi, ni la place
De ces murs élevés et détruits par les Dieux,
Ni ces champs où couraient la Fureur et l'Audace,
Ni des temps fabuleux enfin la moindre trace
Qui pût me présenter l'image de ces lieux ?

Pour revenir au fait, et ne point trop m'étendre,
        Cimon le héros de ces vers
        Se promenait près du Scamandre.
Une jeune ingénue en ce lieu se vient rendre,
Et goûter la fraîcheur sur ces bords toujours verts.
Son voile au gré des vents va flottant dans les
                                              [airs ;
Sa parure est sans art ; elle a l'air de bergère.

Une beauté naïve, une taille légère.
Cimon en est surpris, et croit que sur ces bords
Vénus vient étaler ses plus rares trésors.
Un antre était auprès : l'innocente pucelle
Sans soupçon y descend aussi simple que belle.
Le chaud, la solitude et quelque Dieu malin,
L'invitèrent d'abord à prendre un demi-bain.
Notre banni se cache ; il contemple, il admire ;
    Il ne sait quels charmes élire ;
Il dévore des yeux et du cœur cent beautés.
Comme on était rempli de ces Divinités
    Que la Fable a dans son empire,
Il songe à profiter de l'erreur de ces temps ;
Prend l'air d'un Dieu des eaux, mouille ses
                    [vêtements,
Se couronne de joncs et d'herbe dégouttante,
Puis invoque Mercure et le Dieu des amants :
Contre tant de trompeurs qu'eût fait une
                    [innocente ?
La belle enfin découvre un pied dont la blancheur
    Aurait fait honte à Galatée ;
    Puis le plonge en l'onde argentée,
Et regarde ses lis, non sans quelque pudeur.
Pendant qu'à cet objet sa vue est arrêtée,
Cimon approche d'elle ; elle court se cacher
    Dans le plus profond du rocher.

« Je suis, dit-il, le Dieu qui commande à cette
                           [onde :
Soyez-en la Déesse, et régnez avec moi
Peu de Fleuves pourraient, dans leur grotte
                           [profonde,
Partager avec vous un aussi digne emploi.
Mon cristal est très pur ; mon cœur l'est
                           [davantage :
Je couvrirai pour vous de fleurs tout ce rivage
Trop heureux si vos pas le daignent honorer,
Et qu'au fond de mes eaux vous daigniez vous
                           [mirer !
   Je rendrai toutes vos compagnes
   Nymphes aussi, soit aux montagnes,
Soit aux eaux, soit aux bois ; car j'étends mon
                           [pouvoir
Sur tout ce que votre œil à la ronde peut voir. »

L'éloquence du Dieu, la peur de lui déplaire,
Malgré quelque pudeur qui gâtait le mystère,
   Conclurent tout en peu de temps.
La superstition cause mille accidents.
On dit même qu'Amour intervint à l'affaire.
Tout fier de ce succès, le banni dit adieu.
   « Revenez, dit-il, en ce lieu ;
   Vous garderez que l'on ne sache
   Un hymen qu'il faut que je cache :
Nous le déclarerons quand j'en aurai parlé

Au conseil qui sera dans l'Olympe assemblé. »

La nouvelle Déesse, à ces mots, se retire,
Contente, Amour le sait. Un mois se passe, et
                                    [deux,
Sans que pas un bourg s'aperçût de leurs jeux.
O mortels ! est-il dit qu'à force d'être heureux
Vous ne le soyez plus ? Le banni, sans rien dire,
Ne va plus visiter cet antre si souvent.
        Une noce enfin arrivant,
Tous, pour la voir passer, sous l'orme se vont
                                    [rendre.
La belle aperçoit l'homme, et crie en ce moment :
    « Ah ! voilà le fleuve Scamandre ! »
On s'étonne, on la presse ; elle dit bonnement
Que son hymen se va conclure au firmament.
On en rit ; car, que faire ? Aucuns, à coups de
                                    [pierre
Poursuivirent le Dieu, qui s'enfuit à grand'erre ;
D'autres rirent, sans plus. Je crois qu'en ce
                                    [temps-ci
L'on ferait au Scamandre un très méchant parti.
        En ces temps-là, semblables crimes
S'excusaient aisément : tous temps, toutes
                                    [maximes.
L'épouse du Scamandre en fut quitte à la fin
        Pour quelques traits de raillerie :
Même un de ces amants l'en trouva plus jolie,

C'est un goût : il s'offrit à lui donner la main.
Les dieux ne gâtent rien : puis, quand ils seraient
                                                    [cause
Qu'une fille en valût un peu moins, dotez-la,
        Vous trouverez qui la prendra :
        L'argent répare toute chose.

———————

LA CONFIDENTE SANS LE SAVOIR

OU

LE STRATAGÈME

Je ne connais Rhéteur ni maître ès-Arts
Tel que l'Amour ; il excelle en bien dire :
Ses arguments, ce sont de doux regards,
De tendres pleurs, un gracieux sourire.
La guerre aussi s'exerce en son empire :
Tantôt, couvrant sa marche et ses finesses,
Il prend des cœurs entourés de remparts.
Je le soutiens : posez deux forteresses ;

Qu'il en batte une, une autre le Dieu Mars :
Que celui-ci fasse agir tout un monde,
Qu'il soit armé, qu'il ne lui manque rien ;
Devant son fort je veux qu'il se morfonde.
Amour tout nu fera rendre le sien :
C'est l'inventeur des tours et stratagèmes.

J'en vais dire un de mes plus favoris :
J'en ai bien lu, j'en vois pratiquer mêmes,
Et d'assez bons qui ne sont rien au prix.
La jeune Aminte, à Géronte donnée,
Méritait mieux qu'un si triste hyménée :
Elle avait pris en cet homme un époux
Mal gracieux, incommode et jaloux.
Il était vieux ; elle, à peine en cet âge
Où, quand un cœur n'a point encore aimé,
D'un doux objet il est bientôt charmé.
Celui d'Aminte ayant sur son passage
Trouvé Cléon, beau, bien fait, jeune et sage,
Il s'acquitta de ce premier tribut,
Trop bien peut-être, et mieux qu'il ne fallût :
Non toutefois que la belle n'oppose
Devoir et tout à ce doux sentiment ;
Mais lorsqu'Amour prend le fatal moment,
Devoir, et tout, et rien, c'est même chose.
Le but d'Aminte en cette passion
Etait, sans plus, la consolation
D'un entretien sans crime, où la pauvrette

Versât ses soins en une âme discrète.
Je croirais bien qu'ainsi on le prétend ;
Mais l'appétit vient toujours en mangeant :
Le plus sûr est ne se point mettre à table.
Aminte croit rendre Cléon traitable :
Pauvre ignorante ! elle songe au moyen
De l'engager à ce simple entretien,
De lui laisser entrevoir quelque estime,
Quelque amitié, quelque chose de plus,
Sans y mêler rien que de légitime :
Plutôt la mort empêchât tel abus !
Le point était d'entamer cette affaire.
Les lettres sont un étrange mystère ;
Il en provient maint et maint accident ;
Le meilleur est quelque sûr confident.
Où le trouver ? Géronte est homme à craindre.
J'ai dit tantôt qu'Amour savait atteindre
A ses desseins d'une ou d'autre façon ;
Ceci me sert de preuve et de leçon.

Cléon avait une vieille parente,
Sévère et prude, et qui s'attribuait
Autorité sur lui de gouvernante.
Madame Alix (ainsi l'on l'appelait),
Par un beau jour eut de la jeune Aminte
Ce compliment, ou plutôt cette plainte :
« Je ne sais pas pourquoi votre parent,
Qui m'est et fut toujours indifférent,

Et le sera tout le temps de ma vie,
A de m'aimer conçu la fantaisie.
Sous ma fenêtre il passe incessamment
Je ne l'aie aussitôt à mes trousses ;
Lettres, billets, pleins de paroles douces,
Me sont donnés par une dont le nom
Vous est connu : je le tais, pour raison.
Faites cesser, pour Dieu ! cette poursuite,
Elle n'aura qu'une mauvaise suite :
Mon mari peut prendre feu là-dessus.
Quant à Cléon, ses pas sont superflus :
Dites-le-lui de ma part, je vous prie. »
Madame Alix la loue et lui promet
De voir Cléon, de lui parler si net
Que de l'aimer il n'aura plus d'envie.

Cléon va voir Alix le lendemain :
Elle lui parle, et le pauvre homme nie
Avec serment qu'il eût un tel dessein.
Madame Alix l'appelle enfant du Diable.
« Tout vilain cas, dit-elle, est reniable ;
Ces serments vains et peu dignes de foi
Mériteraient qu'on vous fît votre sauce.
Laissons cela : la chose est vraie ou fausse ;
Mais fausse ou vraie, il faut, et croyez-moi,
Vous mettre bien dans la tête qu'Aminte
Est femme sage, honnête et hors d'atteinte :
Renoncez-y. — Je le puis aisément, »

Reprit Cléon. Puis, au même moment,
Il va chez lui songer à cette affaire :
Rien ne lui peut débrouiller le mystère.

Trois jours n'étaient passés entièrement,
Que revoici chez Alix notre belle :
« Vous n'avez pas, Madame, lui dit-elle,
Encore vu, je pense, notre amant ;
De plus en plus sa poursuite s'augmente. »
Madame Alix s'emporte, se tourmente :
Quel malheureux ! Puis, l'autre la quittant,
Elle le mande. Il vient tout à l'instant.
Dire en quels mots Alix fit sa harangue,
Il me faudrait une langue de fer ;
Et, quand de fer j'aurais même la langue,
Je n'y pourrais parvenir : tout l'Enfer
Fut employé dans cette réprimande.
Allez, Satan ; allez, vrai Lucifer,
Maudit de Dieu. » La fureur fut si grande,
Que le pauvre homme, étourdi dès l'abord,
Ne sut que dire. Avouer qu'il eût tort,
C'était trahir par trop sa conscience.
Il s'en retourne, il rumine, il repense,
Il rêve tant, qu'enfin il dit en soi :
« Si c'était là quelque ruse d'Aminte !
Je trouve, hélas ! mon devoir dans sa plainte,
Elle me dit : « O Cléon ! aime-moi,
Aime-moi donc, » en disant que je l'aime.

Je l'aime aussi, tant pour son stratagème
Que pour ses traits. J'avoue en bonne foi
Que mon esprit d'abord n'y voyait goutte ;
Mais à présent je ne fais aucun doute :
Aminte veut mon cœur assurément.
Ah ! si j'osais, dès ce même moment,
Je l'irais voir, et, plein de confiance,
Je lui dirais quelle est la violence,
Quel est le feu dont je me sens épris.
Pourquoi n'oser ? offense pour offense,
L'amour vaut mieux encore que le mépris.
Mais si l'époux m'attrapait au logis !...
Laissons-la faire, et laissons-nous conduire. »
Trois autres jours n'étaient passés encor,
Qu'Aminte va chez Alix, pour instruire
Son cher Cléon du bonheur de son sort.
« Il faut, dit-elle, enfin que je déserte ;
Votre parent a résolu ma perte ;
Il me prétend avoir par des présents :
Moi, des présents ! c'est bien choisir sa femme.
Tenez, voilà rubis et diamants ;
Voilà bien pis ; c'est mon portrait, Madame :
Assurément, de mémoire on l'a fait,
Car mon époux a tout seul mon portrait.
A mon lever, cette personne honnête
Que vous savez, et dont je tais le nom,
S'en est venue, et m'a laissé ce don.
Votre parente mérite qu'à la tête

On le lui jette, et, s'il était ici...
Je ne me sens presque pas de colère.
Oyez le reste : il m'a fait dire aussi
Qu'il sait fort bien qu'aujourd'hui pour affaire
Mon mari couche à sa maison des champs ;
Qu'incontinent qu'il croira que mes gens
Seront couchés et dans leur premier somme,
Il se rendra devers mon cabinet
Qu'espère-t-il ? pour qui me prend cet homme ?
Un rendez-vous ! est-il fol, en effet ?
Sans que je crains de commettre Géronte,
Je poserais tantôt un si bon guet,
Qu'il serait pris ainsi qu'au trébuchet,
Ou s'enfuirait avec sa courte honte. »
Ces mots finis, Madame Aminte sort.
Une heure après, Cléon vint ; et d'abord
On lui jeta les joyaux et la boëte :
On l'aurait pris à la gorge au besoin.
« Eh bien ! cela vous semble-t-il honnête ?
Mais ce n'est rien, vous allez bien plus loin ! »
Alix dit lors, mot pour mot, ce qu'Aminte
Venait de dire en sa dernière plainte.
Cléon se tint pour dûment averti.
« J'aimais, dit-il, il est vrai, cette belle ;
Mais, puisqu'il faut ne rien espérer d'elle,
Je me retire, et prendrai ce parti.
— Vous ferez bien : c'est celui qu'il faut prendre, »
Lui dit Alix. Il ne le prit pourtant.

Trop bien, Minuit à grand'peine sonnant,
Le compagnon sans faute va se rendre
Devers l'endroit qu'Aminte avait marqué.
Le rendez-vous était bien expliqué ;
Ne doutez pas qu'il n'y fût sans escorte.
La jeune Aminte attendait à la porte :
Un profond somme occupait tous les yeux ;
Même ceux-là qui brillent dans les Cieux
Étaient voilés par une épaisse nue.
Comme on avait toute chose prévue,
Il entre vite, et sans autre discours
Ils vont... ils vont au cabinet d'amours.
Là, le galant dès l'abord se récrie,
Comme la dame était jeune et jolie,
Sur sa beauté ; la bonté vint après ;
Et celle-ci suivit l'autre de près.
« Mais, dites-moi de grâce, je vous prie,
Qui vous a fait aviser de ce tour ?
Car jamais tel ne se fit en amour :
Sur les plus fins je prétends qu'il excelle,
Et vous devez vous-même l'avouer. »
Elle rougit, et n'en fut que plus belle.
Sur son esprit, sur ses traits, sur son zèle,
Il la loua. Ne fit-il que louer ?

LE REMÈDE

Si l'on se plaît à l'image du vrai,
Combien doit-on rechercher le vrai même !
J'en fais souvent dans mes Contes l'essai,
Et vois toujours que sa force est extrême,
Et qu'il attire à soi tous les esprits.
Non qu'il ne faille en de pareils écrits
Feindre les noms ; le reste de l'affaire
Se peut conter sans en rien déguiser :
Mais, quant aux noms, il faut au moins les taire :
Et c'est ainsi que je vais en user.

Près du Mans donc, pays de sapience,
Gens pesant l'air, fine fleur de Normand,
Une pucelle eut naguère un amant
Frais, délicat, et beau par excellence,
Jeune surtout ; à peine son menton
S'était vêtu de son premier coton.
La fille était un parti d'importance ;
Charmes et dot, aucun point n'y manquait ;
Tant et si bien, que chacun s'appliquait
A la gagner : tout le Mans y courait.
Ce fut en vain ; car le cœur de la fille
Inclinait trop pour notre jouvenceau ;
Les seuls parents, par un esprit manceau,

La destinaient pour une autre famille.
Elle fit tant autour d'eux que l'amant,
Bon gré, mal gré, je ne sais pas comment,
Eut à la fin accès chez sa maîtresse.
Leur indulgence, ou plutôt son adresse,
Peut-être aussi son sang et sa noblesse,
Les fit changer : que sais-je quoi ? tout duit
Aux gens heureux ; car aux autres tout nuit.
L'amant le fut : les parents de la belle
Surent priser son mérite et son zèle.
C'était là tout. Eh ! que faut-il encor ?
Force comptant ; les biens du siècle d'or
Ne sont plus biens, ce n'est qu'une ombre vaine.
O temps heureux ! je prévois qu'avec peine
Tu reviendras dans le pays du Maine !
Ton innocence eût secondé l'ardeur
De notre amant, et hâté cette affaire ;
Mais des parents l'ordinaire lenteur
Fit que la belle, ayant fait dans son cœur
Cet hyménée, acheva le mystère
Selon les us de l'île de Cythère.
Nos vieux romans, en leur style plaisant,
Nomment cela « *paroles de présent* » ;
Nous y voyons pratiquer cet usage,
Demi-amour et demi-mariage,
Table d'attente, avant-goût de l'hymen.
Amour n'y fit un trop long examen ;
Prêtre et parents tout ensemble, et Notaire,

En peu de jours il consomma l'affaire :
L'esprit manceau n'eut point à part à ce fait.
Voilà notre homme heureux et satisfait,
Passant les nuits avec son épousée.
Dire comment, ce serait chose aisée ;
Les doubles clefs, les brèches à l'enclos,
Les menus dons qu'on fit à la soubrette,
Rendaient l'époux jouissant en repos
D'une faveur douce autant que secrète.

Avint pourtant que notre belle, un soir,
En se plaignent dit à sa Gouvernante,
Qui du secret n'était participante :
« Je me sens mal ; n'y saurait-on pourvoir ? »
L'autre reprit : « Il vous faut un remède ;
Demain matin nous en dirons deux mots. »
Minuit venu, l'époux mal à propos,
Tout plein encor du feu qui le possède,
Vient de sa part chercher soulagement ;
Car chacun sent ici-bas son tourment.
On ne l'avait averti de la chose.
Il n'était pas sur les bords du sommeil
Qui suit souvent l'amoureux appareil,
Qu'incontinent l'Aurore aux doigts de rose
Ayant ouvert les portes d'Orient,
La Gouvernante ouvrit tout en riant,
Remède en main, les portes de la chambre :
Par grand bonheur il s'en rencontra deux ;

Car la saison approchait de septembre,
Mois où le chaud et le froid sont douteux.
La fille alors ne fut pas assez fine ;
Elle n'avait qu'à se tenir bonne mine
Et faire entrer l'amant au fond des draps,
Chose facile autant que naturelle.
L'émotion lui tourna la cervelle ;
Elle se cache elle-même, et tout bas
Dit en deux mots quel est son embarras.
L'amant fut sage ; il présenta pour elle
Ce que Brunel à Marphise montra.
La Gouvernante, ayant mis ses lunettes,
Sur le galant son adresse éprouva ;
Du bain interne elle le régala,
Puis dit adieu, puis après s'en alla.
Dieu la conduise, et toutes celles-là
Qui vont nuisant aux amitiés secrètes !

Si tout ceci passait pour des sornettes,
(Comme il se peut, je n'en voudrais jurer),
On chercherait de quoi me censurer.
Les critiqueurs sont un peuple sévère ;
Ils me diront : « Votre belle en sortit
En fille sotte et n'ayant point d'esprit ;
Vous lui donnez un autre caractère ;
Cela nous rend suspecte cette affaire :
Nous avons lieu d'en douter ; auquel cas
Votre prologue ici ne convient pas. »

Je répondrai... Mais que sert de répondre ?
C'est un procès qui n'aurait point de fin :
Par cent raisons j'aurais beau les confondre,
Cicéron même y perdrait son latin.
Il me suffit de n'avoir en l'ouvrage
Rien avancé qu'après des gens de foi :
J'ai mes garants : que veut-on davantage ?
Chacun ne peut en dire autant que moi.

LES AVEUX INDISCRETS

Paris, sans pair, n'avait en son enceinte
Rien dont les yeux semblassent si ravis
Que de la belle, aimable et jeune Aminte,
Fille à pourvoir, et des meilleurs partis.
Sa mère encor la tenait sous son aile ;
Son père avait du comptant et du bien ;
Faites état qu'il ne lui manquait rien.
Le beau Damon s'étant piqué pour elle,
Elle reçut les offres de son cœur :
Il fit si bien l'esclave de la belle,

Qu'il en devint le maître et le vainqueur,
Bien entendu, sous le nom d'hyménée ;
Pas ne voudrait qu'on le crût autrement.
L'an révolu, ce couple si charmant,
Toujours d'accord, de plus en plus s'aimant,
(Vous eussiez dit la première journée),
Se promettait la vigne de l'Abbé,
Lorsque Damon, sur ce propos tombé,
Dit à sa femme : « Un point trouble mon âme ;
Je suis épris d'une si douce flamme,
Que je voudrais n'avoir aimé que vous,
Que mon cœur n'eût ressenti que vos coups,
Qu'il n'eût logé que votre seule image,
Digne, il est vrai, de son premier hommage.
J'ai cependant éprouvé d'autres feux :
J'en dis ma coulpe, et j'en suis tout honteux.
Il m'en souvient ; la Nymphe était gentille,
Au fond d'un bois, l'Amour seul avec nous ;
Il fit si bien (si mal, me direz-vous),
Que de ce fait il me reste une fille.
— Voilà mon sort, dit Aminte à Damon :
J'étais un jour seulette à la maison ;
Il me vint voir certain fils de famille,
Bien fait et beau, d'agréable façon :
J'en eux pitié ; mon naturel est bon ;
Et pour conter tout de fil en aiguille ;
Il m'est resté de ce fait un garçon. »
Elle eut à peine achevé la parole,

Que du mari l'âme jalouse et folle
Au désespoir s'abandonne aussitôt ;
Il sort plein d'ire, il descend tout d'un saut,
Rencontre un bât, se le met et puis crie :
« Je suis bâté ! » Chacun, au bruit, accourt,
Les père et mère, et toute la mesgnie ;
Jusqu'aux voisins. Il dit, pour faire court,
Le beau sujet d'une telle folie.
Il ne faut pas que le lecteur oublie
Que les parents d'Aminte, bons bourgeois,
Et qui n'avaient que cette fille unique,
La nourrissaient, et tout son domestique,
Et son époux, sans que, hors cette fois,
Rien eût troublé la paix de leur famille.
La mère donc s'en va trouver sa fille ;
Le père suit, laisse sa femme entrer,
Dans le dessein seulement d'écouter.
La porte était entr'ouverte ; il s'approche ;
Bref, il entend la noise et le reproche
Que fit sa femme à leur fille en ces mots :
« Vous avez tort : j'ai vu beaucoup de sots,
Et plus encor de sottes, en ma vie ;
Mais qu'on pût voir telle indiscrétion,
Qui l'aurait cru ? Car enfin, je vous prie,
Qui vous forçait ? quelle obligation
De révéler une chose semblable ?
Plus d'une fille a forligné : le Diable
Est bien subtil ; bien malins sont les gens :

Non pour cela que l'on soit excusable ;
Il nous faudrait toutes dans les Couvents
Claquemurer jusqu'à notre hyménée.
Moi qui vous parle ai même destinée ;
J'en garde au cœur un sensible regret :
J'eus trois enfants avant mon mariage.
A votre père ai-je dit ce secret ?
En avons-nous fait plus mauvais ménage ? »
Ce discours fut à peine proféré,
Que l'écoutant s'en court, et, tout outré,
Trouve du bât la sangle, et se l'attache,
Puis va criant partout : « Je suis sanglé ! »
Chacun en rit, encor que chacun sache
Qu'il a de quoi faire rire à son tour.
Les deux maris vont dans maint carrefour
Criant, courant, chacun à sa manière :
« Bâté » le gendre, et « sanglé » le beau-père !

On doutera de ce dernier point-ci ;
Mais il ne faut telle chose mécroire.
Et, par exemple, écoutez bien ceci :
Quand Roland sut les plaisirs et la gloire
Que dans la grotte avait eus son rival,
D'un coup de poing il tua son cheval.
Pouvait-il pas, traînant la pauvre bête,
Mettre de plus la selle sur son dos ;
Puis s'en aller, tout du haut de sa tête,
Faire crier et redire aux échos :

« Je suis bâté, sanglé ! » car il n'importe,
Tous deux sont bons. Vous voyez de la sorte
Que ceci peut contenir vérité.
Ce n'est assez : cela ne doit suffire,
Il faut aussi montrer l'utilité
De ce récit ; je m'en vais vous la dire.
L'heureux Damon me semble un pauvre Sire ;
Sa confiance eut bientôt tout gâté.
Pour la sottise et la simplicité
De sa moitié, quant à moi, je l'admire.
Se confesser à son propre mari,
Quelle folie ! Imprudence est un terme
Faible à mon sens pour exprimer ceci.
Mon discours donc en deux points se renferme :
Le nœud d'hymen doit être respecté,
Veut de la foi, veut de l'honnêteté ;
Si par malheur quelque atteinte un peu forte
Le fait clocher d'un ou d'autre côté,
Comportez-vous de manière et de sorte
Que ce secret ne soit point éventé :
Gardez de faire aux égards banqueroute :
Mentir alors est digne de pardon.
Je donne ici de beaux conseils, sans doute ;
Les ai-je pris pour moi-même ? hélas ! non.

LES QUIPROQUO

Dame Fortune aime souvent à rire,
Et, nous jouant un tour de son métier,
Au lieu des biens où notre cœur aspire,
D'un quiproquo se plaît à nous payer.
Ce sont ses jeux : j'en parle à juste cause ;
Il m'en souvient ainsi qu'au premier jour.

Chloris et moi, nous nous aimions d'amour :
Au bout d'un an, la belle se dispose
A me donner quelque soulagement,
Faible et léger, à parler franchement ;
C'était son but : mais, quoi qu'on se propose,
L'occasion et le discret amant
Sont à la fin les maîtres de la chose.
Je vais un soir chez cet objet charmant :
L'époux était aux champs heureusement ;
Mais il revint, la nuit à peine close.
Point de Chloris. Le dédommagement
Fut que le Sort en sa place suppose
Une soubrette, à mon commandement :
Elle paya cette fois pour la Dame.

Disons un troc où réciproquement
Pour la soubrette on employa la femme.

De pareils traits tous les livres sont pleins :
Bien est-il vrai qu'il faut d'habiles mains
Pour amener chose ainsi surprenante :
Il est besoin d'en bien fonder le cas,
Sans rien forcer et sans qu'on violente
Un incident qui ne s'attendait pas.
L'aveugle Enfant, joueur de passe-passe,
Et qui voit clair à tendre maint panneau,
Fait de ces tours : celui-là du Berceau
Lève la paille à l'égard de Boccace.
Car, quant à moi, ma main pleine d'audace
En mille endroits a peut-être gâté
Ce que la sienne a bien exécuté.
Or, il est temps de finir ma préface,
Et de prouver par quelque nouveau tour
Les quiproquos de Fortune et d'Amour.

On ne peut mieux établir cette chose
Que par un fait à Marseille arrivé :
Tout en est vrai, rien n'en est controuvé.
Là Clidamant, que par respect je n'ose
Sous son nom propre introduire en ces vers,
Vivait heureux, se pouvait dire en femme
Mieux que pas un qui fût en l'univers.
L'honnêteté, la vertu de la Dame,
Sa gentillesse, et même sa beauté,
Devaient tenir Clidamant arrêté.
Il ne le fut Le Diable est bien habile,

Si c'est adresse et tour d'habileté
Que de nous tendre un piège aussi facile
Qu'est le désir d'un peu de nouveauté.
Près de la dame était une personne,
Une suivante, ainsi qu'elle mignonne,
De même taille et de pareil maintien,
Gente de corps ; il ne lui manquait rien
De ce qui plaît aux chercheurs d'aventures.
La Dame avait un peu plus d'agrément ;
Mais sous le masque on n'eût su bonnement
Laquelle élire entre ces créatures.
Le Marseillais, Provençal un peu chaud,
Ne manque pas d'attaquer au plus tôt
Madame Alix ; c'était cette soubrette.
Madame Alix, encor qu'un peu coquette,
Renvoyait l'homme. Enfin il lui promet
Cent beaux écus bien comptés, clair et net.
Payer ainsi les marques de tendresse
D'une suivante, était, vu le pays,
Selon mon sens, un fort honnête prix.
Sur ce pied-là, qu'eût coûté la Maîtresse ?
Peut-être moins ; car le hasard y fait.
Mais je me trompe, et la Dame était telle,
Que tout amant, et tant fût-il parfait,
Aurait perdu son latin auprès d'elle :
Ni dons, ni soins, rien n'aurait réussi.
Devrais-je y faire entrer les dons aussi ?
Las ! ce n'est plus le siècle de nos pères ;

Amour vend tout, et Nymphes et Bergères,
Il met le taux à maint objet charmant :
C'était un Dieu ; ce n'est plus qu'un marchand.
O temps ! ô mœurs ! ô coutume perverse !

Alix d'abord rejette un tel commerce ;
Fait l'irritée ; et puis s'apaise enfin,
Change de ton ; dit que le lendemain,
Comme Madame avait dessein de prendre
Certain remède, ils pourraient le matin
Tout à loisir dans la cave se rendre.
Ainsi fut dit, ainsi fut arrêté ;
Et la soubrette ayant le tout conté
A sa Maîtresse, aussitôt les femelles
D'un quiproquo font le projet entre elles.
Le pauvre époux n'y reconnaîtrait rien,
Tant la Suivante avait l'air de la Dame ;
Puis, supposé qu'il reconnût la femme,
Qu'en pouvait-il arriver que tout bien ?
Elle aurait lieu de lui chanter sa gamme.
Le lendemain, par hasard, Clidamant,
Qui ne pouvait se contenir de joie,
Trouve un ami, lui dit étourdiment
Le bien qu'Amour à ses désirs envoie.
Quelle faveur ! Non qu'il n'eût bien voulu
Que le marché pour moins se fût conclu ;
Les cent écus lui faisaient quelque peine.
L'ami lui dit : « Eh bien ! soyons chacun

Et du plaisir et des frais en commun. »
L'époux n'ayant alors sa bourse pleine,
Cinquante écus à sauver étaient bons :
D'autre côté, communiquer la belle,
Quelle apparence ? y consentirait-elle ?
S'aller ainsi livrer à deux Gascons !
Se tairaient-ils d'une telle fortune ?
Et devait-on la leur rendre commune ?
L'ami leva cette difficulté,
Représentant que, dans l'obscurité
Alix serait fort aisément trompée.
Une plus fine y serait attrapée :
Il suffirait que tous deux, tour à tour,
Sans dire mot, ils entrassent en lice,
Se remettant du surplus à l'Amour,
Qui volontiers aiderait l'artifice.
Un tel silence en rien ne leur nuirait ;
Madame Alix, sans manquer, le prendrait
Pour un effet de crainte et de prudence :
Les murs ayant des oreilles, dit-on,
Le mieux était de se taire ; à quoi bon
D'un tel secret leur faire confidence ?
Les deux galants, ayant de la façon
Réglé la chose, et disposés à prendre
Tout le plaisir qu'Amour leur promettait,
Chez le mari d'abord ils se vont rendre.
Là, dans le lit, l'épouse encore était.
L'époux trouva près d'elle la soubrette,

Sans nuls atours qu'une simple cornette,
Bref, en état de ne lui point manquer.
Même un clin d'œil qu'il put bien remarquer
L'en assura. Les amis disputèrent
Touchant le pas, et longtemps contestèrent.
L'époux ne fit l'honneur de la maison,
Tel compliment n'étant là de saison.
A trois beaux dés, pour le mieux ils réglèrent
Le précurseur, ainsi que de raison.
Ce fut l'ami. L'un et l'autre s'enferme
Dans cette cave, attendant de pied ferme
Madame Alix, qui ne vient nullement :
Trop bien la Dame, en son lieu, s'en vint faire
Tout doucement le signal nécessaire.
On ouvre, on entre ; et sans retardement,
Sans lui donner le temps de reconnaître
Ceci, cela, l'erreur, le changement,
La différence enfin qui pouvait être
Entre l'époux et son associé,
Avant qu'il pût aucun change paraître,
Au dieu d'Amour il fut sacrifié.
L'heureux ami n'eut pas toute la joie
Qu'il aurait eue en connaissant sa proie.
La Dame avait un peu plus de beauté,
Outre qu'il faut compter la qualité.
A peine fut cette scène achevée,
Que l'autre acteur, par sa prompte arrivée,
Jette la Dame en quelque étonnement ;

Car, comme époux, comme Clidamant même,
Il ne montrait toujours si fréquemment
De cette ardeur l'emportement extrême.
On imputa cet excès de fureur
A la Soubrette, et la Dame en son cœur
Se proposa d'en dire sa pensée.
La fête étant de la sorte passée,
Du noir séjour ils n'eurent qu'à sortir.
L'associé des frais et du plaisir
S'en court en haut en certain vestibule :
Mais quand l'époux vit sa femme monter,
Et qu'elle eut vu l'ami se présenter,
On peut juger quel soupçon, quel scrupule,
Quelle surprise, eurent les pauvres gens ;
Ni l'un ni l'autre, ils n'avaient eu le temps
De composer leur mine et leur visage.
L'époux vit bien qu'il fallait être sage ;
Mais sa moitié pensa tout découvrir.
J'en suis surpris ; la plus sotte à mentir
Est très habile, et sait cette science :

Aucuns ont dit qu'Alix fit conscience
De n'avoir pas mieux gagné son argent,
Plaignant l'époux, et le dédommageant,
Et voulant bien mettre tout sur son compte :
Tout cela n'est que pour rendre le conte
Un peu meilleur. J'ai vu les gens mouvoir
Deux questions : l'une, c'est à savoir

Si l'époux fut du nombre des confrères.
A mon avis n'a point de fondement,
Puisque la Dame et l'ami nullement
Ne prétendaient vaquer à ces mystères.
L'autre point est touchant le talion ;
Et l'on demande en cette occasion
Si, pour user d'une juste vengeance,
Prétendre erreur et cause d'ignorance
A cette Damea aurait été permis.
Bien que ce soit assez là mon avis,
La Dame fut toujours inconsolable.

Dieu gard' de mal celles qu'en cas semblable
Il ne faudrait nullement consoler !
J'en connais bien qui n'en feraient que rire :
De celles-là je n'ose plus parler,
Et je ne vois rien des autres à dire.

LA VÉNUS CALLIPYGE

Conte tiré d'Athénée.

Du temps des Grecs deux sœurs disaient avoir
Aussi beau cul que filles de leur sorte ;
La question ne fut que de savoir
Quelle les deux dessus l'autre l'emporte.
Pour en juger un expert étant pris,
A la moins jeune il accorde le prix,
Puis, l'épousant, lui fait don de son âme ;
A son exemple un sien frère est épris
De la cadette, et la prend pour sa femme.
Tant fut entre eux à la fin procédé,
Que par les sœurs un Temple fut fondé
Dessous le nom de Vénus belle fesse.
Je ne sais pas à quelle intention ;
Mais c'eût été le Temple de la Grèce
Pour qui j'eusse eu plus de dévotion.

TABLE DES MATIÈRES